Cómo encontrar trabajo en Internet

TÍTULOS ESPECIALES

Responsable Editorial:
Víctor Manuel Ruiz Calderón
Susana Krahe Pérez-Rubín

Diseño de cubierta:
Cecilia Poza Melero

Cómo encontrar trabajo en Internet

Enrique Brito Álvaro

Juan Ignacio Luca de Tena, 15. 28027 Madrid
Depósito legal: M. 37.299-2010
ISBN: 978-84-415-2816-1
Printed in Spain
Impreso en: Lavel, S. A.

A mi mujer, Natalia,
y a mis hijos, Enrique y Juan Luis.

Agradecimientos

Primeramente quería agradecer a la Editorial Anaya la oportunidad que me dieron de escribir este libro, precisamente porque tras localizar mi blog consideraron que podría hacer un libro con la calidad habitual de sus títulos.

Es de recibo agradecer también a los miembros del equipo de profesionales que el Colegio de Graduados Sociales de Madrid reunió para impartir un programa OPEA-BAE (Orientación Para el Empleo y el Autoempleo - Búsqueda Activa de Empleo) al que fui convocado por el INEM (el antiguo Instituto Nacional de Empleo, ahora renombrado como SPEE, Servicio Público de Empleo Estatal) y donde aprendí las técnicas básicas para buscar empleo con eficiencia.

Especial mención para Leopoldo Rodríguez Kábana que dirigía este equipo y con el que luego volví a encontrarme cuando se hizo cargo del Servicio de Empleo y Orientación Profesional del Colegio Oficial de Ingenieros de Telecomunicación. A partir de ese momento, hemos mantenido una relación de mutuo aprendizaje.

Posteriormente he ido profundizando en el conocimiento de todos los aspectos y técnicas de una búsqueda de empleo a través de los artículos que he ido realizando para describir los pasos típicos de un proceso de *outplacement* y que siguen disponibles en mi blog. Con ellos generé un *e-book* en PDF que ha superado de largo las 15.000 descargas. Gracias a quienes lo descargaron por considerarlo interesante.

También quiero agradecer la oportunidad que me brindó Weblogs S.L. de ser editor profesional en su red de blogs, líder indiscutible en España y a nivel mundial como red de blogs escritos en español. En concreto publiqué artículos en El Blog Salmón, de su propia red, y en el blog de ActiBVA, el blog de la comunidad del BBVA desarrollado por Weblogs S.L. Evidentemente, la temática en ambos casos también fue la búsqueda de empleo.

Todo este recorrido paralelo a mi propia carrera profesional ha dado lugar a este libro que tienes ahora entre tus manos y que agradezco que haya despertado el interés suficiente como para animarte a adquirirlo. Espero que te sea de utilidad y si con lo que aquí se cuenta consigues salir del desempleo o encontrar un trabajo mejor que el actual, habrá merecido la pena escribirlo.

Finalmente quiero agradecer a toda mi familia, mis hermanos, suegros, cuñados y cuñadas, sobrinos y sobrinas, su constante apoyo y ayuda.

Y un recuerdo especial para mis padres, Q.E.P.D.

Sobre el autor

Enrique Brito Álvaro es Ingeniero de Telecomunicación por la Universidad Politécnica de Madrid y ha trabajado en diversas consultoras.

Empezó su carrera profesional en Fomento de Construcciones y Contratas, en el Departamento de Sistemas, trabajando en sistemas de control de tráfico para la Dirección General de Tráfico.

Posteriormente pasó a Atos Origin en donde trabajó para Telefónica I+D y para otras empresas del Grupo Telefónica en sistemas de gestión de tráfico telefónico y en la Red IP. Realizó pruebas de sistemas y gestionó equipos de trabajo para la Red IP.

Su siguiente empresa fue GFI Informática trabajando también para empresas del Grupo Telefónica como jefe de proyecto del Centro de Atención a Clientes para Grandes Clientes.

En su siguiente empresa tuvo de cliente a CEMEX, y coordinaba trabajos de desarrollo y gestión de un marketplace de una de las filiales de Cemex.

Finalmente llegó a su actual empresa, INECO, en donde trabaja para AENA. Tras haber ayudado a poner en marcha el Centro de Gestión Aeroportuaria (CGA) del aeropuerto de Madrid-Barajas se dedica a realizar informes técnicos sobre tecnologías de comunicación e informática aplicada al entorno aeroportuario.

Antes de trabajar para INECO estuvo unos meses en búsqueda de empleo. Desde ese momento comprendió la importancia de la gestión de la propia carrera profesional y el conocimiento de la búsqueda activa de empleo como método para obtener mejores y más rápidos resultados.

Uniendo este interés, su experiencia profesional acumulada, así como su conocimiento de diversos procesos de selección en los que ha participado a lo largo de su carrera profesional, acabó redactando un e-book titulado "25 pasos para un destino" en donde describía los 25 pasos de un proceso de búsqueda activa de empleo, lo que también se conoce como programa de outplacement individual.

Durante aproximadamente un año, colaboró como editor profesional en Weblogs S.L., editando artículos sobre búsqueda de empleo tanto en El Blog Salmón como en el blog ActiBVA, de la comunidad creada por el BBVA y gestionada por Weblogs S.L.

Esta experiencia profesional acumulada, el conocimiento intensivo de todos los factores que intervienen en una búsqueda de empleo y el uso intensivo de los recursos de la Web 2.0 (publica su blog desde el 22 de julio de 2004 y conoce Internet desde 1984) hacen de Enrique el profesional idóneo para diseccionar la búsqueda de empleo utilizando los recursos que Internet pone al alcance de cualquier individuo.

Se puede contactar con el autor en: `libro@brito.es`.

Índice de contenidos

Prólogo

Andrés Pérez Ortega

http://www.marcapropia.net

Un viernes a última hora, mientras trabajas en los presupuestos o en el informe de ventas o en la presentación de la convención de ventas, suena el teléfono de tu cubículo. Tu jefe te solicita que te acerques a su despacho. Notas algo raro en la forma de decírtelo. Te pide que pases y que cierres la puerta.

Ha ocurrido. Te dirán que es la coyuntura, que están satisfechos con tu trabajo pero las cosas se han puesto difíciles, que la empresa tiene que tomar una decisión complicada, que... pases a hablar con los de RRHH y que el lunes no hace falta que vuelvas. "Te deseamos mucho éxito en tu futuro profesional".

Pueden cambiar los detalles, las circunstancias o la reacción de los protagonistas, pero esta escena se ha convertido en algo frecuente. Hasta hace un par de décadas, esto era algo que sólo les ocurría a otros y en pocas ocasiones. Ahora es algo que todos experimentaremos varias veces a lo largo de nuestra trayectoria profesional. Y aunque siempre es duro y difícil, podemos gestionarlo con éxito. Podemos convertir una crisis en una oportunidad. Pero hay que estar preparado.

Las personas tenemos una necesidad de planificar, prever y controlarlo todo. Nos sentimos incómodos cuando no somos capaces de, al menos, imaginar lo que nos puede suceder en un futuro cercano. Diseñamos las vacaciones con varios meses de antelación, decidimos la profesión que tendrán nuestros hijos incluso antes de tenerlos, decidimos lo que haremos cuando nos jubilemos. Pero pocos, muy pocos son capaces de planificar su estrategia profesional.

Da la sensación de que, una vez que hemos sido aceptados como empleados en una organización, hemos alcanzado el objetivo. Sin embargo, pocos son conscientes de que ese es solo un paso más en una trayectoria profesional en la que vas a "vivir" durante varias décadas.

En este momento, un profesional que quiera tener una trayectoria ascendente debe gestionar su carrera como una serie de proyectos encadenados. Lo importante ya no es quién le va a pagar la nómina. En este momento lo fundamental es identificar qué es lo que hace él o ella para generar valor y cómo puede dar a conocer al mercado que es la persona más apropiada para ocupar un puesto.

El diseño de un proyecto profesional no es muy diferente de cualquier otro. La gestión de proyectos es aplicable desde la construcción de un 747 hasta la organización de una barbacoa con los amigos. Pero también sirve para gestionar nuestra estrategia como profesionales.

Debemos establecer objetivos, evaluar nuestros recursos, seleccionar un campo de actuación, definir las etapas a cubrir o comunicarnos con el entorno. Todo esto y mucho más es lo que podemos encontrar en este libro.

Debemos dejar de pensar como empleados y empezar a pensar como profesionales que venden sus servicios a las empresas que nos contratan. Esto implica que constantemente debemos estar pensando que estamos en un mercado cambiante y que debemos tener preparadas nuestras herramientas. No podemos esperar esa llamada del jefe para ponernos en marcha.

La búsqueda de empleo o de proyectos profesionales interesantes es algo que va mucho más allá de lo que hasta ahora ha sido el Santo Grial de la búsqueda de empleo, el Curriculum Vitae. Hay que tener un documento, físico o virtual, en el que enumeremos nuestros logros y experiencias, pero hay que ir mucho más allá.

En estos tiempos, un profesional debe ser capaz de definir por sí mismo sus planes a corto, medio y largo plazo del mismo modo que lo haría cualquier organización o multinacional. Si no es capaz de definir el rumbo, difícilmente podrá llegar a su destino y acabará donde otros decidan. Cada una de las personas que está en el mercado laboral debe tomar sus propias decisiones en lugar de que sean otros los que lo hagan.

Pero no podemos olvidarnos de que no estamos tratando con productos o "cosas", sino con personas. Cada uno de nosotros es único, singular y valioso y debemos adquirir la costumbre de analizar lo que somos y lo que podemos aportar. Este ejercicio tan saludable es lo que nos va a permitir diferenciarnos y sobresalir en un mercado homogéneo y gris.

Al realizar ese ejercicio de autoanálisis, vamos a encontrar muchas piezas de las que estamos hechos y que habíamos olvidado o que pensábamos que habíamos perdido. Con esos elementos vamos a poder crear una oferta personal que vamos a poder ofrecer al mercado y por la que vamos a ser recompensados y reconocidos.

Luego deberemos salir al mercado, poner nuestra "mercancía" a la venta, hacer visible nuestra oferta personal. Es el momento de escoger nuestro nicho de mercado. He dicho bien, escoger. Porque ahora somos nosotros, los profesionales, quienes vamos a decidir dónde, de qué modo y a quién vamos a ofrecer nuestro trabajo. Ya no se trata de disparar a todo lo que se mueve sino de convertirnos en francotiradores. Es en ese momento en el que deberemos utilizar todos los medios de comunicación y publicidad personal a nuestro alcance. Es en este momento en el que nos encontramos con algo parecido a nuestro viejo Curriculum Vitae. Lo que ocurre es que en este momento el CV puede adquirir formas muy diferentes. Ya no es aquel viejo documento de dos páginas manuscrito o redactado en una vieja Olivetti en papel Galgo y enviado por correo ordinario.

Ahora debemos pensar como las modelos o los aspirantes a actores. El CV de cualquier profesional debe parecerse al "*Book*" o a un "*Portfolio*" de proyectos profesionales. No sólo debemos afirmar que tenemos un título o que estamos capacitados para realizar un trabajo sino que tenemos que demostrarlo. Y eso es posible.

Las redes sociales y los portales de empleo ponen a nuestra disposición un escaparate global para demostrar nuestros logros y gestionar nuestra propia estrategia de identidad digital y de reputación online. Ya no se trata de convencer a una persona que somos los más adecuados en una entrevista de cuarenta y cinco minutos. Ahora puede verlo por sí mismo.

La aplicación correcta de todas estas herramientas nos va a facilitar el contacto con quienes están interesados en lo que somos capaces de aportar.

Pero sobre todo nos va a ayudar a diferenciarnos, destacar y sobresalir. Eso va a aumentar nuestro valor. Y a la hora de la negociación, las posiciones van a estar más equilibradas. Ya no vamos a acudir a una entrevista como personas que "mendigan" un empleo sino como profesionales que ofrecen un servicio valioso.

Y esta forma de pensar debe ser una constante en la vida profesional de cualquier persona que pretenda trabajar en un entorno como el actual. No podemos esperar a que nos llame nuestro jefe un viernes a última hora para poner en marcha nuestro proyecto profesional. Debemos estar preparados para que cuando eso ocurra, y ocurrirá, podamos realizar una transición suave y ascendente. Por eso creo que este libro es una excelente guía para los profesionales del siglo XXI. La trayectoria profesional, la experiencia, los conocimientos y la pasión de Enrique Brito le certifican como la persona más adecuada para transmitir tantas cosas diferentes de un modo tan apasionante y tan práctico.

Hace años que conozco a Enrique, y siempre me ha demostrado su capacidad para encontrar, utilizar y transmitir cualquier información que he necesitado. Siempre me ha sorprendido y maravillado la rapidez con que ha sido capaz de generar valor con los contenidos relacionados con el desarrollo profesional y con La Red. Creo que este libro es una prueba evidente de lo que digo y es una suerte que mucha gente pueda disfrutar y aprovechar lo que nos enseña.

Ahora no te lo pienses más y ¡Adelante!

Andrés Pérez Ortega.
`www.andresperezortega.com`

Otras menciones

A continuación, se adjuntan los comentarios de varios expertos en empleo sobre este libro y su autor, ordenados alfabéticamente.

Gracias a todos ellos por querer hacer un comentario tras pasarles el índice y el contenido básico de cada capítulo. Nos conocemos virtualmente todos desde hace años y a algunos los he tratado en persona. Son los autores que he referenciado como imprescindibles en este libro y de ahí el atrevimiento de pedirles esta reseña.

Muchas gracias a todos.

Alfonso Alcántara

http://yoriento.com

Con esta obra de *ingeniería sociolaboral*, Enrique nos acerca al mundo del empleo y el desarrollo profesional, también en las redes sociales, de una forma didáctica y práctica. Si estás buscando trabajo o reenfocando tu horizonte en el mercado laboral, en este libro encontrarás las claves que necesitas para navegar en la Internet de los portales y las redes del empleo, para definir tus metas y poner en valor tus mejores competencias y para aplicar las técnicas que te llevarán a una vida mejor. Mejorar profesionalmente es una carrera de fondo continua que debe superar estados de ánimo y pensamientos negativos que de vez en cuando nos asaltan. Te sientas como te sientas, y pienses lo que pienses, haz lo que debes. Y nada mejor que empezar sacándole partido al buenhacer y buen saber de Enrique.

Alfonso Alcántara Gómez.
Coach y consultor en desarrollo profesional y empleo 2.0, editor de http://yoriento.com.

Encarna Batet

http://t-orienta.info

"*Chi cerca, trova*" (proverbio italiano).

Igual que el viajero procura hacerse con un buen mapa para llegar a su destino, quien esté en la tesitura de buscar un empleo, seguro que va a encontrar en este libro un buen compañero para realizar ese viaje con éxito.

"El mapa no es el territorio", decía Alfred Korzybski. Con este libro, Enrique nos acerca, desde su conocimiento y también desde su experiencia de "viajero", ideas, estrategias, herramientas y propuestas de acción claves para afrontar positivamente el reto de dicha búsqueda.

José Miguel Bolívar

http://www.optimainfinito.com

La búsqueda de empleo no es un estado sino una actitud reflejada en un proyecto orientado hacia un claro objetivo. Es habitualmente un camino largo y pedregoso que pone constantemente a prueba nuestra confianza e ilusión. Por este motivo es recomendable no adentrarnos en él a la ligera.

Al contrario, contar con una estrategia, un plan y las herramientas que podrán ser de utilidad en cada momento aumentarán considerablemente las probabilidades de éxito.

No existe una receta mágica ni única y por ello, cuanto mejor conozcamos los riesgos, sepamos identificar las oportunidades y sacar el máximo partido a los recursos y herramientas, más cerca estaremos de encontrar lo que buscamos. En este sentido Enrique Brito nos ofrece una amplia panorámica de todos los elementos que intervienen en esta aventura y nos prepara para lanzarnos a ella conociendo desde el principio el terreno que vamos a pisar y la mejor forma de hacerlo.

Sergio Ibáñez Laborda

http://www.blogempleo.com

"Mis historias" (http://enrique.brito.es/blog) es uno de los blogs que empecé a seguir hace ya unos cuantos años, y que hizo cambiar mi visión: descubrí que la Web 2.0 podía ser más que un escaparate de egos digitales un espacio donde mostrar las ideas más actuales y útiles sobre un tema (en este caso el empleo).

La generosidad es un rasgo de Enrique, como demuestra el hecho de haber compartido sus años de experiencia en selección en su blog y los famosos "25 pasos para buscar un empleo".

Además tiene una mente inquieta, conoce muchas herramientas informáticas para aplicar a una necesidad concreta, y es un *networker* nato. Es famosa su frase "Por cierto, a Fulano lo conozco también". Por eso cuando quise crear una empresa conté con él para testear la idea y formar parte del equipo.

Enrique sabe de lo que habla y habla de lo que sabe, así que en su libro encontrarás poca teoría de gurú y mucha visión de experto, contada en estilo directo y estructurado (por algo es ingeniero).

Este libro es un fantástico apoyo para ayudarte a encontrar o mejorar tu empleo, pues encontrarás recomendaciones útiles tanto si estás empezando a buscar como si buscas proyectar tu carrera profesional.

Carlos Martí Sanchis

`http://trompazos.blogspot.com`

Las turbulentas aguas del mercado laboral presentan un panorama profesional cada vez más competitivo, complejo y sofisticado. Si uno quiere llegar a buen puerto, necesita conocer los entresijos de técnicas, habilidades y competencias fundamentales para moverse en el ámbito laboral sin naufragar. Enrique Brito, que ha surcado muchos mares en su trayectoria profesional, nos trae un compendio de recursos y guías que nos permitirán navegar con mayor seguridad y confianza en nuestra carrera profesional.

Juan Martínez de Salinas

`http://www.elblogderrhh.com`

Enrique Brito es una persona a la que conozco a través de la red por diversos proyectos colaborativos en los que hemos podido interactuar a nivel de participación. Es una persona que siempre aporta una visión realista, es decir, tal y como es, enfocándolo siempre con perspectiva de futuro para evolucionar. En esta aventura escrita toca temas de actualidad a nivel laboral, siendo la principal temática herramientas y recursos en la red de temas de recursos humanos enfocados a la empleabilidad.

Lo tratará de una forma eminentemente práctica que no dejará indiferente a nadie porque nos hará reflexionar y plantearnos otros puntos de vista con los que no contábamos. Sobre estos temas aún existe mucha teoría escrita que no aporta la perspectiva humana y profesional necesaria que aportan las vivencias de una intensa carrera profesional como la de Enrique.

Pedro Rojas

http://www.seniorm.com

Enrique Brito, a quién conocí gracias al Blog Salmón y a la BloGuía de Empleo, nos ofrece con este libro una visión detallada sobre lo que verdaderamente significa "buscar empleo" en el complejo mercado laboral actual. Su obra está enfocada bajo varias perspectivas muy importantes, que integradas, conforman un arma muy poderosa para todos aquellos que andan en la búsqueda de nuevas oportunidades laborales, ya sea que se encuentren en situación de desempleo o que simplemente desean un cambio profesional.

Es interesante como Enrique desgrana una a una las variables fundamentales que se ven involucradas en búsqueda de trabajo y como le otorga a cada una su rol, dentro de un proceso que ya no es bidireccional sino multidireccional.

Sus ejemplos y citas ofrecen al lector claros detalles sobre lo que sucede en la actualidad laboral, mientras nos enseña sobre cómo ha cambiado la mentalidad de los trabajadores, empresarios y los profesionales del reclutamiento y selección.

Encuentro que Enrique no deja afuera ningún aspecto pertinente a la búsqueda como tal, y más bien añade interesantes actualizaciones sobre el tema. La mayoría girando en torno a las nuevas herramientas disponibles en la Web 2.0, como son las Redes Sociales y sus diferentes aplicaciones.

Se trata entonces de una obra muy actual, muy completa y sobre todo muy accesible al público en general, ya que su lenguaje llano y explicativo permite adentrarnos en ese "mundo" lleno de paradigmas, cambios constantes y siempre en evolución. Estoy seguro de que ésta obra se convertirá en un manual de referencia obligada para cualquiera que desee tener éxito a la hora de buscar empleo.

Cómo usar este libro

Destinatarios de este libro

Este libro está dirigido a todas aquellas personas que buscan empleo o que desean buscarlo, ya sea por querer mejorar su carrera profesional o por necesidad.

En concreto este libro pretende mostrar cómo sacar provecho de Internet y de las herramientas disponibles a sólo unos clics de distancia.

Hoy en día todos tenemos claro, o deberíamos tenerlo, que nuestra carrera profesional la debemos gestionar nosotros mismos y una de las mejores maneras de hacerlo es estar siempre preparado para la búsqueda de empleo porque, salvo que tengas una plaza de funcionario ganada con todo el enorme esfuerzo que supone, en cualquier momento puedes ser totalmente prescindible.

De ti depende estar preparado para que ese momento de transición sea lo más breve posible y que obtengas mejores resultados realizando una búsqueda activa de empleo.

Este libro te dará pautas para:

- Analizar tu carrera profesional.
- Analizarte a ti mismo y tus preferencias.
- Crear un curriculum vitae y mostrarlo en Internet.

- Decidir tus opciones profesionales y empresas objetivo.
- Usar portales de empleo y redes sociales profesionales.
- Superar entrevistas de selección y la negociación correspondiente.
- Formarte para mejorar tu empleabilidad.

Organización del libro

Para buscar empleo eficientemente hay que realizar una serie de tareas y ser metódico para poder llevarlas a buen fin. En este libro se explican a lo largo de 12 capítulos:

1. **La búsqueda de emple**o: Un resumen de cómo buscar empleo eficientemente, describiendo las tres fases principales de un proceso de búsqueda activa de empleo. Trata de aclarar conceptos y tener una visión global del proceso.
2. **Webs de orientación de carrera**: Webs y blogs con consejos y material útil para buscar empleo y, en general, para mejorar tu carrera profesional. Se citan autores de conocido prestigio y relevancia y se ofrece la vía para localizar muchos más referentes. Veremos cómo darnos de alta en Red Trabaja, que será una Web citada varias veces a lo largo del libro.
3. **Tu trayectoria profesional**: Cómo usar Internet para ayudarte a recopilar tu trayectoria profesional, extrayendo nuestras competencias y logros obtenidos. Se muestran brevemente las posibilidades de Google Docs para guardar nuestros documentos online.
4. **El curriculum vitae**: Se describen los diversos tipos de curricula, con su esquema típico, incluyendo el curriculum europeo *Europass*. Encontrarás sitios Web útiles para crearse un curriculum y dejarlo visible a cualquier reclutador o cómo crearse una Web personal. Finalizamos viendo la creación de un curriculum en Red Trabaja.
5. **Analizándose a uno mismo**: Veremos diferentes tipos de tests que se pueden realizar online para hacerse una idea mejor de nosotros

mismos y de cómo somos. Introduciremos el clásico análisis DAFO y veremos una herramienta para realizarlo.

6. **Opciones profesionales**: Nos definiremos el trabajo ideal que queremos, considerando distintos aspectos como son el tipo de empresa, su ubicación, sector y tipo de actividad a realizar, así como el nivel de responsabilidad y salario que deseamos.

7. **Listas de empresas objetivo**: Aquí veremos sitios Web de donde sacar listados e información de las empresas que nos encajan en nuestro objetivo: redes sociales profesionales, directorios generales o de sector. También indicaremos el uso que podemos dar a Red Trabaja.

8. **Empresas de selección, head hunters y portales de empleo**: Mostramos cómo crearse una lista y seleccionar lo más adecuado a nuestra búsqueda. Veremos cómo contactar con las empresas de selección y los head hunters. Finalmente mostraremos el uso de portales y metabuscadores de empleo.

9. **Redes sociales profesionales**: Mostraremos su uso adecuado para la búsqueda de empleo, aconsejando cómo crearse una imagen profesional sólida y competente. Veremos cómo crearse un perfil y cómo ir haciendo contactos. También analizaremos todas las posibilidades que ofrecen, como grupos de interés, eventos y ofertas de empleo. Aprenderemos a utilizarlas para obtener información de empresas objetivo y sobre puestos concretos y quién es la persona con decisión sobre su contratación para contactarla sin intermediarios.

10. **Entrevistas de selección**: Usaremos la Web para documentarnos sobre tipos de entrevistas, sobre cómo responder a las preguntas más habituales. Una herramienta importante es el "inventario de autoventa" que nos hacemos y que nos servirá para tener respuestas a esas preguntas. Veremos cómo formarse sobre estilos de comunicación y cómo tener preparadas posibles referencias profesionales, si se nos solicitan.

11. **Negociación, evaluación de ofertas y preparación para el nuevo empleo**: Describiremos técnicas de negociación. También se verá cómo evaluar las ofertas recibidas para seleccionar la que sea óptima y, finalmente, cómo prepararse para la entrada en el nuevo trabajo.

12. **Formación para el empleo**: Veremos cómo alinear tus conocimientos con el objetivo profesional que te has marcado, indicando dónde podemos encontrar cursos para lograrlo. De esta manera aumentaremos nuestra empleabilidad o podremos cambiar de sector profesional.

A. **Apéndice. Ranking de empleo en Internet**: Sergio Ibáñez recopila en `http://www.rankingdeempleo.es` información comparativa de los principales sitios de Internet que interesan al buscador de empleo.

1 La búsqueda de empleo

En este libro explicaremos cómo sacar provecho de Internet y de los recursos que se ponen a nuestro alcance para el fin concreto de buscar empleo.

Pero antes de empezar a desgranar el detalle debemos establecer el marco de trabajo. Es necesario aclarar conceptos y tener una visión global del proceso de búsqueda de empleo, de modo que sea lo más eficiente posible.

Antes ni siquiera de empezar con esta explicación, hablaremos sobre lo que no se debe hacer nunca para buscar empleo: tener urgencia. Sí, la búsqueda de empleo lleva su tiempo, y si no se hace adecuadamente este tiempo se alarga y es causa segura de pérdida de autoestima y de depresión.

Es habitual que si alguien se queda en el paro, sobre todo en la primera vez que esto ocurre, se empiece al día siguiente a decírselo a todo el mundo. Se envían correos a todas nuestras agendas de contacto de todos nuestros buzones de correo (hay mucha gente que, como yo, dispone de varias cuentas de correo activas y en cada una la libreta de direcciones almacenada es diferente), o se empieza a llamar a toda la agenda que tenemos en nuestro móvil. Sobre todo en tiempos de crisis, piensas que quien contactes le quedará claro que tú eres válido para cualquier trabajo y que simplemente eres una víctima más de la crisis, por lo que es muy posible que alguien tenga un puesto en el que poder acoplarte y contratarte. Mal hecho, las cosas no son así. Con crisis o sin crisis.

Eso es como jugar a la lotería. Puede haber una casualidad, o que se desencadene una cadena de casualidades (algo que se ha visto en un anuncio reciente de una operadora de telecomunicaciones), pero eso sólo suele pasar en los anuncios o en las películas donde con sólo soñar con fuerza en algo se hace realidad.

Buscar trabajo es en sí un trabajo. Y es el trabajo más duro y más ingrato que hay. Es una constante lucha contra el desánimo y en la que te encuentras con todo tipo de obstáculos, ya sean reales o inventados por las falsas creencias en torno a la búsqueda de empleo (que si tengo muchos años, que si no tengo la formación adecuada,...).

Primero debes adaptarte a esta situación, sobre todo anímicamente, lo que te evitará posibles futuros problemas como la depresión o la pérdida de autoestima ya citadas. Debes pasar por el proceso de duelo que supone perder un trabajo. Es como romper una relación afectiva o perder a un ser querido. Se pasa mal, pero se supera. O al menos se aprende a vivir con ello.

También debes adaptar tu economía. Debes reducir los gastos superfluos intentando no cambiar drásticamente tu vida. Sobre todo con la familia. No es bueno que tus hijos repentinamente vean eliminadas sus actividades extraescolares, por ejemplo.

Es decir, hay que hacer cuentas y no dar un bandazo en cuanto a hábitos de vida, al menos mientras no sea forzoso. Cuanto más se puedan mantener las rutinas habituales, mejores serán los resultados de una búsqueda de empleo.

Si tu caso es el del que busca trabajo desde un puesto de trabajo (mejora de empleo), el panorama es distinto, pero también deberás plantearte una búsqueda ordenada de empleo. Si no, estarás siempre en ese trabajo que no te gusta y del que, por la razón que sea, quieres huir.

Hagamos un plan

Hemos dicho que es habitual contactar con todo el mundo y decir que estás buscando trabajo. Y esto vale para el caso de quien ha sido despedido o el de la persona que quiere escapar de un trabajo ingrato, o que simplemente quiere mejorar.

Este es un error típico porque no suele dar resultados, como ya se apuntó. Y no suele dar resultados por una sencilla razón: **has dicho que buscas trabajo, pero no has dicho qué trabajo buscas**. Recuerda el cuento de Lewis Carroll, cuando Alicia le pregunta al conejo sobre cuál de los dos caminos que tiene delante debe elegir:

> —Minino de Cheshire, ¿podrías decirme, por favor, qué camino debo seguir para salir de aquí?
>
> —Esto depende en gran parte del sitio al que quieras llegar, —dijo el Gato.
>
> —No me importa mucho el sitio..., —dijo Alicia.
>
> —Entonces tampoco importa mucho el camino que tomes, —dijo el Gato.

Es decir, si no sabes qué trabajo buscas es igual que se lo digas a 100 o a 10.000 personas. No te van a poder ayudar porque no saben qué es lo que realmente quieres.

Por tanto, queda claro que hay que planificar la búsqueda de empleo antes de empezar. Sólo así podrás tener mejores resultados. Si planificas al detalle un viaje de verano de vacaciones en familia para que todo vaya bien, está claro que con más razón debes planificar una búsqueda de empleo por la relevancia del destino que buscas.

La idea principal que tenemos que tener sobre una búsqueda activa de empleo es sencilla. Hay que saber primero qué trabajo queremos. Después averiguaremos en qué empresas se puede realizar ese trabajo. Investigaremos para saber quién es la persona con poder de decisión sobre ese puesto (y no suele ser el departamento de Recursos Humanos) y veremos cómo llegar a esa persona a través de nuestros contactos. Cuando establezcamos contacto, dependerá de nuestra capacidad para mostrar nuestros valores y de la necesidad que tengan de cubrir el puesto que nos encaja, el que consigamos o no el empleo.

Como he dicho, la idea es sencilla. Llevarla a cabo requiere esfuerzo y un método planificado.

Es decir, nos centramos en la búsqueda de empleo en el mercado oculto, en el mercado de las ofertas que no se publican. Si te preguntas el tamaño de este mercado oculto, la respuesta puede que te llegue a sorprender: **el**

mercado oculto de ofertas de empleo es cuatro veces mayor al mercado de ofertas publicadas. Así lo confirma un estudio de la consultora Creade Lee Hecht Harrison publicado el 27 de abril de 2009. Sólo el 20 por 100 de las ofertas de empleo son visibles y este hecho precisamente se acentúa en época de crisis al reducir costes para los procesos de selección. Se puede leer el informe completo en la URL `http://www.e-creade.com/news.asp?id=16`.

Las tres fases

Bien, hay que planificar. Pero ¿cómo lo hacemos? Sencillamente dividiendo el problema en otros más simples cuya resolución sea más sencilla. Es decir, estableciendo fases y dentro de ellas actividades que debemos realizar.

En un proceso metódico de búsqueda de empleo debemos tener claras las tres fases que lo componen (véase la figura 1.1):

1. Análisis de carrera y elección de objetivos profesionales.
2. Adquisición de técnicas y habilidades.
3. Campaña de búsqueda y seguimiento.

Incluso antes de empezar con estas tres fases, lo primero que debes hacer es concienciarte de que en este nuevo trabajo debes tener una dedicación diaria similar a la que tenías cuando trabajabas, si tu caso es haberte quedado en paro, o una dedicación mínima, si lo que estás haciendo es buscar un empleo mejor.

En el primer caso, lo mínimo para tener buenos resultados en un plazo razonable es dedicar 5 horas intensivas diarias. En el segundo caso, todas las que puedas sacar tras tu jornada laboral y compatibilizándolas con tu vida privada. Te será útil, por tanto, hacerte un calendario de planificación diaria y semanal.

¿Cuánto tiempo te puede llevar encontrar un nuevo trabajo? Es una pregunta a priori casi imposible de responder. Lo que sí está claro es que haciéndolo con un plan el tiempo es mucho menor.

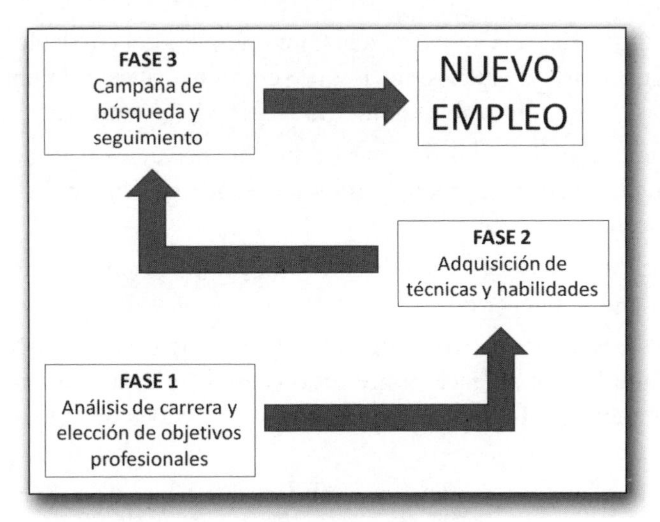

Figura 1.1.
Fases de una búsqueda activa de empleo.

En fechas recientes, una consultora de *outplacement* ha publicado que el tiempo medio para que una persona que utilice sus servicios encuentre trabajo, es de algo más de 7 meses. Concretamente, se puede ver en el Informe de Recolocación 2009 de Creade Lee Hecht Harrison (`http://www.e-creade.com/news.asp?id=18`).

Puedes pensar que es mucho tiempo, pero te puedo asegurar, con conocimiento de causa, que si no haces la búsqueda con método tardarás mucho más tiempo y encontrarás un empleo peor, si lo encuentras.

Vayamos ahora, pues, a la explicación de cada una de las fases y de sus actividades.

Análisis de carrera y elección de objetivos profesionales

Lo primero que debemos hacer es recopilar nuestra historia profesional. En este momento debemos ejercitar la memoria y recopilar todo lo realizado antes: los éxitos alcanzados, los fracasos y los problemas superados.

Todo este material servirá para redactar o completar el curriculum vitae así como el inventario de autoventa, lo que será muy útil cuando empiecen las entrevistas, porque llegará el momento crucial de las entrevistas.

Si te pones a ello, verás que has hecho muchas cosas y acabarás viendo que se pueden hacer en muchos sitios. Es lo que se conoce como tus activos transferibles.

Es decir, lo que eres capaz de hacer independientemente del trabajo y la empresa en la que estés.

Mientras estás en activo es muy habitual no acordarse nunca de ir documentando lo que se hace, sobre todo cuando se está mucho tiempo en la misma empresa. Te dedicas a tu trabajo y te olvidas de cuidar tu carrera profesional.

Esto simplemente conlleva que tendrás que hacer un esfuerzo de memoria mayor, pero en cuanto que te pongas a ello, recordarás cosas que ya creías tener olvidadas.

Evidentemente los éxitos alcanzados en tu carrera son importantes porque es lo primero que ayudará a reforzar tu candidatura. Los fracasos, aunque no se ponen en un CV, son importantes para no volver a cometer los mismos errores y para responder a preguntas difíciles en entrevistas.

Es habitual que te pidan que hables de algún problema que hayas tenido y cómo lo has afrontado. Los problemas superados serán ideales para este tipo de preguntas.

Todo este recorrido profesional te conformará tu conjunto de habilidades transferibles, como ya he dicho. Es una información que debes clasificar y ordenar: con fichas, etiquetas, en un documento Word o Excel, o como mejor se te ocurra.

FASE I

HISTÓRICO PROFESIONAL
EJERCICIOS PSICO-TÉCNICOS
EVALUACIÓN DE CARRERA
IDENTIFICACIÓN DE LAS REALIZACIONES Y COMPETENCIAS PROFESIONALES
EXPLORACIÓN DE LAS POSIBLES OPCIONES DE CARRERA
ELECCIÓN DE OBJETIVOS DE CARRERA

Figura 1.2.
Actividades principales de la Fase I.

La siguiente tarea a realizar consistirá en realizar ejercicios psicotécnicos que servirán para conocernos mejor. Sí, tienes que conocerte bien a ti mismo, tus capacidades y en qué tipo de trabajos encajas mejor.

Si te pones a buscar un trabajo, cuanto más se parezca a tu trabajo ideal, es más fácil que después no te obligue a saltar a otro para huir de algo que no te encaja.

La mejor opción para los ejercicios psicotécnicos será, evidentemente, realizarlos con un profesional que sepa interpretar adecuadamente los resultados y asesorar a quien los realiza.

Aun no recurriendo a un profesional, si se realizan por cuenta propia pueden ser útiles si se sabe hacer el ejercicio de verse desde fuera lo más objetivamente posible, o al menos intentarlo. Mejor aún si te ayuda tu pareja o un amigo a darte una visión exterior sobre cómo eres.

Algunos tests que se suelen usar en este proceso son el SDS de Holland, que te dará tu personalidad entre los seis tipos que define con un código de tres letras. Con esas tres letras puedes ver un listado de profesiones que encajan con esa personalidad, lo que te puede servir de referencia para decidir tu próximo trabajo. Otro test muy útil para este fin es el Myers Briggs que te da un código de cuatro letras para definir tu personalidad.

Al evaluar nuestra carrera profesional se debe reflexionar sobre lo que se ha ido haciendo profesionalmente, sobre si eso es lo que realmente se quería hacer y sobre las circunstancias que llevaron a esa decisión en el pasado.

Si tienes claro que determinada decisión fue, finalmente, un error por sus resultados posteriores, es más fácil que ahora tomes una decisión muchísimo mejor.

Lo que es importante es ver la coherencia de tu carrera profesional, ver la evolución que has tenido.

Es el momento de acabar de definir tus competencias profesionales, a la vez que repasas tus realizaciones profesionales.

Con este análisis detectas las fortalezas de tu carrera o sus debilidades. Te ayudará a fijar un objetivo a largo plazo.

Con todo esto en claro, puedes empezar a fijar las características del trabajo que quieres. Puedes preguntarte primeramente sobre en qué lugar quieres trabajar, en qué sector o actividad, en qué tipo de empresa y con qué nivel de responsabilidad.

Sobre todo en tiempos de crisis, ya sea generalizada o de tu sector, plantearse un cambio de residencia puede significar encontrar nuevas y mejores oportunidades profesionales. Es un paso que debes meditar bien antes de darlo.

Sobre el sector o actividad puedes seguir en la misma línea, lo que es coherente con tu trayectoria, pero te puedes encontrar con un escenario complicado si ese sector o actividad concreta se encuentra en un periodo específico de extremas dificultades.

Es decir, si eres obrero de la construcción y tu sector literalmente ha reventado, insistir en seguir haciendo lo mismo es la manera más fácil de alargar tu búsqueda de empleo.

Es en este caso cuando haber extraído tus activos transferibles te abre la posibilidad de pasar a otro sector en donde tus habilidades sean también útiles. Si tus pastos habituales se han agotado, se deben buscar nuevos pastos más verdes. (De hecho es una frase habitual en inglés al referirse a la búsqueda de empleo ya que se suele decir *"I´m looking for greener pastures"*.)

El tipo de empresa y nivel de responsabilidad es también importante para hacer una lista clara de objetivos profesionales.

En definitiva, estamos pintando lo más precisamente posible nuestro trabajo ideal. Y como además nos hemos hecho un análisis personal realizando tests, sabemos qué aportamos a ese puesto y cuáles serán nuestros puntos fuertes a explotar durante la búsqueda, especialmente en las entrevistas.

Ahora que ya sabemos qué buscamos, qué aportamos nosotros a ese puesto y que conocemos en líneas generales en qué tipo de empresas puede estar ese trabajo, es cuando sí podríamos ponernos a contactar a nuestra red, pero tampoco de cualquier manera.

Es decir, si repitiésemos el impulso inicial de enviar correo electrónico o llamar a todos nuestros contactos, al menos ahora les podríamos dar una idea de lo que queremos. Ahora hemos convertido a nuestros contactos en oídos activos para nuestra búsqueda.

Pero aún ahora tampoco hay que correr a decírselo a todo el mundo.

Es un error que quema nuestra red de contactos para cuando realmente se necesita, que es para contactar directamente con la persona que tiene poder de contratación directa para ese trabajo ideal en el que encajamos como anillo al dedo.

Por tanto, antes de hacer esto debemos concretar más la lista de empresas objetivo y de las personas clave a contactar.

Debe quedar claro lo que conseguimos en esta fase.

Al recopilar nuestra trayectoria, logros y fracasos, conseguiremos poder redactar un curriculum vitae correcto y que refleje mejor nuestra trayectoria. Igualmente, conseguiremos el inventario de autoventa, las razones que podemos esgrimir para demostrar que somos la mejor opción ante una entrevista de selección, o bien para realizar una candidatura espontánea a un puesto de trabajo que en realidad no se haya publicado, sino al que hayamos accedido a través de nuestros contactos.

Decidimos las características de nuestro nuevo trabajo para tener una referencia clara sobre qué buscar y de ahí pasamos a investigar la lista de empresas objetivo.

Primero será una lista extensa por sectores y la iremos acotando y afinando. Mandar 1.000 curricula no garantiza ni tan siquiera una entrevista.

Pero si enviamos 20 a empresas bien seleccionadas es más que probable que obtengamos al menos 4 ó 5 entrevistas y que en éstas progresemos hasta el final, dado que nos hemos preocupado de enviar el currículum a donde realmente encajamos.

O ni siquiera hemos enviado el curriculum, sino que hemos despertado el interés por nosotros en alguien con poder de decisión.

Ahora nos toca formarnos en una serie de habilidades que nos harán falta en el proceso.

Adquisición de técnicas y habilidades

El candidato que encuentra antes el empleo es el que está más preparado para buscarlo, aparte de tener las cualidades requeridas para el puesto al que opte.

Las habilidades y técnicas principales que nos harán falta serán la redacción de un curriculum vitae, la selección de los canales de obtención de información que usaremos, el desarrollo de nuestra red de contactos y el entrenamiento necesario para superar las entrevistas.

Redacción de Curriculum Vitae y referencias profesionales

El curriculum vitae ya no tiene toda la relevancia que tenía antes de Internet como arma decisoria en la búsqueda de empleo por la proliferación de redes sociales y blogs, pero sigue siendo un elemento indispensable que debe ser redactado con cuidado.

Aún así, hay que dejar claro que en realidad no es imprescindible para encontrar un empleo, ya que se puede conseguir sin tener que utilizarlo.

La norma básica que debemos seguir en la redacción de un curriculum vitae es usar frases y párrafos cortos. Hay que tratar de mostrar logros cuantificables con cantidades concretas o porcentajes de beneficios obtenidos, por ejemplo. Repasar la ortografía y la gramática para no dar mala impresión es algo que no se nos debe pasar por alto y no hay que fiarse del corrector automático del programa que usemos para procesarlo (sea éste Word, Open Office o cualquier otro) ya que puede producir que una palabra se transforme en otra totalmente incoherente y arruine el buen efecto que queremos causar con nuestro curriculum. Se debe ser objetivo y no se deben dar opiniones personales.

El formato más habitual es el cronológico inverso, en el que vamos desglosando nuestros trabajos empezando por el más reciente y acabando en el primero que tuvimos. Se trata de mostrar primero las habilidades actuales y que más frescas tenemos y después nuestro desarrollo profesional hasta ese punto.

Otros tipos son el funcional o el mixto. En el funcional lo que mostramos son las distintas funciones asumidas profesionalmente. En el mixto desglosaremos funciones dentro de cada empresa citada en orden cronológico.

Es interesante que en la primera hoja del curriculum aparezcan **palabras clave** que servirían para encontrarlo si estuvieras usando un buscador.

Ayudan a que te saquen del montón de curricula recibidos si ven rápidamente la habilidad concreta que están buscando. Si en esa primera hoja puede quedar reflejada toda la trayectoria profesional y en la segunda hoja se presenta la formación y otros aspectos como aficiones -sólo si sirven para reforzar tu candidatura- el impacto será mayor, ya que habrás demostrado tu capacidad de síntesis de información y su organización óptima.

Lo habitual es enviar un mismo curriculum para todo. Pero sería mejor si se redacta uno concreto a medida para cada puesto al que se opte. Incluso una forma de diferenciarse puede ser enviarlo primero en papel e indicar que es un adelanto del que se enviará por correo electrónico.

FASE II

DEFINICIÓN DE LA ESTRATEGIA DE BÚSQUEDA y PLAN DE MARKETING
REDACCIÓN DEL CURRICULUM VITAE
ELECCIÓN DE SECTORES Y EMPRESAS OBJETIVO
IDENTIFICACIÓN DE CANALES DE INFORMACIÓN AL PÚBLICO
ELECCIÓN DE EMPRESAS DE SELECCIÓN DE PERSONAL
PREPARACIÓN DE LAS CARTAS DE MARKETING
PREPARACIÓN DE LAS REFERENCIAS PROFESIONALES
DESARROLLO DE LA RED DE CONTACTOS PERSONALES
FORMACIÓN SOBRE LOS ESTILOS DE COMUNICACIÓN
ENTRENAMIENTO PARA LAS ENTREVISTAS
INFORMACIÓN SOBRE LAS EMPRESAS OBJETIVO

Figura 1.3.
Actividades principales de la Fase II.

Canales de información

Debemos tener claro de dónde conseguir información importante y relevante para nuestra búsqueda de empleo sobre empresas y personas clave, así como dónde localizar las ofertas de empleo que encajen en nuestro objetivo, si es que también optamos por usar el mercado visible. Los canales de información típicos para estas ofertas visibles son los anuncios en prensa o revistas especializadas, oficinas de empleo, empresas de trabajo temporal, consultoras de selección y Webs de empleo.

Hay que tener claro qué **tipo de ofertas o de información se pueden obtener a través de ellos**. Al haber definido claramente el objetivo de empleo, se puede concentrar el esfuerzo en el seguimiento del canal óptimo para recolectar datos sobre tu empresa o sector objetivo.

En cuanto a las empresas de selección de personal, hay que intentar determinar cuál está especializada en el sector en el que está tu objetivo laboral. Se debe localizar a la persona responsable de ese mercado y conseguir una cita para informarse directamente, a ser posible a través de una referencia, y no realizando un contacto en frío, que posiblemente producirá un rechazo o una respuesta estándar solicitando el envío del curriculum o la cumplimentación de los formularios de su página Web. Al hablar con esa persona responsable localizada se le debe transmitir claramente qué se está buscando. De ese modo esa consultora de selección te tendrá mejor catalogado y puede ofrecerte un puesto incluso antes de publicarlo en su Web ya que has demostrado tener ideas claras.

Desarrollo de la red de contactos personales

Es el momento de poner en limpio toda la lista de contactos que se tienen, que siempre son muchos más de los que se creen al principio. Se recolectan todos los que se tengan desperdigados en tus agendas de contactos de tus diversas direcciones de correo, agendas en papel, tus conocidos, amigos, familiares, etc. Se deben tener todos los datos de contacto organizados y perfectamente localizados y accesibles. Se puede hacer, por ejemplo, en una hoja de cálculo, que ya veremos que se puede tener accesible en Internet.

La importancia de los contactos es crucial a la hora de buscar empleo. Así lo reflejó el estudio de Capital Social de la Fundación BBVA: el **49% de los empleos se consiguen usando la red de contactos**. Y no nos referimos al conocido enchufe, sino a que ese contacto te facilita acceder a la persona que puede decidir sobre tu futuro empleo. Será cuestión sólo tuya poderle demostrar tu capacidad para conseguir el empleo.

En este punto entra en juego el uso de las redes de contacto en Internet. Debes cuidar tus contactos en estas redes, sobre todo en las profesionales como LinkedIn, Viadeo o Xing.

También te pueden ser útiles Facebook o Tuenti, que aunque no son de origen estrictamente profesional pueden servir para contactar con la persona adecuada.

Para que las redes de contacto profesionales sean verdaderamente útiles, se deberá tener un perfil lo más completo posible para que nos encuentren a nosotros cuando se busca a un profesional en esas redes, tendencia cada vez mayor. También debes saber utilizar sus canales de ofertas de empleo porque se usan para poner anuncios en exclusiva y que ya no los publican en los suplementos dominicales de los periódicos.

Entrenamiento para las entrevistas

Este es un punto importantísimo ya que es en donde se suele caer eliminado por desconocimiento de la técnica adecuada para superarlas. No sólo debes estar preparado para un puesto de trabajo, sino que debes ser capaz de defender tu candidatura a ese puesto frente al resto de candidatos y, por tanto, debes estar preparado para todas las entrevistas que te harán antes de contratarte.

Antes de acudir a una entrevista debes recopilar toda la información que puedas sobre la empresa en cuestión, el puesto de trabajo concreto y sobre quien te vaya a entrevistar, si es que puedes averiguar quién va a ser. Debes repasar tu curriculum, sobre todo si enviaste uno específico a la medida del puesto ofertado, para ser coherente en tu exposición con lo que se refleja en él. La forma de vestir deberá ser lo más formal posible, como norma general. Se debe llegar con tiempo para no entrar nervioso y se debe tratar de fijar la entrevista en un momento del día en el que se esté en la mejor forma física y mental posible. Es decir, en el momento en el que podamos acudir con el nivel de descanso necesario para poder centrarnos en el proceso de la entrevista.

Durante la entrevista no hay que tomarse confianzas, aunque se nos incite a ello. Hay que hablar lo justo, sin quedarte en respuestas monosílabas y sin extenderse en monólogos ante cada pregunta. Es decir, procura sobre todo escuchar y no lanzarte a hablar sin freno. Es casi seguro que preguntarán por qué se quiere cambiar de trabajo y para este momento conviene tener ensayada y preparada una respuesta positiva y neutra. Que no vean enfrentamientos con tus anteriores jefes. Por tanto, nunca se debe criticar a antiguos compañeros o jefes.

No mentir en ningún dato es otra regla que debemos respetar. Muéstrate sereno y no juguetees con llaves, móvil, mechero o cualquier otra cosa que lleves encima.

Por cierto, el móvil mejor desconectarlo antes de entrar en la entrevista. Antes de responder, si no se tiene claro el sentido de la pregunta, es mejor pedir una aclaración o que nos repitan la pregunta, antes de lanzarse a dar una respuesta equivocada. Sobre salario, salvo que nos hagan una pregunta directa, es un punto a cerrar en el final del proceso de selección. Conviene dar una horquilla con posibilidades de negociación posterior.

Al finalizar la entrevista y lo antes posible, deberemos hacer un resumen con las impresiones que hayamos tenido para posterior seguimiento del proceso. Manda una nota, un correo electrónico es suficiente, a la persona que te entrevistó, de agradecimiento. Es el momento de reforzar aspectos claves que surgieron en la entrevista, sin abusar ni convertirlo en un dossier.

Campaña de búsqueda y seguimiento

Ya hemos adquirido las habilidades necesarias para lanzar la campaña de búsqueda propiamente dicha. Ahora es cuando nos toca desarrollar en la práctica las habilidades obtenidas para acabar consiguiendo las entrevistas que nos darán el paso a nuestro empleo.

Para lanzar la campaña **debemos activar nuestra red de contactos**. Es decir, ahora que ya sabemos qué estamos buscando y cómo debemos superar los obstáculos del proceso, como son las citadas entrevistas, recurrimos a nuestros contactos para poder llegar a la persona que hemos detectado con poder real de decisión sobre el puesto de nuestros sueños.

Este análisis lo hicimos en la fase I al revisar nuestra carrera y definir los objetivos profesionales. Ahora sabemos con exactitud y precisión qué comunicarle a nuestro contacto para que nos permita llegar a esa persona con la que entrevistarse. En este momento usaremos nuestro inventario de autoventa para mostrar nuestra capacidad óptima para el puesto en cuestión.

Se debe ir anotando y documentando todo lo que se haga en el proceso. Se puede usar una hoja de cálculo, un documento de procesador de textos, un cuaderno o una aplicación de gestión de información personal. Controlar la información en este momento es fundamental para asegurarse el éxito en el proceso, ya que nos permite ir aumentando nuestra autoestima y confianza al no permitir que queden cabos sueltos en el proceso.

Una vez realizados los contactos necesarios se conseguirán entrevistas que deberán ser evaluadas adecuadamente una vez realizadas. Como ya citamos antes, tras finalizarlas y en un lugar tranquilo se deben repasar y anotar las precepciones sobre la entrevista: anotar las preguntas complicadas que nos hicieron y qué se respondió y si es lo que creemos que esperaban. Este punto es importante como refuerzo en la adquisición de técnicas al alimentarnos de nuestras propias experiencias. Si hay algo que no quedó claro, debemos apuntarlo porque podemos plantearlo en la nota de agradecimiento. Al agradecer el tiempo que nos han dedicado podemos plantear esta duda con lo que consideremos que es la mejor opción, lo que puede dar pie a una respuesta en la que se nos aclaren las dudas planteadas y que nos sirva para finalizar con un planteamiento claro una vez conocido lo que se deseaba realmente en ese momento de la entrevista.

FASE III

LANZAMIENTO DE LA CAMPAÑA DE BÚSQUEDA
EVALUACIÓN DE LAS ENTREVISTAS
ANÁLISIS DEL AVANCE DE LA CAMPAÑA
NEGOCIACIÓN
EVALUACIÓN DE LAS OFERTAS
PREPARACIÓN DE LA ENTRADAEN EL NUEVO PUESTO
EVALUACIÓN DEL PROGRAMA
SEGUIMIENTO

Figura 1.4.
Actividades principales de la Fase III.

Según se vayan realizando entrevistas en las distintas empresas que son nuestro objetivo y con las que hemos contactado, podemos analizar la propia campaña de búsqueda de empleo en sí misma: ¿Se están logrando el número de entrevistas que se esperaban? ¿Se están aplicando correctamente las habilidades aprendidas? Todo lo que se detecte que no marcha adecuadamente nos servirá para corregir el rumbo y mejorar la efectividad de nuestra búsqueda.

En toda entrevista hay implícito un proceso de negociación, que es casi el tema exclusivo en las fases finales de una selección.

Si todavía no se tiene claro cómo se negocia, debemos repasar las técnicas básicas de toda negociación.

Finalmente, como es de esperar, llegarán las ofertas sobre el puesto en cuestión. Debemos analizar bien el contenido de las ofertas antes de dar el sí definitivo.

No es bueno precipitarse y aceptar una oferta sobre la marcha, por lo que no debemos tener problema en plantear que se nos conceda un plazo para dar la respuesta definitiva. 24 horas es el plazo más habitual.

Es importante conseguir una carta de compromiso formal con los datos bien claros y explícitos de la oferta, para tener un documento de referencia y que sirva, en el peor de los casos, para poder cobrar el desempleo si es que nos despedimos de un anterior trabajo y esa empresa finalmente no respeta lo pactado con nosotros. Éste es un caso muy extremo y extraño que no se suele dar, pero conviene tener las cosas controladas. Esto refuerza la idea general de salir, de despedirse de los trabajos que dejemos, lo mejor posible. Hay que dejar siempre una buena impresión, ya sea para que puedan pedir referencias de nosotros y que sean positivas o para no cerrar la posibilidad de una vuelta en el futuro a esa empresa, si las condiciones son las adecuadas.

Una vez aceptada la oferta, hay que prepararse para que la entrada en el nuevo trabajo sea lo mejor posible. Con toda la información recabada durante las entrevistas lo normal es que sepamos bastante bien el trabajo real que nos vamos a encontrar, luego podremos documentarnos sobre todo lo referente al puesto y reforzar los puntos débiles que se tengan, en la medida de lo posible, antes de entrar.

No hay que hacerse primeras falsas impresiones de la empresa o de los compañeros al entrar. La paciencia y saber esperar un tiempo para ir conociendo la empresa realmente desde dentro y poder ver cuál puede ser tu evolución dentro de ella, debe ser nuestro marco de referencia.

Ahora ya estás en tu nuevo trabajo. Podrías olvidarte de tu proceso de búsqueda o hacer las cosas bien y analizar todo lo que te ha pasado. No hay que cortar de golpe procesos de selección que se tengan abiertos, salvo que se vea muy claro que el encaje es idóneo en ese nuevo puesto. Recuerda que estás a prueba en el nuevo trabajo y te podrían venir bien esos procesos todavía sin terminar. Todo lo que hayas aprendido en el camino, **será válido para cualquier nueva búsqueda de empleo**.

2 Webs de orientación de carrera

En este capítulo presentaremos algunas Webs interesantes con contenido relativo a orientación de carrera. Veremos tanto blogs de escritores expertos en la materia, como Webs con consejos generales sobre búsqueda de empleo y gestión de carrera profesional.

Muchas de las Webs que se encuentran sobre consejos de empleo, y en general sobre cualquier cosa, suelen ser el volcado de la experiencia personal del autor junto con lo que el propio autor ha leído en libros especializados. Al hacer este proceso de vertido de ideas de libros en la red, en forma de artículos en su blog, se produce un enriquecimiento del contenido ya que no sólo se adapta lo leído en libros que suelen ser de origen norteamericano a la cultura local, sino que con la propia visión del autor y la aportada por los lectores en los comentarios se consigue información actual y totalmente utilizable para nuestra propia experiencia. Este es el secreto de la llamada "Web 2.0": la conversación que se establece entre el autor y los lectores, que son muchas veces los que aportan más valor con su participación.

La blogosfera de Recursos Humanos

Una referencia imprescindible para conocer la blogosfera de Recursos Humanos, es decir, los blogs más destacados escritos por personas que, o bien trabajan en departamentos de Recursos Humanos (aprovecho para destacar lo desafortunado del término "recursos" aplicado a las personas, como si fueran simple material de oficina), o son asesores de empleo, es el ranking de blogs que recoge Carlos Martí (página personal en `http://www.carlosmartisanchis.es`) en su blog "Trompazos en la red" que se encuentra en la URL `http://trompazos.blogspot.com` y que se puede ver en la figura 2.1.

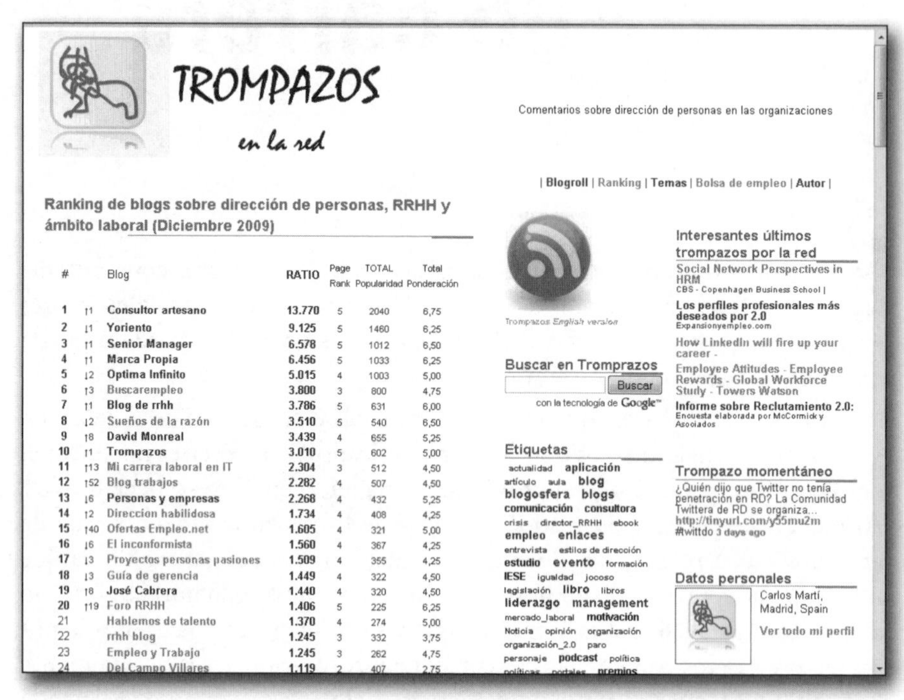

#		Blog	RATIO	Page Rank	TOTAL Popularidad	Total Ponderación
1	↑1	Consultor artesano	13.770	5	2040	6,75
2	↓1	Yoriento	9.125	5	1460	6,25
3	↑1	Senior Manager	6.578	5	1012	6,50
4	↑1	Marca Propia	6.456	5	1033	6,25
5	↓2	Optima Infinito	5.015	4	1003	5,00
6	↑3	Buscarempleo	3.800	3	800	4,75
7	↑1	Blog de rrhh	3.786	5	631	6,00
8	↓2	Sueños de la razón	3.510	5	540	6,50
9	↑8	David Monreal	3.439	4	655	5,25
10	↑1	Trompazos	3.010	5	602	5,00
11	↑13	Mi carrera laboral en IT	2.304	3	512	4,50
12	↑52	Blog trabajos	2.282	4	507	4,50
13	↓6	Personas y empresas	2.268	4	432	5,25
14	↑2	Direccion habilidosa	1.734	4	408	4,25
15	↑40	Ofertas Empleo.net	1.605	4	321	5,00
16	↓6	El inconformista	1.560	4	367	4,25
17	↓3	Proyectos personas pasiones	1.509	4	355	4,25
18	↓3	Guía de gerencia	1.449	4	322	4,50
19	↑8	José Cabrera	1.440	4	320	4,50
20	↑19	Foro RRHH	1.406	5	225	6,25
21		Hablemos de talento	1.370	4	274	5,00
22		rrhh blog	1.245	3	332	3,75
23		Empleo y Trabajo	1.245	3	262	4,75
24		Del Campo Villares	1.119	2	407	2,75

Figura 2.1.
Ranking de blogs de Recursos Humanos en "Trompazos en la red".

Podemos utilizar este ranking como punto de partida para localizar los blogs que tengan los mejores consejos para nuestro caso concreto.

O mejor aún, nos podemos suscribir a todos con un lector de *feeds* y estar siempre al día de los nuevos artículos que publiquen.

Por si no lo sabes, un *feed* es un formato de publicación de contenidos especial que se leen con un lector (Google Reader es uno de los más conocidos) y que al entrar en este programa nos marca los nuevos artículos poniendo el nombre del blog correspondiente en negrita para que podamos ir directamente a las novedades que hayan sido publicadas.

Para ver el aspecto de un *feed*, podemos ir al del propio blog citado "Trompazos en la red" al que se accede haciendo clic en la esfera anaranjada decorada con franjas que se ve en la parte superior de la página Web, a la derecha del ranking. Cuando ponemos el ratón encima nos aparece un recuadro con el texto "Suscríbete a Trompazos (RSS)" y si hacemos clic sobre esa imagen iremos a la URL `http://feeds.feedburner.com/Trompazos` que vemos en la figura 2.2, que es como la presenta el navegador **Mozilla Firefox** (`http://getfirefox.com`) que personalmente recomiendo usar por ser más rápido y seguro que **Microsoft Internet Explorer**.

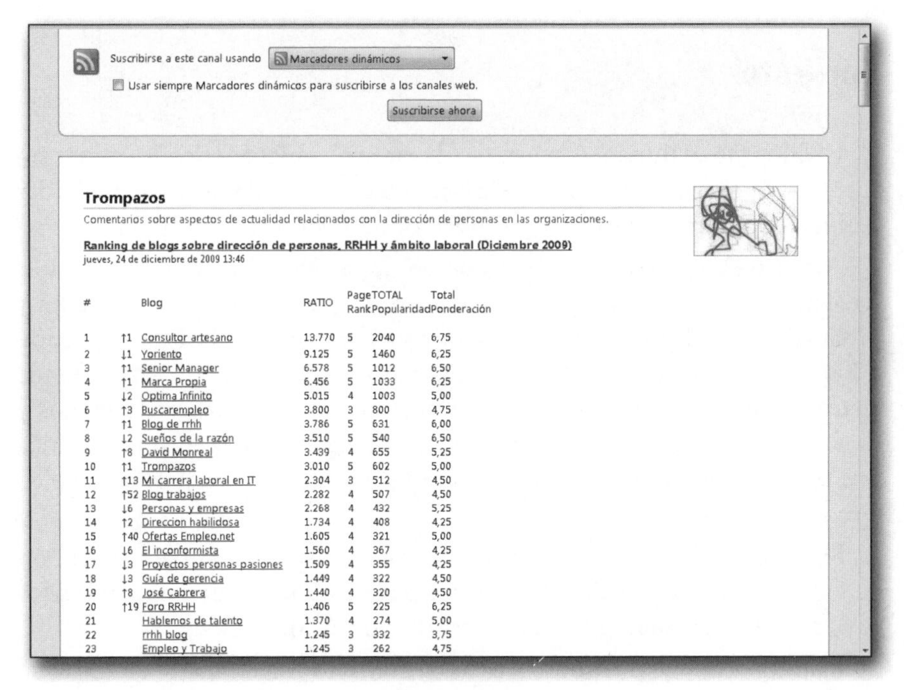

Trompazos

Comentarios sobre aspectos de actualidad relacionados con la dirección de personas en las organizaciones.

Ranking de blogs sobre dirección de personas, RRHH y ámbito laboral (Diciembre 2009)

jueves, 24 de diciembre de 2009 13:46

#		Blog	RATIO	PageRank	TOTAL Popularidad	Total Ponderación
1	↑1	Consultor artesano	13.770	5	2040	6,75
2	↓1	Yoriento	9.125	5	1460	6,25
3	↑1	Senior Manager	6.578	5	1012	6,50
4	↑1	Marca Propia	6.456	5	1033	6,25
5	↓2	Optima Infinito	5.015	4	1003	5,00
6	↑3	Buscarempleo	3.800	3	800	4,75
7	↑1	Blog de rrhh	3.786	5	631	6,00
8	↓2	Sueños de la razón	3.510	5	540	6,50
9	↑8	David Monreal	3.439	4	655	5,25
10	↑1	Trompazos	3.010	5	602	5,00
11	↑13	Mi carrera laboral en IT	2.304	3	512	4,50
12	↑52	Blog trabajos	2.282	4	507	4,50
13	↓6	Personas y empresas	2.268	4	432	5,25
14	↑2	Direccion habilidosa	1.734	4	408	4,25
15	↑40	Ofertas Empleo.net	1.605	4	321	5,00
16	↓6	El inconformista	1.560	4	367	4,25
17	↓3	Proyectos personas pasiones	1.509	4	355	4,25
18	↓3	Guía de gerencia	1.449	4	322	4,50
19	↑8	José Cabrera	1.440	4	320	4,50
20	↑19	Foro RRHH	1.406	5	225	6,25
21		Hablemos de talento	1.370	4	274	5,00
22		rrhh blog	1.245	3	332	3,75
23		Empleo y Trabajo	1.245	3	262	4,75

Figura 2.2.
Feed de "Trompazos en la red" visto con el navegador *Firefox*.

En la parte superior de la pantalla mostrada en la figura 2.2 podemos ver la opción de suscribirse al *feed* presentado desde lo que se conoce como un marcador dinámico del propio navegador Firefox. Este marcador nos indicará en negrita que hay contenido nuevo en ese *feed* y por tanto nos facilita ver el contenido sólo cuando hay novedades. De este modo, nuestra sesión de navegación en la red es óptima al ir sólo a las direcciones con contenido nuevo, sin tener que irlas revisando una a una para ver si hay novedades. Esta es la ventaja del uso de *feeds*.

En el citado ranking podemos encontrar, en el momento de escribir estas líneas, 166 blogs con contenido lo suficientemente interesante como para merecer haber sido incluidos en dicha selección.

Me voy a permitir destacar el contenido de alguno de ellos, que suelo leer asiduamente. El resto de autores queda en tus manos descubrirlos y decidir cuáles serán tus preferidos.

Yoriento

El blog de Alfonso Alcántara "Yoriento", que puedes localizar en `http://yoriento.com`, es una referencia obligada que debes guardar en tus marcadores favoritos o en tu lector de *feeds*. Véase la figura 2.3.

Alfonso Alcántara es, tal y como se denomina él mismo en su blog, "coach y consultor en empleo 2.0, desarrollo profesional, redes sociales y productividad". También puedes seguir su presencia en Twitter siguiendo a `@yoriento` en la URL `http://twitter.com/yoriento` donde aparte de avisar de la publicación de nuevos contenidos, vierte consejos y direcciones de Webs útiles y con buenos artículos sobre la misma temática que estamos tratando: asesoría de carrera profesional, búsqueda de empleo y productividad, principalmente.

Si te desplazas un poco hacia abajo por su blog, encuentras la selección de los artículos mejor valorados por los lectores. Puedes empezar por ellos para descubrir la calidad de los contenidos de Alfonso.

Para conocer más a Alfonso y estar en contacto con él, aparte de seguir su blog y su Twitter, ya citado, puedes ir a su perfil público en la red profesional de contactos LinkedIn en la URL `http://www.linkedin.com/in/alfonsoalcantara`. Para ver su perfil en detalle y poder contactar con él primero debes darte de alta en LinkedIn. En el capítulo 9 de este libro explicaremos cómo darse de alta en esta red y sacarle rendimiento.

Figura 2.3.
Yoriento.com, blog imprescindible de Alfonso Alcántara.

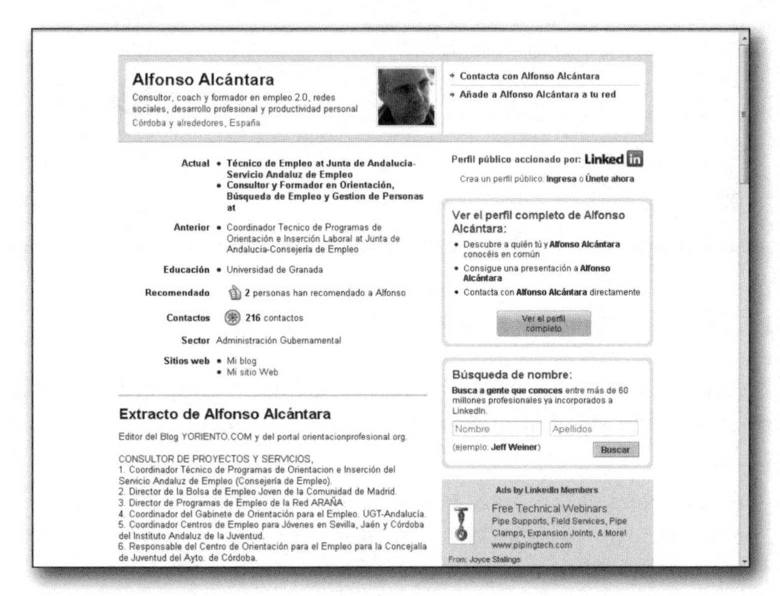

Figura 2.4.
Perfil de Alfonso Alcántara "Yoriento" en LinkedIn.

Alfonso también mantiene la Web `http://www.orientacion-profesional.org` en donde tienes una guía para buscar empleo desarrollada en 40 pasos. Aunque no hay un enlace para la descarga de todo el material en un solo fichero, puedes acceder a cada uno de los pasos en este blog desde el directorio `http://www.orientacionprofesional.org/tu-empleo-en-40-pasos/`.

Figura 2.5.
"Tu empleo en 40 pasos", la guía de Alfonso Alcántara.

Es una guía elaborada para la Confederación de Empresarios de Baleares en 2001 pero su contenido sigue siendo perfectamente válido en la actualidad.

Merece la pena el esfuerzo de ir leyendo cada uno de los pasos y copiar su contenido en un procesador de textos (Microsoft Word, Open Office como opciones de escritorio, y Zoho Writer o Google Docs como versiones en la Web) para tener todo el contenido en un solo fichero. Otra opción es imprimir los artículos uno a uno y guardarlos en un carpeta.

Para finalizar, no te pierdas el vídeo de su intervención en el Evento Blog España de 2009 que puedes ver en la URL `http://blip.tv/play/AYGvl04C`.

Senior Manager

Otro blog imprescindible que no te debes perder es el de Pedro Rojas, "Senior Manager" que encontrarás en la URL `http://seniorm.com` y que puedes conocer viendo cómo se presenta él mismo en `http://www.seniorm.com/acerca-de`. Encontrarás en este blog la experiencia de una persona con amplios conocimientos de gestión laboral y empresarial. En la parte derecha de su blog, hacia la parte inferior, puedes ver los enlaces a las diferentes secciones; es decir, a las diferentes etiquetas con las que clasifica sus artículos y que te pueden servir de referencia sobre su contenido.

Figura 2.6.
Senior Manager, el blog de Pedro Rojas.

La presencia de Pedro en la red destaca por la claridad de la exposición de sus contenidos y por su constante esfuerzo por ayudar a quienes no tienen trabajo para que lo puedan encontrar, y a los que lo tienen para que lo conserven. En esta línea, Pedro promueve dos Webs que debes apuntarte también: Empleo y Personas (`http://www.empleoypersonas.com`) y la Bloguía de Empleo (`http://bloguiadeempleo.com`).

Empleo y personas es una iniciativa de Senior Manager y de un grupo de profesionales dedicados a la gestión de personas, a la orientación laboral, y al reclutamiento y la selección de personal, así como consultores de carrera (*Head Hunters*), directivos, empleados y personas en general, dedicados todos a la difusión del Empleo 2.0.

Tienen su Twitter en `@Empleoypersonas` (`http://twitter.com/Empleoypersonas`) y un grupo en la red de contactos profesional Xing (que también explicaremos en el capítulo 9 de este libro) en la URL `https://www.xing.com/net/empleoypersonas`). Pedro explica cómo obtener ayuda de esta iniciativa en la URL `http://www.seniorm.com/empleoypersonas`.

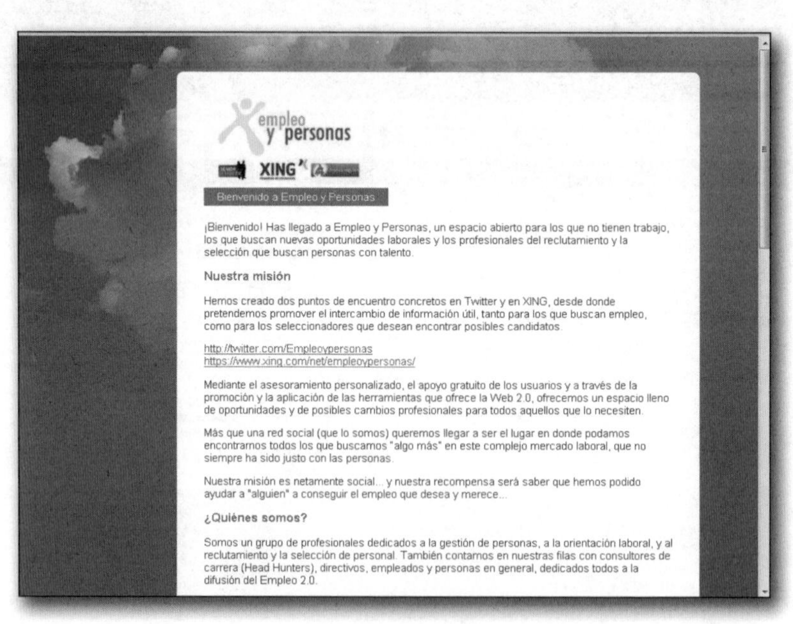

Figura 2.7.
Empleo y personas http://empleoypersonas.com.

El grupo de la red Xing citado, Empleo y personas, está moderado por Pedro y promueve, mediante el asesoramiento y el apoyo gratuito de voluntarios y usuarios, el intercambio de información útil para la búsqueda de empleo.

A día de hoy, este grupo tiene 936 miembros y se han publicado 887 mensajes en él. Es un grupo para el que no requieres aprobación previa y simplemente con ir a la URL citada te puedes inscribir previamente. El único requisito, obviamente, es tener un perfil dado de alta en la red Xing. No te preocupes, ya hemos dicho que en el capítulo 9 explicaremos cómo hacerlo.

En la parte derecha de la figura 2.8 puedes ver en dónde debes primeramente identificarte para entrar en la red Xing, como requisito previo para poder darte de alta como miembro de ese grupo y así poder leer sus mensajes e incluso recibir las novedades en tu buzón de correo electrónico, si configuras así tus opciones.

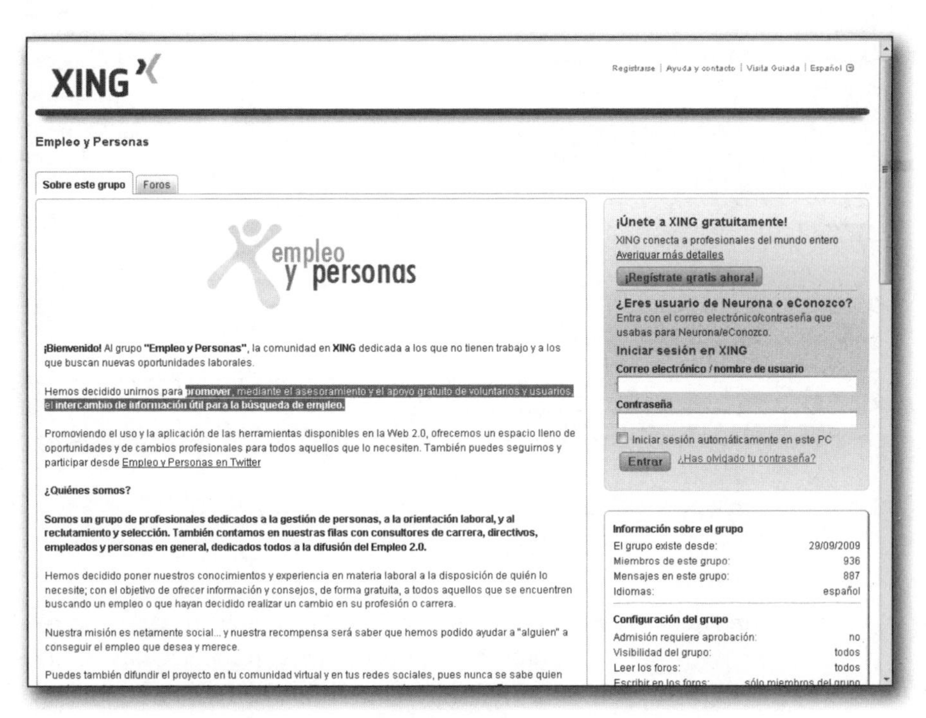

Figura 2.8.
Página del grupo "Empleo y personas" en la red profesional Xing.

Cuando entres en la red social, el aspecto del grupo cambiará ligeramente y se mostrará tal y como se ve en la figura 2.9.

En la parte derecha de dicha figura, hacia el centro, puedes ver el botón para proceder a darte de alta en el grupo (con el texto **¡Participa!** escrito en él). Una vez dado de alta podrás sacarle provecho.

Explicaremos el uso de grupos de usuarios en las redes profesionales en el capítulo 9 ya citado.

Figura 2.9.
Grupo "Empleo y personas", tal y como se ve desde dentro de la red Xing.

Finalmente, debes volver al blog de Senior Manager en `http://seniorm.com` y dirigir tu mirada a su último proyecto colaborativo, que lanzó conjuntamente con Alfonso Alcántara de `http://yoriento.com`, la Bloguí@ de Empleo, cuya dirección Web es `http://bloguiadeempleo.com`.

Esta Bloguí@ de Empleo es una guía gratuita que puedes descargar como un solo archivo PDF de 1,45 MB y 170 páginas de tamaño A-4, en la URL `http://bloguiadeempleo.files.wordpress.com/2010/02/bloguia-de-empleo1.pdf` (necesitas Acrobat Reader para abrirlo y si no lo tienes te lo puedes descargar e instalar desde la URL `http://www.adobe.com/es/products/reader`). El enfoque de esta guía es diferente a las publicaciones tradicionales y está muy orientada a ser útil precisamente en tiempos de crisis. Todos los autores tienen blogs que tratan sobre la materia (es, por tanto, otra fuente de referencia para obtener más información útil a partir de ella) y se ha realizado participando y colaborando conjuntamente a través de un *wiki* en el que se iban colgando los capítulos que cada autor ha aportado. En el comienzo de este proyecto colaboré personalmente en su difusión en la Feria Internacional de Contenidos Digitales (FICOD) celebrada en el año 2008, aunque por diversas causas finalmente no entregué la aportación que deseaba hacer.

Figura 2.10.
Bloguí@ de Empleo, un proyecto colaborativo imprescindible.

Mi consejo es que te imprimas la Bloguía de Empleo y la uses de complemento a este libro que ahora estás leyendo. Te permitirá no sólo contrastar mi punto de vista con el de otros autores, sino ampliar conocimientos y acceder a nuevas fuentes de información que mejorarán tu búsqueda de empleo.

Blogempleo.com

Blogempleo.com es un blog que recopila noticias de empleo 2.0, tal y como lo describe su autor, Sergio Ibáñez Laborda.

Sergio ha obtenido el Premio de Orientación Profesional 2008 del Gobierno de Aragón y el Accésit en el año 2009. Puedes conocerle mejor visitando su Web personal en `http://www.sergioibanez.es`.

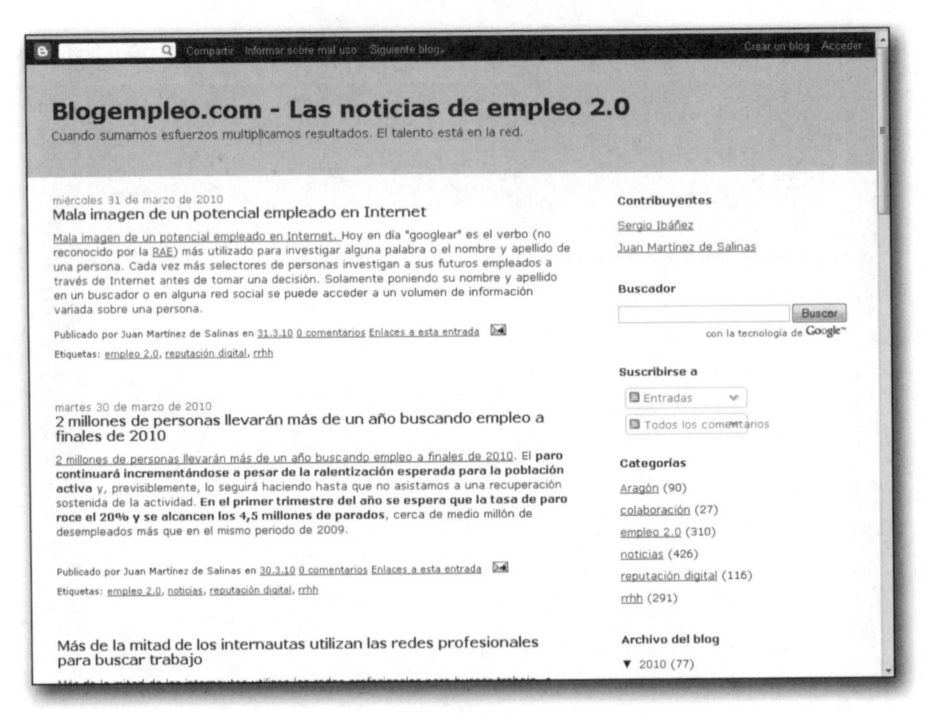

Figura 2.11.
Blogempleo.com, de Sergio Ibáñez Laborda.

En este blog también colabora Juan Martínez de Salinas, cuyo blog veremos más adelante. Al hacer una selección de noticias publicadas en otros medios te sirve para localizar directamente datos interesantes para quien está buscando empleo y quiere estar al tanto de las tendencias del sector de Recursos Humanos.

La mejor aportación de Sergio en materia de orientación para el empleo la puedes encontrar en 5campus, en la URL `http://ciberconta.unizar.es/docencia/empleo`. Aquí es donde Sergio recopila la mayor fuente de información, el mayor directorio de enlaces de empleo al que puedes acceder en español.

Son **más de 7.500 enlaces** organizados por secciones y que te ayudan a buscar trabajo en Internet: consejos para buscar trabajo, portales de empleo y metabuscadores (buscadores que realizan su trabajo sobre varios sitios Web a la vez y te ahorran tiempo al agruparte los resultados), teletrabajo, emprendizaje y autoempleo, lanzamiento de nuevas ideas empresariales, recursos humanos y orientadores laborales, enlaces sectoriales para localizar el que sea de tu interés, empresas de trabajo temporal, consultoras de selección, empleo público o por regiones o internacional y otros tipos variados de recursos útiles al buscador de empleo.

Es el resultado del trabajo de recopilación personal de Sergio por encontrar empleo que hizo en 1999. Desde entonces mantiene y amplía el contenido constantemente aportando varias decenas de enlaces a nuevos recursos cada mes.

El blog de Recursos Humanos

Este es el título del blog de Juan Martínez de Salinas que puedes leer en la URL `http://www.elblogderrhh.com` y que escribe desde hace más de tres años. En la cabecera de su blog, que puedes ver en la parte superior de la figura 2.12, puedes localizar el perfil profesional Jorge en Xing, su Twitter, o suscribirte a su blog por RSS o para recibir los artículos por correo electrónico.

No olvides pasarte por su barra lateral derecha y leer los artículos mejor valorados por sus lectores para empezar a conocer la calidad de sus contenidos.

Figura 2.12.
El Blog de Recursos Humanos de Juan Martínez de Salinas.

Marca Propia

Mi amigo Andrés Pérez lleva más de 5 años explicando en su blog los conceptos del "*personal branding*". Puedes encontrarle en `http://www.marcapropia.net` y accederás a todo su material, que es muy extenso. En la sección "Documentos" (`http://www.marcapropia.net/recursos`) puedes descargarte 26 carteles que condensan cómo ven algunos de sus lectores el concepto de Marca Personal, su Manifiesto Sherpa, más de 40 artículos publicados por él en otros medios tanto digitales como prensa tradicional y el catálogo de sus servicios profesionales.

En palabras de Andrés: "Desarrollar una Marca Personal consiste en identificar y comunicar las características que nos hacen sobresalir, ser relevantes, diferentes y visibles en un entorno homogéneo, competitivo y cambiante".

La Web de Andrés te permitirá aprender, a través de sus artículos, cómo gestionar adecuadamente las percepciones que los demás reciben de ti, la huella que dejas en ellos. Eso es tu Marca Personal.

Figura 2.13.
Marca Propia, el proyecto de Andrés Pérez Ortega.

Dentro de la sección de Documentos puedes localizar todos los vídeos de Andrés, que no paran de crecer porque suele hacer uno cada semana enlazando lo que se ha visto en la actualidad de los medios o de Internet y el concepto de Marca Personal. Es una escuela gratuita de Marca Personal a tu alcance en `http://www.marcapropia.net/recursos/videos`.

Si te preguntas qué tiene esto que ver con la búsqueda de empleo, la respuesta es clara: es una forma de ser la opción elegida. Me refiero que una persona con marca propia destaca del resto. Por poner un ejemplo sencillo, cuando tienes un problema de cualquier cosa, la primera persona que te viene a la cabeza para que la llames y te lo resuelva o te diga cómo se resuelve es una persona con una marca propia definida. Para ti es quien es la referencia sobre ese tema concreto.

Por tanto, si consigues que se te perciba con una marca propia destacada, puedes conseguir más fácilmente un empleo. Es decir, si quieres trabajar en un sector y un tipo de trabajo determinado y coincide con tu formación, características personales y preferencias sobre nuevo empleo, ha llegado la hora de ser la opción preferente. Para conseguir este propósito puedes, sin ir más lejos, empezar a escribir un blog sobre la materia en cuestión. El ejemplo es el blog de Yoriento, que ha fijado claramente su marca propia de consultor de empleo y desarrollo profesional.

De hecho, hace un par de años aproximadamente (perdonad que no ponga el blog, pero no recuerdo su dirección) que un recién salido de la universidad empezó a escribir un blog analizando inversiones y mercados. Como resultado de su relevancia, acabó en la mira de una agencia de inversión que tras comprobar una y otra vez lo acertado de sus planteamientos, contactó con él y acabó contratándolo. Y me refiero a un blog de España; no hay que irse a Estados Unidos para que esto ocurra.

Por tanto, empápate del blog de Andrés, comprende bien el concepto de la Marca Propia (que no es hacer marketing de lo que no eres, sino mostrar tu verdadero valor) y ponte en los puestos de cabeza en los procesos de selección a los que entres.

Óptima Infinito

Óptima Infinito es el nombre del blog de José Miguel Bolívar en el que habla sobre innovación y productividad para personas y empresas. La dirección que debes escribir en tu navegador para llegar a él es `http://www.optimainfinito.com`.

En la figura 2.14 puedes ver el aspecto de este blog y observar la influencia que tiene su autor. Su cuenta de Twitter (`@jmbolivar`) tiene más de 3.000 seguidores pendientes de sus intervenciones en esa red de *microblogging*. También puedes ver un poco más arriba el recuadro con el contador de suscriptores a su feed. En este caso son casi 2.500 los lectores que deciden leerle en un agregador de *feeds* o por correo, ya que se puede hacer una suscripción para recibir los nuevos artículos en una cuenta de correo.

Seguro que cuando leas este libro ya impreso estos datos se habrán quedado obsoletos dada su relevancia.

Destacan sus artículos (también se conocen como entradas o, usando el término original en inglés, *posts*, cada una de las anotaciones que se hacen en un blog) sobre desarrollo profesional y liderazgo, productividad, desarrollo organizacional y su sección especial "el consejo de los viernes". Podrás sacar mucho provecho de sus reflexiones.

Figura 2.14.
Óptima Infinito, el blog de José Miguel Bolívar.

T-Orienta

Finalmente, para acabar de nombrar algunos de los blogs de referencia que yo recomiendo, os presento el blog de Encarna Batet, T-Orienta, cuya URL es `http://t-orienta.info` y cuya especialidad es recopilar enlaces y *tweets* relevantes sobre la temática de empleo y recursos humanos. Alguna vez hace algún artículo de redacción, pero no suele prodigarse.

Encarna es consultora senior de carrera profesional y *outplacement* en Uniconsult. Esta experiencia es la causa de la esmerada selección de enlaces que nos ofrece. Tal y como ella dice, su blog es un recurso de recursos laborales.

Figura 2.15.
T-Orienta es un nodo donde encontrar buenos artículos.

Otros blogs de Recursos Humanos

Ya comenté anteriormente que el citado ranking del blog "Trompazos en la red" (`http://trompazos.blogspot.com`) recopilaba las direcciones de más de 160 blogs. Yo me he limitado a reseñarte 7 que considero imprescindibles personalmente.

Debes ser tú mismo el que investigue esa lista y decida cuál es el que consideras interesante para seguir. Además, al ser Internet un enorme (y cada vez mayor) conjunto de Webs enlazadas unas con otras, podrás ir descubriendo a través de ellos otros nuevos blogs que puede que incluso te resulten más interesantes por centrarse específicamente en algún problema que quieras resolver, ya sea éste redactar un curriculum vitae, entrenarte para entrevistas o usar redes de contactos.

O porque traten más de cerca la temática relacionada con el mercado objetivo que tengas para tu búsqueda de empleo. Sobre estos temas hablaremos en este libro pero no te quepa duda que siempre acabarás encontrando nuevas fuentes de información más actualizada y, por qué no decirlo, de más calidad en la Red.

Webs con recursos para el empleo

Ahora citaremos algunas referencias de sitios a los que dirigirse para encontrar recursos útiles para el buscador de empleo. No corresponden exactamente a lo que se denomina blog, es decir, Webs en las que se presentan artículos escritos en orden cronológico inverso, sino que presentan páginas organizadas de información que podemos considerar estática (lo que se conoce también como "Web 1.0") por no ser de actualización constante. Esta falta de actualización, evidentemente, no resta de calidad a su contenido.

Educastur

Dentro del portal de la Consejería de Educación del Principado de Asturias tienes una sección específica sobre la temática en la que estamos interesados. Se llama *HOLA*, que corresponde a *Herramienta Orientación Laboral Asturias*. Para localizar esta sección debes navegar por las siguientes opciones: Inicio>Estudiantes>Secundaria y Bachillerato>Orientación laboral. La dirección Web es realmente compleja: `http://www.educastur.es/index.php?option=com_content&task=category§ionid=15&id=165&Itemid=128` aunque afortunadamente y dado el interés de esta sección, hay una dirección más fácil que te lleva al mismo sitio: `http://www.educastur.es/hola`.

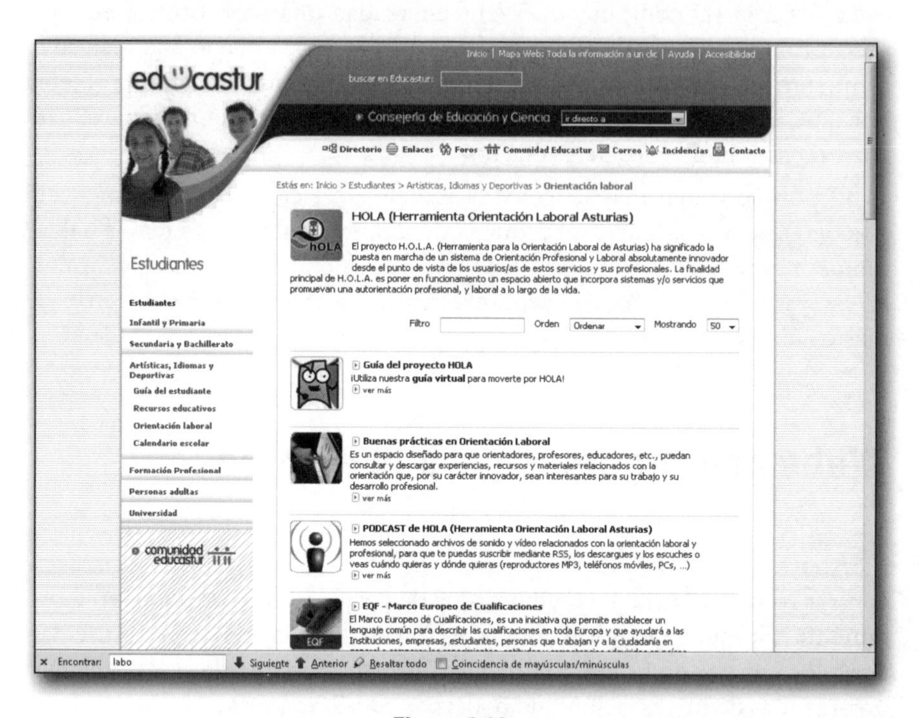

Figura 2.16.
Proyecto *HOLA* del Principado de Asturias.

Dentro de esta sección tienes varios apartados muy interesantes. Primero tienes una guía virtual para describirte todo el proyecto *HOLA* que quizá debas visitar para poder sacarle provecho a toda la Web.

De las secciones disponibles, creo que las destacables para quien está buscando empleo pueden ser:

EQF. Marco europeo de cualificaciones

Te permite poder describir tus cualificaciones de modo que sean entendidas en toda Europa. Por tanto, es interesante si se piensa en la posibilidad de buscar trabajo fuera de España.

Simulador de entrevistas de trabajo

Esta sección en concreto la puedes ver más en detalle en el capítulo 10 de este libro en el que hablamos de las entrevistas de selección. Puedes practicar 25 entrevistas diferentes con distintos personajes que representan distintos perfiles profesionales.

Competencias laborales

También describiremos en detalle esta sección en el capítulo 5 que se centra en el autoanálisis. Servirá para conocerte mejor y así optimizar tu búsqueda de empleo.

Guía de nuevas ocupaciones

No hay que olvidar que esta sección de Educastur está dentro de la sección de estudiantes de secundaria y bachillerato. Por tanto, esta sección pretende mostrar nuevas posibilidades profesionales para que los estudiantes las tengan en cuenta antes finalizar los estudios y empezar a trabajar. En el caso de una persona desempleada puede orientarle sobre nuevos empleos que no haya considerado y para los que pueda estar cualificado. Será, por tanto, una posibilidad de encontrar trabajo en un nuevo sector en el caso de una crisis localizada en el sector profesional en el que se haya desarrollado la carrera hasta el momento de la desvinculación laboral.

Píldoras ocupacionales

Información sobre perfiles profesionales, formación, competencias, cursos, ofertas de trabajo, entre otras cosas.

Búsqueda de empleo en Internet

Muestra las posibilidades de Internet para conseguir empleo. Úsalo como complemento a este libro. Puedes ver el contenido como una animación o descargar un archivo PDF.

Orientación laboral: Hola TV

Son videos pensados para mostrar posibilidades laborales a los estudiantes. Aún siendo básicos, pueden dar una idea de si un nuevo sector puede ser de nuestro agrado para decidir buscar empleo en él.

Orientación para el empleo

Con cinco apartados interesantes sobre autoanálisis, pruebas de selección, curriculum vitae, carta de presentación y entrevista.

Cultura emprendedora

Sección interesante si nos estamos planteando la opción de montar nuestro propio proyecto empresarial para salir del desempleo. Destaca su guía de creación de empresas. El enlace no es correcto (al menos no lo era cuando se escribieron estas líneas) pero puedes localizar dicha guía en `http://www.guia.ceei.es`.

AZcarreras

Conocí AZcarreras a finales del año 2002. Desde entonces no han modificado ni su contenido ni su diseño. No traigo aquí esta Web sólo por motivos nostálgicos, sino porque su contenido es perfectamente válido a día de hoy. Su URL es `http://www.azcarreras.com`.

Sus secciones están dedicadas, como puedes ver en la parte superior de la figura 2.17, al curriculum vitae, la carta de presentación, los procesos de selección, la gestión de tu propia carrera profesional, cómo buscar empleo y contratos en prácticas. Si tienes experiencia no encajas en el perfil de un contrato de prácticas, pero al menos tienes una referencia de posibles empresas objetivo (con la salvedad comentada de la antigüedad de la Web, que implica que deberás contrastar y en su caso actualizar los datos de la empresas que aparecen). También hay una interesante sección de artículos a la que puedes acceder desde el inicio de la página Web (para ir al inicio debes hacer clic en el icono de la casita que se ve arriba a la izquierda) en el menú de la parte izquierda de la pantalla.

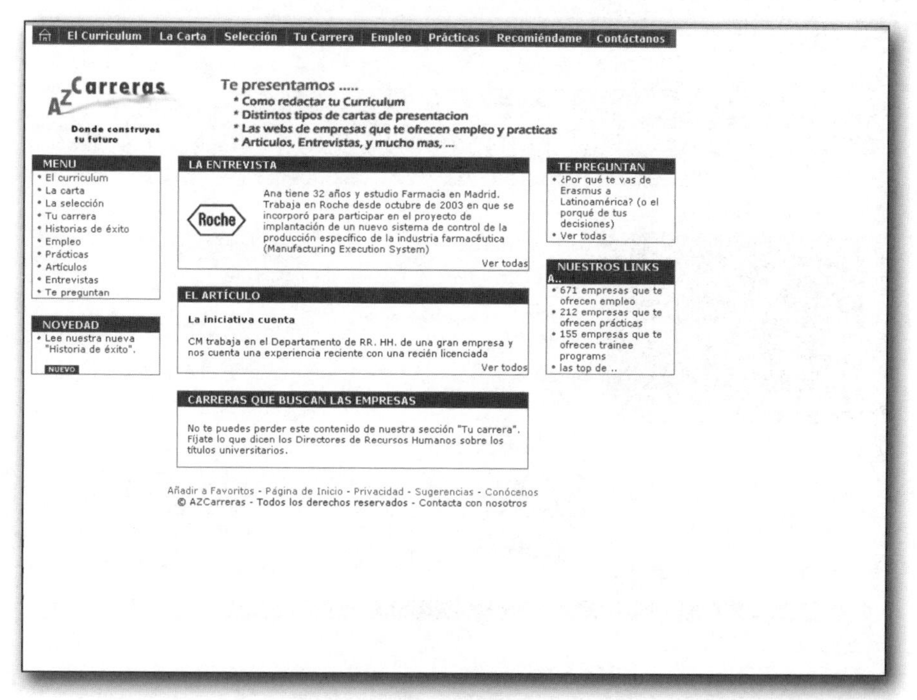

Figura 2.17.
AZCarreras, una Web de recursos para el empleo con solera.

Red Trabaja

Finalmente, para terminar este breve recorrido por Webs con recursos para el buscador de empleo, cabe destacar el portal Red Trabaja. Red Trabaja es una evolución del antiguo portal del Instituto Nacional de Empleo que se ha organizado en dos nuevos portales. Todo lo referente a la antigua Web del INEM se ha trasladado a la Web del Servicio de Público de Empleo Estatal (SPEE) y está en `http://www.sepe.es`.

En el nuevo portal Red Trabaja, que puedes encontrar en `http://www.redtrabaja.es`, encontrarás material para tu campaña de búsqueda de empleo. Accedes a este material desde la opción Cómo buscar trabajo que puedes ver en la parte derecha de la figura 2.18, o desde la opción Trabajo>Cómo buscar trabajo del menú superior, porque en realidad son dos formas de acceder al mismo contenido.

Figura 2.18.
RedTrabaja, la Web del gobierno con recursos para el empleo.

Tiene cuatro apartados principales: usar canales adecuados, presentarse y convencer, buscar con agenda y tener estrategias propias.

Usar canales adecuados

En el video nos hablan del principal canal de empleo que en realidad nos está diciendo que la principal vía de acceso al empleo es la red de contactos. También nos hablan de oficinas de empleo, Internet, asociaciones profesionales, auto candidaturas y otros canales de búsqueda de empleo.

Para cada canal puedes encontrar un video explicativo accediendo desde el menú derecho Ver canales adecuados.

Presentarse y convencer

Con secciones dedicadas al curriculum vitae, la carta de presentación, la entrevista y las pruebas de selección.

Buscar con agenda

En donde te enseñan a organizar tu campaña de búsqueda de empleo. No olvidemos que buscar un trabajo es un trabajo en sí mismo.

Cuanto mejor planifiques, antes encontrarás un nuevo empleo.

Tener estrategias propias

Se presentan diversas estrategias de búsqueda de empleo para que las personalices en tu propio beneficio.

Esta Web dispone de mucho material, principalmente en formato vídeo, que debes estudiar en detalle para poder mejorar tu efectividad como buscador de empleo. Es de agradecer que por fin la Web oficial del gobierno te enseñe cómo buscar trabajo activamente, algo que se echaba en falta en el antiguo portal del INEM.

En esta Web puedes darte de alta como usuario para guardar tu agenda, tu curriculum y acceder a ofertas de empleo publicadas en Red Trabaja.

Alta en Red Trabaja

Si volvemos al inicio de la Web, podemos encontrar el enlace al alta de candidatos. Para ello debes seguir las opciones Inicio>Alta de candidatos. En la figura 2.19 puedes ver la página de alta en Red Trabaja.

Podrás realizar trámites directamente con la administración desde Red Trabaja si te identificas con DNI electrónico, certificado digital (el mismo que se usa para la declaración de la renta) o con un usuario y contraseña que te facilitan en las oficinas del Servicio Público de Empleo.

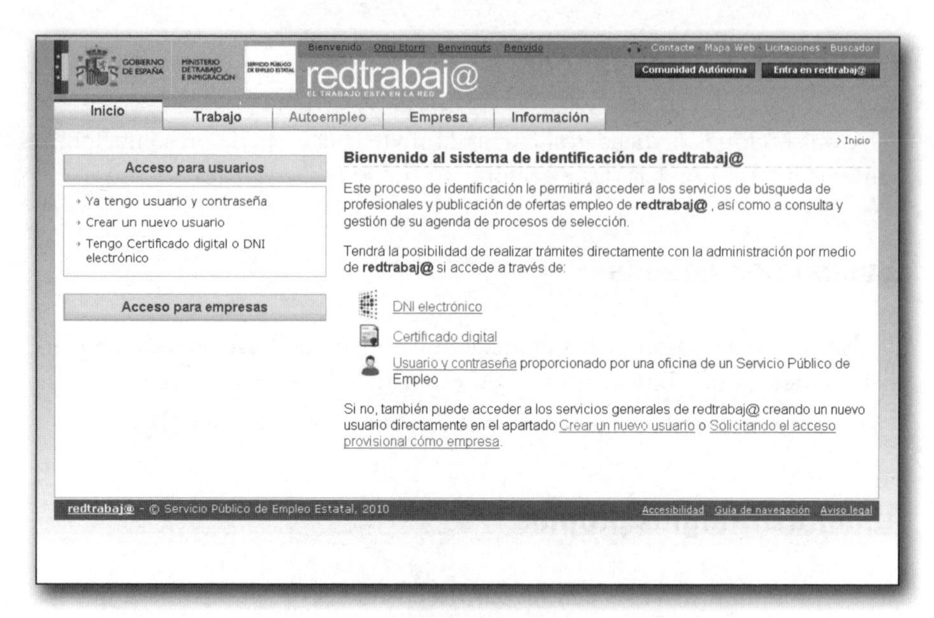

Figura 2.19.
Página para darse de alta como candidato en RedTrabaja.

En la parte izquierda de la figura 2.19 puedes ver la opción Crear un nuevo usuario que te permite acceder a la página para darte de alta. En esta página, tras marcar la casilla de aceptación de política de datos y normas de uso, se hace clic en el botón **ACEPTAR**, donde se accede al formulario que puedes ver en la figura 2.20.

Si tienes DNI electrónico o certificado digital puedes acceder desde la opción Tengo certificado digital o DNI electrónico que ves en la parte izquierda de la figura 2.19.

En este caso, si se accede por primera vez, se nos pregunta si deseamos asociar nuestros datos del certificado digital con el que nos hemos identificado con los de una cuenta de usuario que hubiéramos creado previamente desde el formulario de la figura 2.20. En caso negativo, se nos ofrece el formulario de la figura 2.20 con parte de nuestros datos ya completados gracias a la información presente en nuestro certificado digital.

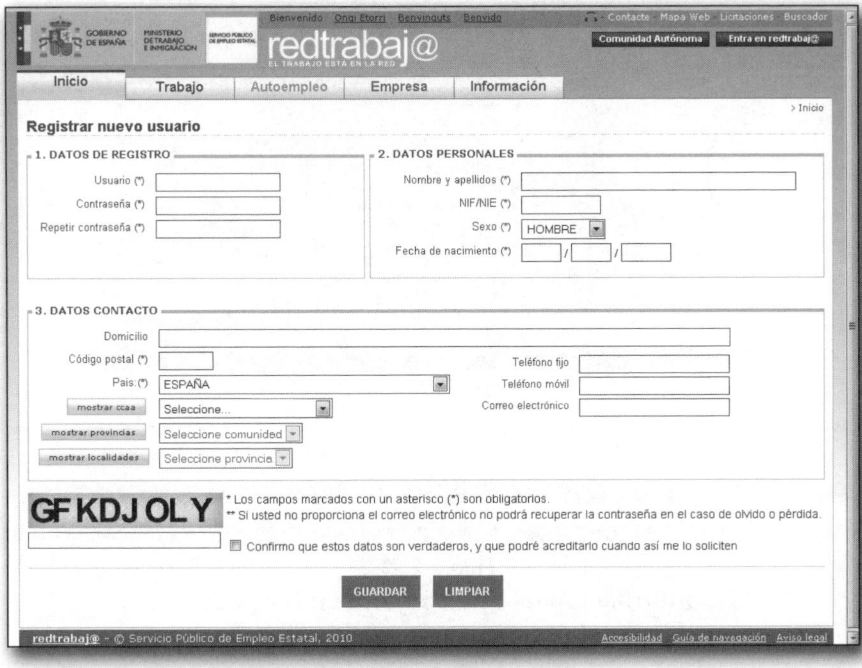

Figura 2.20.
Formulario de datos de alta en RedTrabaja.

Por tanto, en el formulario de la figura 2.20 completaremos los datos de registro (usuario y contraseña) y los datos de contacto (domicilio, teléfono y correo electrónico -que servirá para recuperar la contraseña si la olvidamos-). Debemos marcar que confirmamos que nuestros datos son correctos y que lo podemos demostrar si así se nos requiere. Finalizamos haciendo clic en el botón **GUARDAR**.

Nos confirman el alta correcta con un mensaje que se puede ver en la figura 2.21. Si hacemos clic en el botón **VOLVER** que se ve en esa figura, regresamos al inicio de Red Trabaja.

Ahora tendremos que repetir los pasos dados para entrar como usuario registrado. En la parte superior derecha de la figura 2.18 podemos ver el botón **Entra en redtrabaj@**, que nos lleva a la página de la figura 2.19 en donde ya vimos que a la izquierda tenemos el enlace que será el que permitirá acceder a nuestra zona de usuario para ver nuestra agenda, alertas, anuncios y mensajes, tal y como se muestra en la figura 2.22.

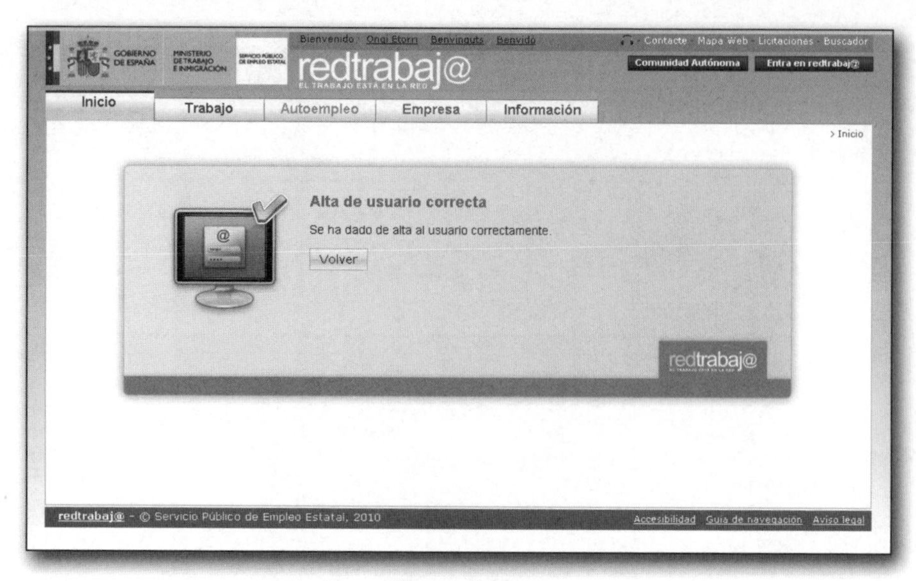

Figura 2.21.
Confirmación de alta correcta en RedTrabaja.

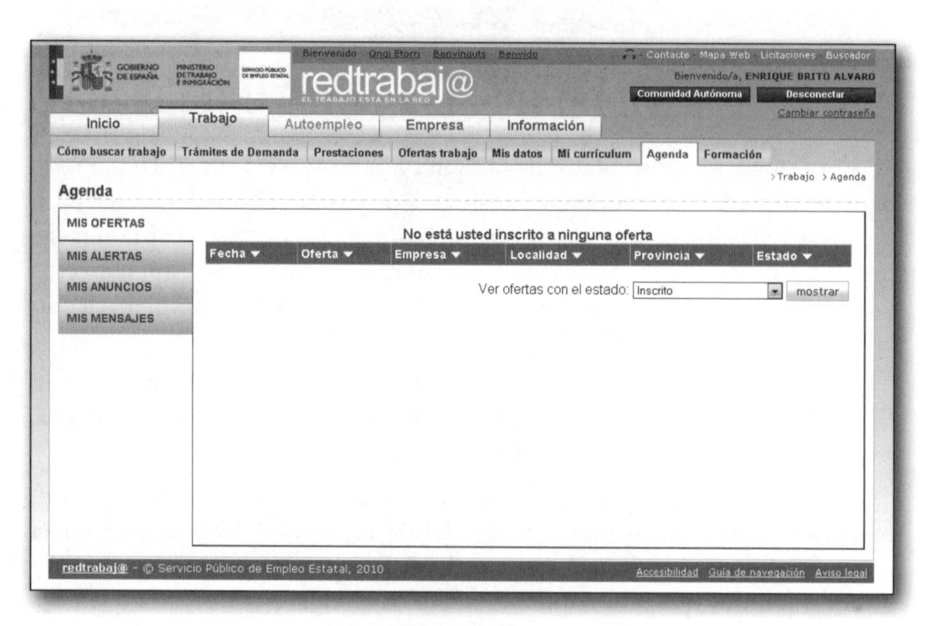

Figura 2.22.
Zona privada de RedTrabaja.

En nuestra zona privada también podremos crear nuestro curriculum vitae, tal y como explicaremos en el capítulo 4 de este libro.

Uso de lectores de feeds

Ya que se ha nombrado la posibilidad de suscribirse a los contenidos de los blogs de nuestro interés, vamos a explicar cómo hacer exactamente ese proceso de suscripción. Empezaremos viendo cómo crearnos una cuenta de usuario en Google que no sólo nos servirá para acceder a su lector de feeds, sino que nos permitirá utilizar sus aplicaciones Docs, Calendario, Contactos, Alertas y demás, que nos serán de utilidad en nuestra campaña de búsqueda de empleo.

Para crearte una cuenta de Google debes ir a la URL `http://google.com/accounts` y hacer clic en el enlace Crear una cuenta ahora que puedes ver en la parte inferior derecha de la figura 2.23.

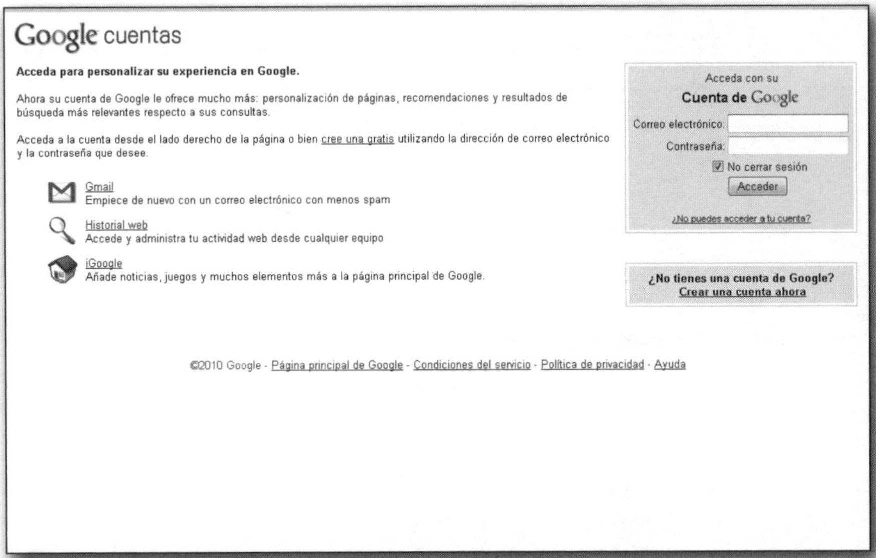

Figura 2.23.
Acceso a la creación de cuentas en Google.

En esta página de alta debes facilitar una cuenta de correo que ya tengas (que te servirá para identificarte), la contraseña que quieres para tu cuenta de Google, verificar una palabra para mostrar que eres un ser humano y no un robot (es lo que se llama un *captcha*). En la parte inferior debes hacer clic en el botón Acepto. Crear mi cuenta. Ahora pasas a una página para verificar tu cuenta en la que se te pide un número de teléfono móvil para recibir un mensaje corto con código de verificación. Tras recibir el mensaje corto e introducir el código de 6 cifras entras en tu cuenta de Google creada con tu correo electrónico. Puedes ver esta página en la figura 2.24.

También podrías crearte una cuenta de correo electrónico en GMail (`http://gmail.com`) que sería tu cuenta de acceso para Google.

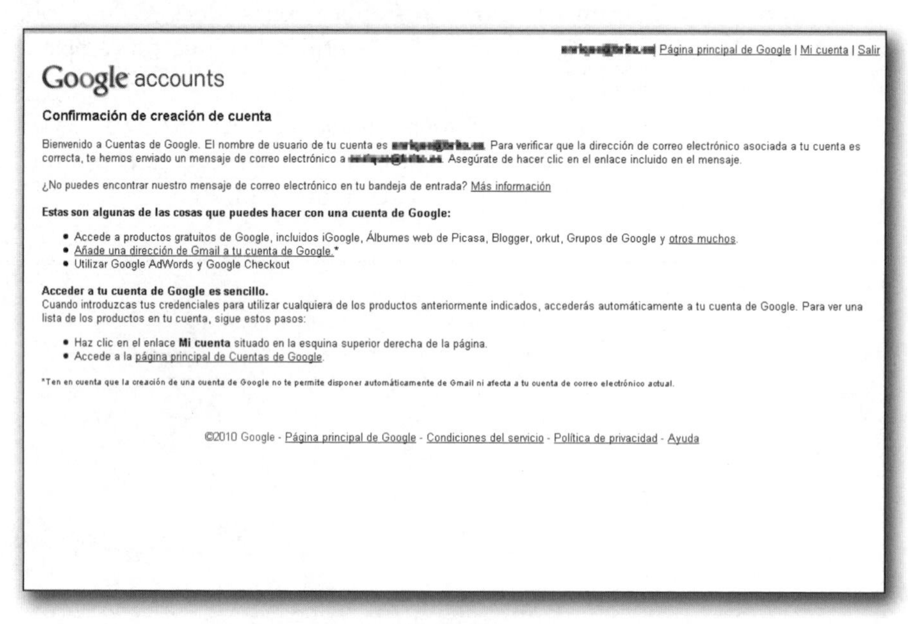

Figura 2.24.
Alta de cuenta en Google.

En la parte superior derecha de la figura 2.24 podemos ver el enlace Mi cuenta, que nos lleva a la página que se muestra en la figura 2.25, desde donde podemos completar nuestro perfil o darnos de alta como usuarios de productos de Google. En este caso vamos a ver cómo darnos de alta en el lector de *feeds*.

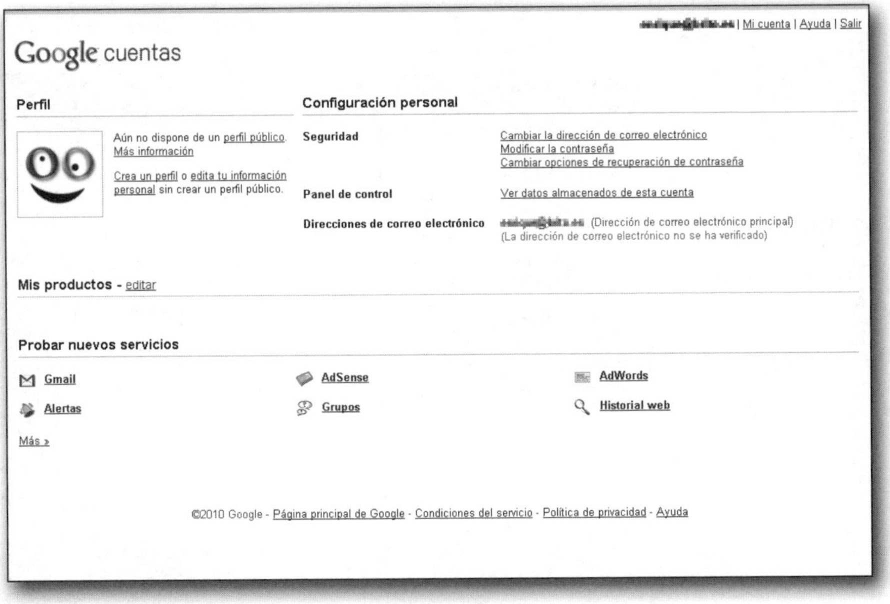

Figura 2.25.
Panel de control de la cuenta de Google.

Hacemos clic en el enlace Más >> de la parte inferior de la página mostrada en la figura 2.25 que nos lleva al escaparate de productos de Google. Buscamos el enlace al lector de *feeds*, identificado como Reader. Ahora hemos entrado en la herramienta con la que podremos gestionar todas nuestras suscripciones a blogs y a cualquier otra página Web que publique *feeds*. Para ello, haremos clic en el botón **Añadir una suscripción** de la parte superior derecha de la página de Google Reader que podemos ver en la figura 2.26.

Tras hacer clic, aparece una ventana justo debajo del botón donde escribimos la URL del blog de nuestro interés, como `http://t-orienta.info`. Se nos mostrará el mensaje para confirmar la suscripción y podremos acceder a los contenidos del blog. La ventaja es que desde Google Reader sabremos que hay nuevo contenido porque el nombre del blog correspondiente nos aparecerá en negrita para indicarnos la presencia de novedades y su cantidad por medio de un contador entre paréntesis. Podemos chequear de un vistazo varios sitios Web que nos aparecen en la parte inferior izquierda (véase la figura 2.26) en la sección Suscripciones.

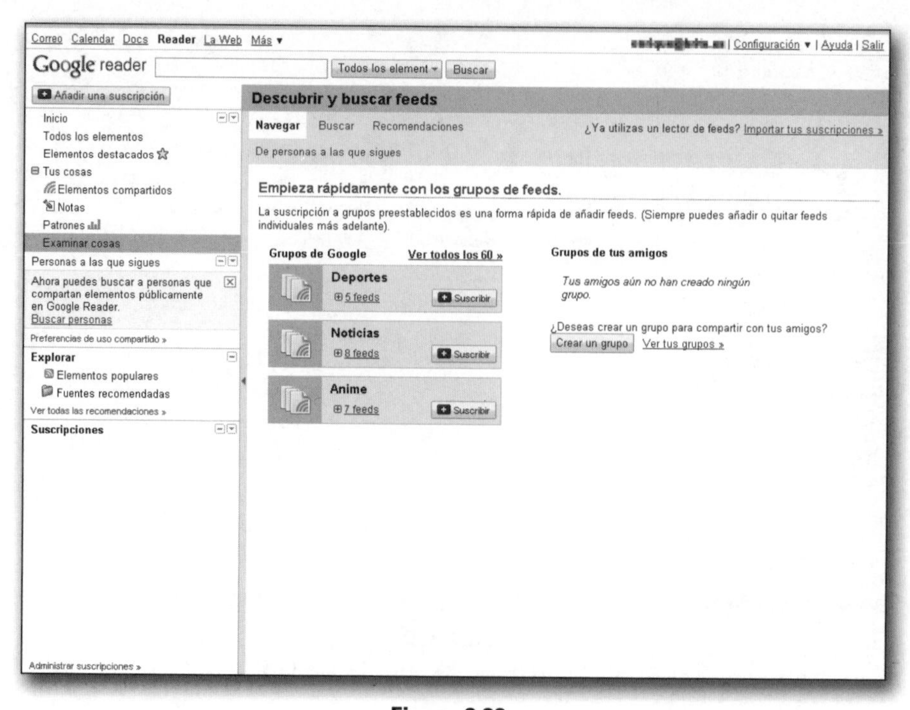

Figura 2.26.
Google Reader, nuestro panel de control de suscripciones a *feeds*.

3 Tu trayectoria profesional

Para poder tener claro qué empleo quieres ya dijimos en el capítulo 1 que debías hacer un análisis de tu carrera profesional.

En este caso estamos hablando de aclarar tu trayectoria profesional, de recopilar todo lo que hayas hecho antes. Cuando digo todo, es todo. Los éxitos, los fracasos, los problemas superados y todo lo que recuerdes. Toda experiencia es válida y muchas veces se aprende más de los fracasos que de los éxitos.

Con todo ese material podrás hacer después tu curriculum vitae y tu inventario de autoventa, que será muy útil en las entrevistas, ya que te permitirá tener respuestas para cualquier duda sobre tu evolución o progresión profesional. Y los fracasos que recuerdes vendrán bien para cuando hagan la pregunta clásica sobre algún problema que hayas tenido y cómo lo hayas superado.

Evidentemente, los éxitos es lo clásico en cualquier curriculum; es lo que todos ponemos. Pero hay que recopilar todos los que hayas tenido para en cada caso poner los que se adapten al puesto en concreto. Se trata de poder tener claras tus competencias profesionales y poder redactar un CV para cada ocasión, y no seguir cometiendo el error que cometemos todos de tener un solo curriculum vitae para todo.

Ya lo veremos más en detalle en el capítulo siguiente, dedicado específicamente al curriculum vitae.

Los fracasos insisto en que también hay que tenerlos en mente. Un fracaso anterior es una oportunidad en el futuro: ya sabes lo que no hay que hacer y, si reflexionas sobre lo sucedido, incluso puedes tener en mente la respuesta idónea para ese problema en esa nueva ocasión que es la que te va a servir para conseguir el nuevo puesto.

La experiencia acumulada es muchas veces un factor a favor de un candidato, sobre todo en momentos de crisis en los que las empresas no se arriesgan tanto a contratar a una persona por la perspectiva de lo que pueda llegar a hacer, pero sí les puede convencer un registro detallado de experiencias profesionales previas que pueden ser nuevamente conseguidas con igual o incluso mejor resultado.

Los problemas superados también son importantes. No sólo los técnicos, sino los problemas con personas. Son tus habilidades para afrontar la adversidad. Los técnicos indican tus recursos en conocimiento de técnicas de trabajo, búsqueda de soluciones y si estás o no al corriente del "estado del arte". Los problemas con personas son tus habilidades para trabajar en equipo, para gestionar gente tratándola como a personas y no como a "carne con ojos".

Puedo citar mi propia experiencia y decir que en las entrevistas que me han preguntado sobre cómo he resuelto algún problema reciente, al acabar decantándome por una explicación técnica percibía que el entrevistador ponía cara de o no entenderme o no obtener la respuesta deseada.

Precisamente en esas entrevistas no pasé a la siguiente fase. En otras entrevistas posteriores, al recibir la misma pregunta lo enfocaba más por el lado humano, hablando sobre las relaciones con personas. En este caso obtenía más atención del entrevistador. Tampoco pasé la entrevista, pero eso es otra historia. En una entrevista intervienen muchos factores. Trataremos sobre la entrevista en el capítulo 10.

Todo lo que recuerdes constituye tu almacén de **habilidades transferibles**, en definitiva. Ese logro que recuerdas lo has hecho en un entorno concreto, pero pensándolo fríamente, puedes ver claramente que te sirve también en otras circunstancias. Es lo que tú sabes hacer, estés donde estés.

Estos logros repetibles en entornos diferentes te podrían hacer fácil la transición profesional a un nuevo sector y huir, por tanto, de tu propio sector si es que está sufriendo una crisis propia, o simplemente cambiar de rumbo porque has decidido que quieres hacer otras cosas.

Por tanto, hay que trabajar recordando todo y documentándolo. En papel, en un fichero de hoja de cálculo, de procesador de textos, de base de datos. En donde sea, pero tenlo bien organizado.

Intenta poner categorías y etiquetas para poder localizar posteriormente con más facilidad lo que se necesite en el sitio al que quieras ir.

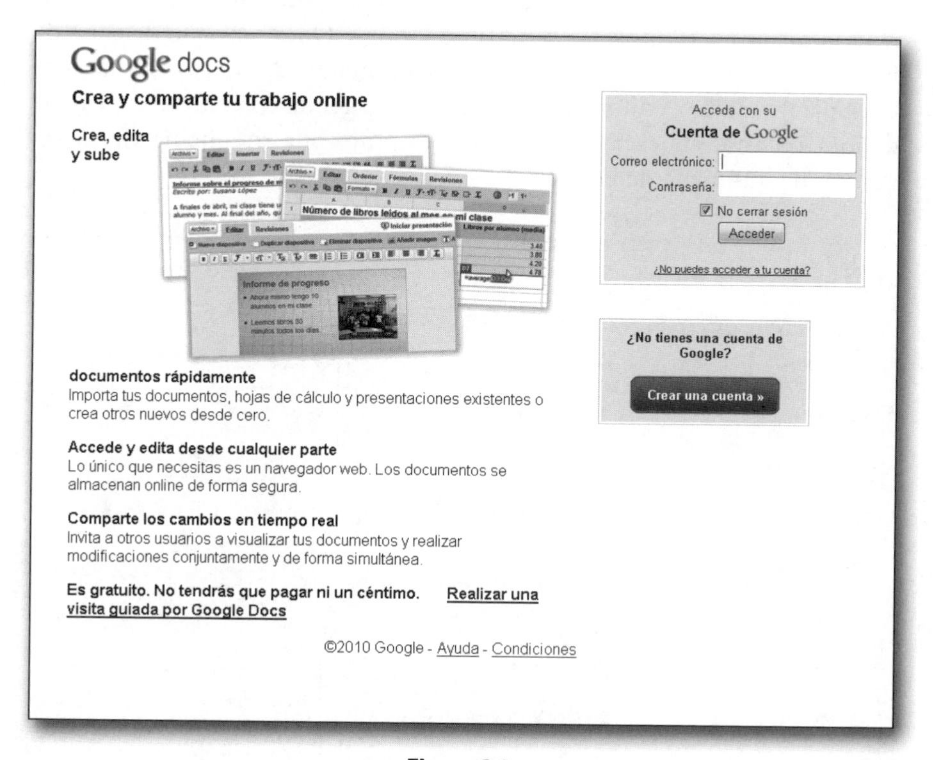

Figura 3.1.
Pantalla de entrada a Google Docs.

En este caso, vamos a ver el uso de Google Docs (`http://docs.google.com`) para poder ir recopilando y etiquetando esta información. También se podría usar Zoho (`http://zoho.com`) para la misma función o la versión online de Microsoft Office.

En el momento de escribir estas líneas Microsoft no tiene disponible una versión online de su Office pero desde hace tiempo se viene hablando de su paso a la computación en la nube. Se puede ver el artículo de Genbeta al respecto de octubre de 2008 en `http://www.genbeta.com/web/microsoft-office-por-fin-salta-al-navegador`. En septiembre de 2009 Microsoft informa que estará disponible cuando salga la versión de Office 2010 (`http://www.microsoft.com/presspass/features/2009/sep09/09-17officewebapps.mspx`).

Tanto Google Docs como Zoho nos ofrecen un rendimiento similar para nuestros propósitos. La ventaja de Google Docs será que dispone de interfaz en español. En ambos casos dispondremos de procesador de textos, hoja de cálculo, editor de presentaciones, agenda de contactos y calendario. Con estas aplicaciones podemos hacernos nuestra oficina virtual de gestión de búsqueda de empleo.

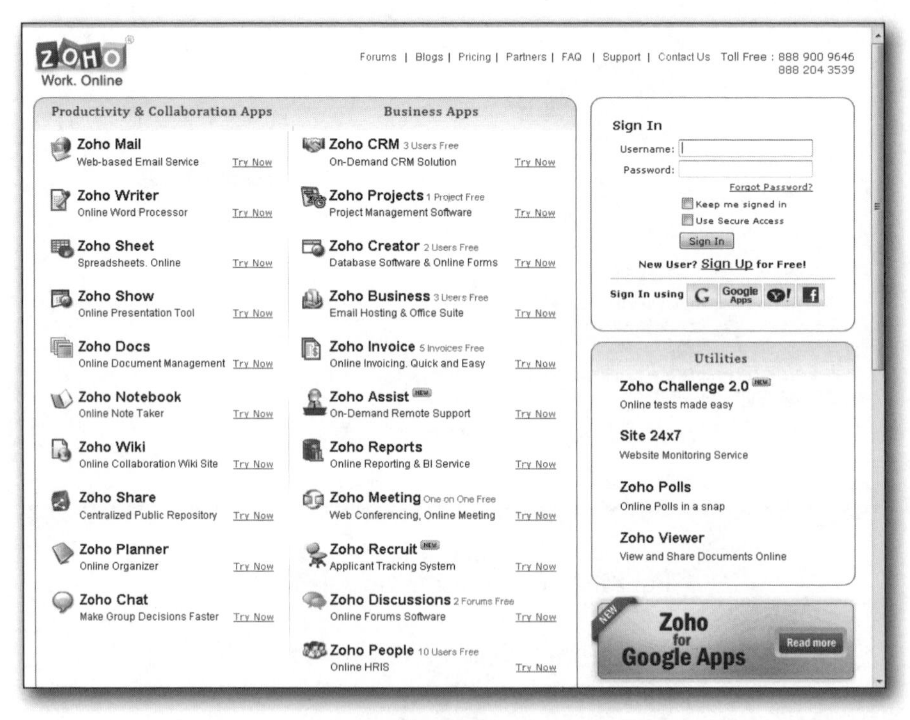

Figura 3.2.
Pantalla de entrada a Zoho.

Pero antes de explicar el uso de esta herramienta, veamos primero cómo evaluar nuestras competencias profesionales.

Evaluación de competencias profesionales

En este recorrido que vamos a hacer por nuestro pasado profesional nos encontraremos con todo lo que ha conformado nuestras competencias profesionales. Por tanto es un buen momento para evaluarlas adecuadamente.

Quiero ser mejor profesional

Para este objetivo podemos entrar en la Web de la iniciativa promovida por las Cámaras de Comercio llamada "Quiero ser mejor profesional" desde la URL `http://www.quierosermejorprofesional.com`. En la figura 3.3 vemos que lo primero que debemos hacer es seleccionar la Cámara de Comercio correspondiente a nuestro territorio para acceder al portal que se ve en la figura 3.4.

Figura 3.3.
Pantalla de entrada a la iniciativa "Quiero ser mejor profesional".

Figura 3.4.
Panel de control de "Quiero ser mejor profesional".

Una vez seleccionada nuestra Cámara de Comercio, en el panel de control que se muestra en la figura 3.4 vemos las opciones que tenemos a nuestra disposición.

Puedes autoevaluar tus competencias o certificarlas, tal y como se ve las opciones de la parte izquierda de la figura 3.4. O puedes establecer tu plan de mejora profesional o contratar servicio de *coaching*, tal y como se ve en las opciones del centro de la figura 3.4. En la parte derecha puedes ver los iconos de enlace a "Quiero empleo", el portal con ofertas de empleo de las Cámaras de Comercio o a "Quiero al mejor profesional" para empresas en búsqueda de talentos.

En la parte superior de la figura 3.4 puedes ver el menú de navegación y a la derecha están los enlaces para registrarse como nuevo usuario o acceder a tu cuenta.

No todas las Cámaras tienen los mismos menús disponibles puesto que depende de la cantidad de recursos asignados para cubrir este servicio el que ofrezcan más o menos.

Autoevaluación de competencias

Este servicio ofrecido por las Cámaras tiene un coste de 75 euros. Desde estas líneas animo a que las Cámaras de Comercio ofrezcan este servicio de autoevaluación gratuitamente. Aparte de facilitar la reinserción laboral en este especial momento de fuerte crisis, estoy seguro de que conseguirían mayor número de usuarios que pudieran posteriormente solicitarles más servicios de asesoría.

Esta autoevaluación consiste en un test con el que finalmente obtienes un informe en el que se muestran tus competencias desde tu propio punto de vista. Es decir, queda claro que es una autoevaluación y será una evaluación correcta si eres sincero en las respuestas.

Puedes ver la gráfica de competencias que te genera la aplicación en la figura 3.5 y la tabla de competencias y su puntuación en la figura 3.6.

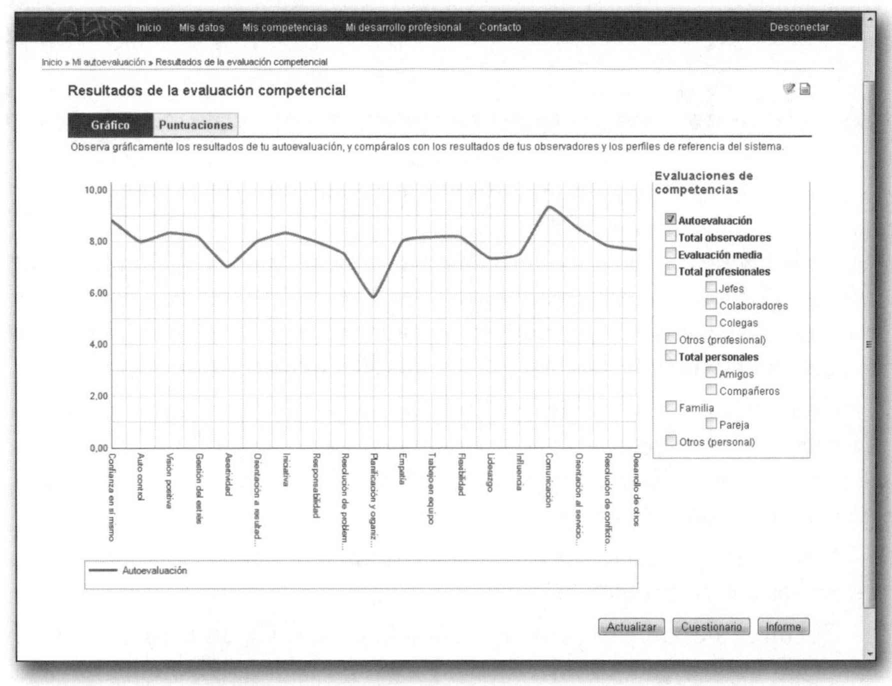

Figura 3.5.
Gráfico de resultados de la autoevaluación de competencias.

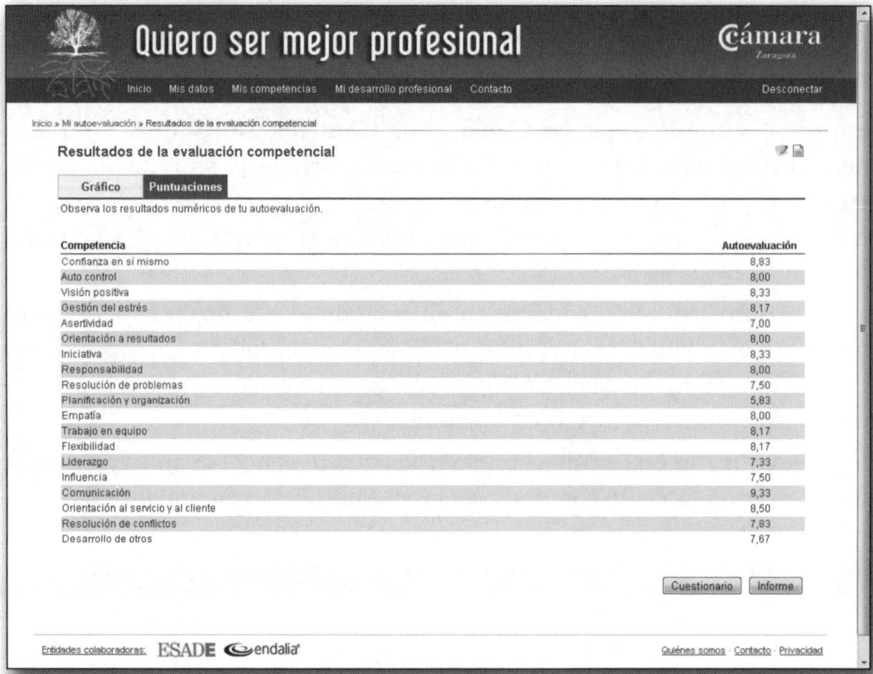

Quiero ser mejor profesional

Cámara Zaragoza

Inicio · Mis datos · Mis competencias · Mi desarrollo profesional · Contacto · Desconectar

Inicio » Mi autoevaluación » Resultados de la evaluación competencial

Resultados de la evaluación competencial

Gráfico | Puntuaciones

Observa los resultados numéricos de tu autoevaluación.

Competencia	Autoevaluación
Confianza en sí mismo	8,83
Auto control	8,00
Visión positiva	8,33
Gestión del estrés	8,17
Asertividad	7,00
Orientación a resultados	8,00
Iniciativa	8,33
Responsabilidad	8,00
Resolución de problemas	7,50
Planificación y organización	5,83
Empatía	8,00
Trabajo en equipo	8,17
Flexibilidad	8,17
Liderazgo	7,33
Influencia	7,50
Comunicación	9,33
Orientación al servicio y al cliente	8,50
Resolución de conflictos	7,83
Desarrollo de otros	7,67

Cuestionario · Informe

Entidades colaboradoras: ESADE endalia · Quiénes somos · Contacto · Privacidad

Figura 3.6.
Puntuaciones de la autoevaluación de competencias.

En la figura 3.6 podemos volver a revisar cualquiera de las 114 preguntas del test. Puedes acceder libremente a demostración de este cuestionario de evaluación de competencias con una versión reducida de 24 preguntas que te presenta también resultados sobre este reducido conjunto de preguntas.

Con este mini test puedes decidir si te merece la pena el test completo de pago o simplemente te puede orientar para ver qué tipo de preguntas te puedes plantear tú mismo para entresacar tus competencias de tu experiencia profesional. Véase la figura 3.7.

Para acceder a este test demo, debes entrar en la descripción del servicio de evaluación de competencias.

El enlace a esta descripción detallada lo puedes ver en la figura 3.4, en la opción Evaluar mis competencias. Entras en la descripción del servicio y en la parte inferior está el enlace al test demo. Si quieres un enlace directo, para no liarte navegando y verlo directamente, puedes usar esta versión acortada: `http://bit.ly/aWZvHW`. En la figura 3.8 se muestra el resultado que se obtiene, para compararlo con los resultados del informe completo mostrados en las figuras 3.5 y 3.6.

Índice Cámaras » Cámaras » Evaluación de competencias » Demo de cuestionario de evaluación de competencias

Demo de cuestionario de evaluación de competencias

Realizar el cuestionario completo de evaluación de competencias te permitirá obtener una **evaluación respaldada por investigaciones de universidades de referencia en el análisis del desarrollo competencial**.

Además, si contratas el servicio, podrás obtener la evaluación de tantas personas como tu desees (**evaluación 360**) con lo cual podrás obtener una evaluación más objetiva de ti mismo, ya que en ocasiones tu visión no coincide del todo con "cómo te ven los demás".

La evaluación de competencias te la presentaremos de forma **totalmente gráfica e interactiva**, pues podrás comparar tu evaluación con otros perfiles competenciales que te ayuden a conocerte mejor y a trazar tus objetivos de mejora.

A continuación puedes realizar una simulación parcial del cuestionario para que conozcas de manera rápida un avance de lo que puedes obtener realizando la evaluación completa.

El cuestionario contiene una **lista de comportamientos**. Indica con qué frecuencia manifiestas, muestras o haces uso de cada comportamiento concreto, marcando la opción adecuada en la parte inferior de cada comportamiento. Es decir, para cada uno de los comportamientos que figuran a continuación, pregúntate: "¿con qué frecuencia ...?".

Procedimiento:
1. Introduce el nombre que quieres que aparezca.
2. Introduce el número de frecuencia en la casilla correspondiente para cada uno de los comportamientos.
3. Una vez completado el cuestionario pulsa el botón 'Obtener evaluación'.

Introduce tu nombre

¿Con qué frecuencia ...?
1. Aunque me recriminen algún fallo, sigo creyendo en mis capacidades y me sobrepongo con facilidad
0(Nunca) 1 2 3 4 5 6 7 8 9 10(Siempre) No lo sé

¿Con qué frecuencia ...?
2. Me siento capaz de afrontar desafíos importantes
0(Nunca) 1 2 3 4 5 6 7 8 9 10(Siempre) No lo sé

¿Con qué frecuencia ...?
3. Me siento capaz de dar respuesta a lo que se espera de mí
0(Nunca) 1 2 3 4 5 6 7 8 9 10(Siempre) No lo sé

¿Con qué frecuencia ...?
4. Sé dar lo mejor de mí mismo/a cuando la situación lo requiere
0(Nunca) 1 2 3 4 5 6 7 8 9 10(Siempre) No lo sé

¿Con qué frecuencia ...?
5. Antes de actuar pienso en las posibles consecuencias
0(Nunca) 1 2 3 4 5 6 7 8 9 10(Siempre) No lo sé

Figura 3.7.
Test demo de autoevaluación de competencias.

No dejes de leer la información de referencia que se ofrece sobre gestión de competencias y modelo de competencias. Para ello debes navegar a Evaluación de mis competencias y usar los enlaces que verás en el recuadro derecho de la página.

A partir de tu evaluación puedes solicitar un informe 360° en el que pides a varias personas que evalúen tus competencias contratando dicho servicio.

Una vez terminada esta evaluación 360° puedes pedir un certificado de tus competencias emitido por la Cámara de Comercio, que también debes contratar.

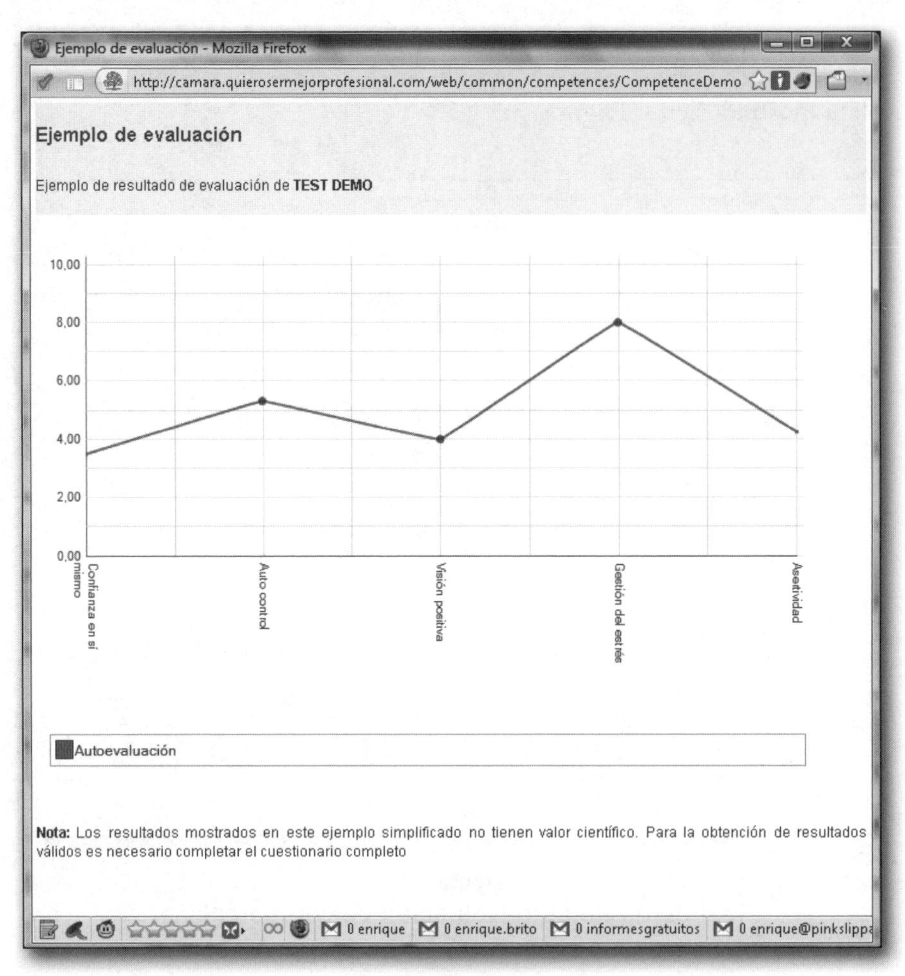

Figura 3.8.
Informe demo de autoevaluación de competencias.

Logros profesionales

Nuestros éxitos profesionales son lo que habitualmente se plantea como logros en nuestro curriculum vitae. Como lista de referencia, puedes considerar como logros lo siguiente:

- Aumento de ventas, evaluable en porcentaje.
- Aumento de beneficios, evaluable en porcentaje.
- Reducción de costos, evaluable en porcentaje.
- Reducción importante de tiempos o de plazos en la ejecución de proyectos.
- Mejora de productividad.
- Mejora de resultados sin aumentar los recursos.
- Mantener resultados reduciendo los recursos.
- Resolución de problemas, principalmente técnicos o bien de organización.
- Toma de iniciativas, proactividad.
- Creación, desarrollo o mejora de sistemas.
- Diseño de programas, planes o bien procedimientos, para mejorar beneficios.
- Mejoras de calidad en producto final.
- Mejora de relaciones humanas.

Si puedes identificar algo en tu trayectoria profesional, debes guardarte toda la información que recuerdes. Puedes de esta manera tener elementos para destacar en tu curriculum vitae, o para sacar a relucir en entrevistas o analizar si esos logros se pueden replicar en otro sector, si esa es la única salida profesional viable.

Google Docs

Tal como he dicho, podemos utilizar Google Docs (`http://docs.google.com`) o Zoho (`http://zoho.com`) para tener un procesador de textos, editor de hojas de cálculo, creador de presentaciones, gestión de contactos o calendario de citas en versión Web, con lo que tendremos la información localizable desde cualquier sitio.

Tal y como comentamos anteriormente, nos decantamos por Google Docs por tener versión en español. Este conjunto de aplicaciones es compatible con los ficheros estándar de Microsoft Office, pudiendo guardar nuestros ficheros en este formato o pudiendo subir a Internet ficheros que nos pasen hechos con el paquete de aplicaciones de Microsoft.

Además Google Docs permite instalarnos un motor para mantener una copia local de nuestros ficheros, de modo que podemos ver y modificar su contenido sin estar conectados. Posteriormente, al conectar el ordenador a Internet, la información se actualiza automáticamente.

Si dispones de cuenta de correo de GMail (servicio de correo gratuito de Google) ya puedes acceder a Google Docs. Si no, puedes crearte una cuenta de GMail o una cuenta de Google tal y como se describió en el capítulo 2 (véase la figura 2.23).

Desde la página de entrada a Google Docs introducimos usuario y clave y pasamos a nuestro panel de control que se puede ver en la figura 3.9. En la figura 3.10 puedes ver las opciones del menú que se despliega al hacer clic en el botón **Crear nuevo** que está en la parte superior izquierda debajo del logo de Google Docs.

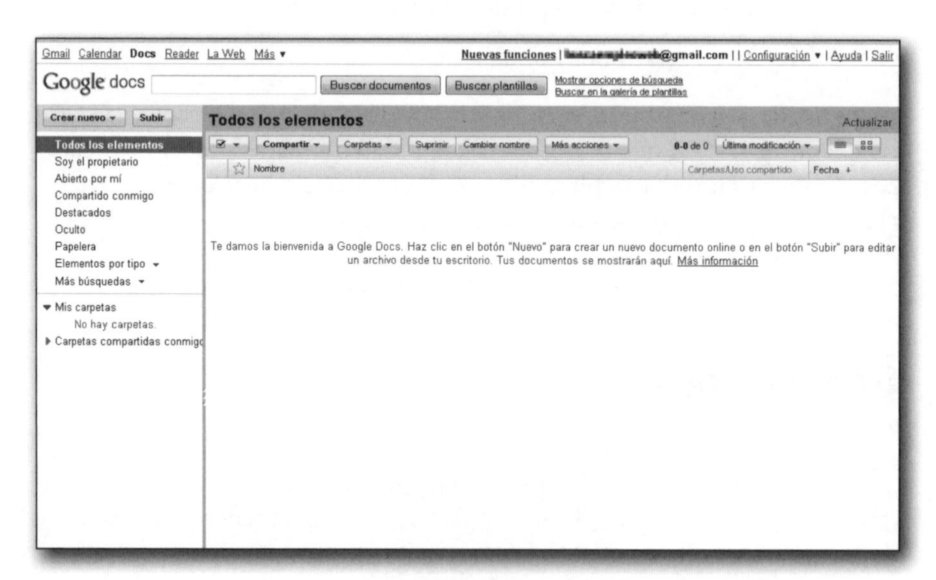

Figura 3.9.
Panel de control de Google Docs.

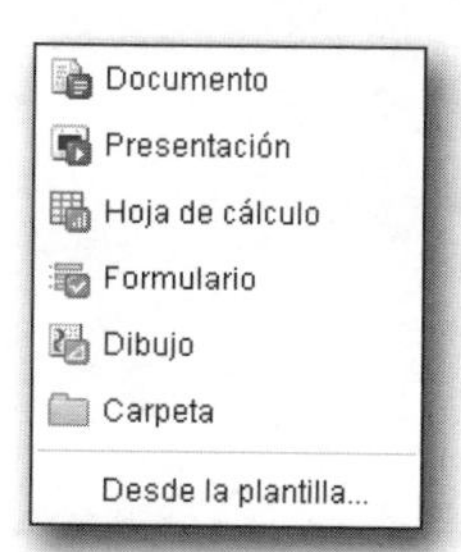

Figura 3.10.
Menú con los tipos de documentos que se pueden crear con Google Docs.

Aparte de los ya citados como documentos (compatibles con Microsoft Word), presentaciones (compatibles con Microsoft PowerPoint) y hojas de cálculo (compatibles con Microsoft Excel), podemos crear formularios que nos permiten realizar encuestas, dibujos para insertar en nuestros documentos o crear carpetas para organizar nuestra información.

Veamos cómo crear un documento para diseñar una ficha en la que describir nuestros logros. Con este documento podremos bien rellenarlo directamente en la versión online, o imprimirlo para poder trabajar con él a mano y luego actualizar su contenido. En el menú desplegable Crear nuevo seleccionamos Documento y entramos en el editor de textos que se puede ver en la figura 3.11 y que se nos abrirá en una pestaña nueva del navegador. Es decir, en una pestaña tenemos el panel de control de Google Docs y en otra estaremos editando nuestro fichero. En el menú superior tenemos las opciones típicas de cualquier procesador de textos: Archivo, Editar, Ver, Insertar, Formato, Herramienta, Tablas y Ayuda.

Ahora en este fichero necesitamos poner campos para ir registrando la siguiente información:

1. Describe el objetivo que se debía cumplir, con fecha y duración.
2. ¿En qué situación se desarrollaban tus acciones? (Contexto).
3. Describe las acciones concretas que realizaste.
4. Obstáculos que debías superar.
5. ¿Qué resultados conseguiste?
6. ¿Qué competencia o logro quedó demostrada?

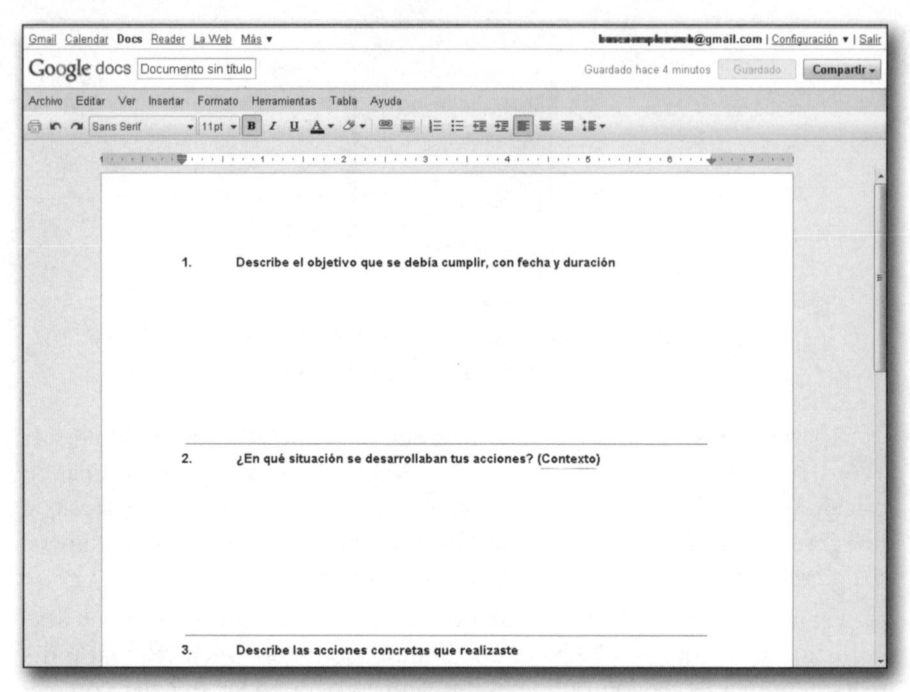

Figura 3.11.
Procesador de textos de Google Docs.

Simplemente escribes el texto de cada uno de los puntos anteriores y puedes separar cada apartado por una línea horizontal desde el menú Insertar>Línea Horizontal. Es un procesador de textos extremadamente sencillo ya que se limita a tener las opciones de formateo más habituales. No podrás un trabajo con todas las opciones que te ofrece Microsoft Word, evidentemente, pero en este caso lo que nos interesa es registrar información y no que su diseño y presentación sea espectacular. En la citada figura 3.11 aparte de ver el aspecto del procesador de textos de Google Docs, puedes ver cómo vamos editando este formulario para recoger datos.

Puedes usar este documento como plantilla. Como verás, se guarda automáticamente. No es necesario que hagas clic en el botón derecho superior **Guardar ahora**, salvo que estés escribiendo. Me refiero a que Google Docs hace guardado automático muy frecuentemente para evitar pérdidas de información y en tan sólo unos segundo el citado botón **Guardar ahora** deja de ser realmente un botón y queda difuminado e indicando **Guardado**. En la figura 3.11 aparece así y nos dice que el documento fue guardado 4 minutos antes. Según escribes, para un momento y comprobarás que tras aparecer como **Guardar ahora** mientras escribes, el nombre del botón pasa ha **Guardado** a los pocos segundos de detenerte.

Si vuelves al panel de control de Google Docs que lo tienes en otra pestaña del navegador o haciendo clic en el logo de Google Docs que tienes en la parte superior izquierda, verás que te aparece como **Documento sin título**. Para nombrarlo primero debes seleccionarlo con la casilla de verificación que hay a la izquierda del título que se ha puesto automáticamente, haces clic en el menú superior en el botón **Cambiar nombre** y puedes editarlo. Aconsejo que lo nombres como **Plantilla de logros profesionales**.

Antes de usar la plantilla, empecemos a organizarnos. Crea una carpeta y pon de nombre **Plantillas**. En el panel de control (véase la figura 3.9), en el menú superior a la izquierda vimos que podías ver qué tipos de documentos permite crear Google Docs (véase la figura 3.10). Selecciona **Carpeta** y escribe su nombre y descripción, tal y como ves en la figura 3.12.

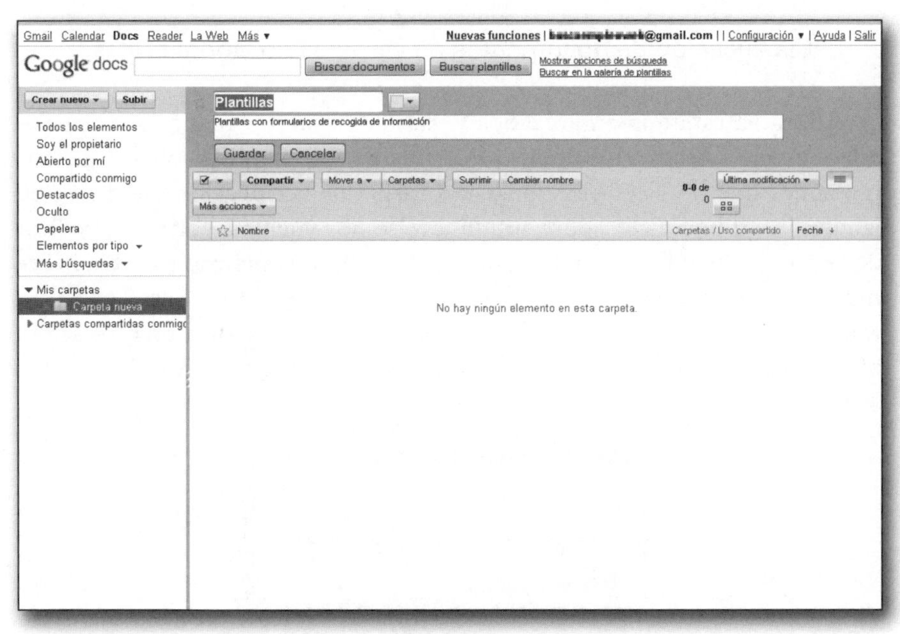

Figura 3.12.
Creación de carpetas para organizar nuestro Google Docs.

Tras hacer clic en el botón **Guardar**, te aparecerá la carpeta en la columna izquierda en la sección inferior, dentro de tu panel de control de Google Docs. Selecciona en el menú izquierdo Todos los elementos para ver tus documentos y haz clic en la casilla de verificación del documento que renombraste anteriormente como Plantilla de logros profesionales. Puedes ver el detalle en la figura 3.13.

Figura 3.13.
Clasificación de documentos en carpetas en Google Docs.

Ahora ya estamos organizados y vamos a usar esa plantilla. Tenemos seleccionado nuestro documento Plantilla de logros profesionales y comprobamos que no esté seleccionada la casilla de verificación que hay a su izquierda. Al hacer clic sobre su nombre se nos vuelve a abrir en el editor de textos que puedes ver en la figura 3.11. Antes de empezar a editar, hacemos una copia con las opciones del menú superior Archivo>Crear copia. Se trata de dejar limpia la plantilla original y crear nuevos documentos según nuestra necesidad. Te aparece el menú que ves en la figura 3.14.

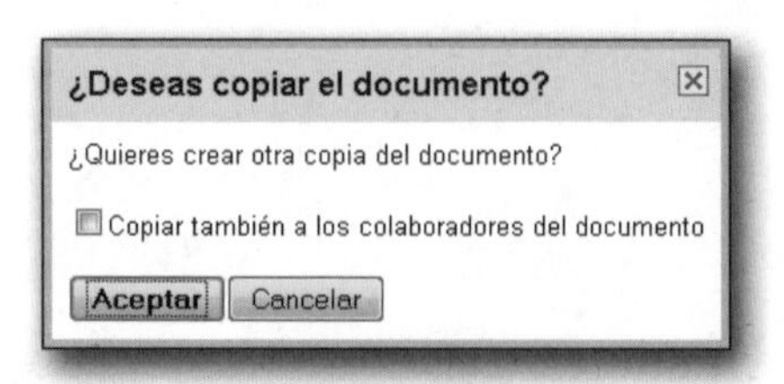

Figura 3.14.
Menú de copia de documentos en Google Docs.

En este menú puedes decidir si también pueden colaborar en este documento los colaboradores que hubieras permitido. En Google Docs puedes dar permiso a otras personas a ver o a editar tus documentos para trabajar en equipo. Al hacer clic en el botón **Aceptar** que ves en la figura 3.14 se crea un nuevo documento que cuando se guarde automáticamente o porque tú lo decidas lleva como nombre por defecto Copia de Plantilla de logros profesionales. Ya hemos explicado como renombrarlo.

Ahora trabaja el contenido de ese documento o pasa a limpio las notas que hubieras tomado en una hoja que te hubieras impreso desde el menú Archivo>Imprimir de Google Docs.

En próximos capítulos veremos también cómo usar Google Docs para crearnos hojas de cálculo en donde iremos registrando información relevante para nuestra búsqueda de empleo, como puede ser el inventario de autoventa.

4 El curriculum vitae

El curriculum vitae suele ser muchas veces, si no todas, el único elemento que se utiliza para buscar empleo y por tanto se convierte en cierto modo es nuestra tarjeta de visita en el mercado laboral. La misión que pretendemos conseguir con un curriculum vitae es llamar la atención lo suficiente para que se fijen en nosotros o podamos obtener una entrevista personal. Es decir, en realidad el curriculum no nos va a dar el paso al puesto de trabajo, pero sí a la fase final de entrevista o entrevistas de selección.

Se puede llegar a esta fase de entrevistas a través de la red de contactos, para lo que nos podremos apoyar en las redes de contactos profesionales como ya veremos en el capítulo 9 de este libro. Pero dado que la mayoría de los buscadores de empleo se apoyan en un curriculum vitae, vamos a centrarnos en este capítulo en sus tipos y veremos también diversas Webs que nos servirán para diseñarlo y para darle visibilidad en Internet.

El Curriculum Vitae y sus tipos

Como norma general, el curriculum vitae se debe redactar con frases cortas y párrafos breves. Se deben utilizar términos simples que sean fácilmente entendibles. Los tecnicismos sólo los entenderán quienes tengan tu mismo perfil técnico y no siempre serán entendidos por quien tenga que seleccionar tu curriculum entre los cientos que reciba, lo que puede hacer que el tuyo sea descartado simplemente porque en otros sí entienda perfectamente que se describe lo que se está buscando para el puesto que se desea cubrir. Debes tener en cuenta que al distribuir masivamente el curriculum vitae, y más ahora con la facilidad de incluirlo en los portales de empleo, la persona que tiene que hacer el primer filtrado puede recibir cientos o incluso miles de ellos y es normal que vaya descartando todo lo que no quede absolutamente claro en una primera lectura. Por tanto, sé breve, simple y preciso con lenguaje fácilmente entendible.

Cuantifica logros, usa tantos por ciento, cantidades mensurables. Ya vimos lo que se suele considerar como logros en el capítulo 3. Coloca las oraciones más expresivas al principio, tienes que captar la atención del lector para que siga leyendo todo el curriculum vitae. Repasa cuidadosamente la sintaxis, ortografía, gramática y signos de puntuación y evita la mala impresión que causa una falta de ortografía que sobre todo si es obvia indica una falta de revisión del contenido del curriculum vitae. No utilices el pronombre "yo", déjalo implícito. Emplea la tercera persona de singular.

Evita auto referencias personales y subjetivas y trata de aportar datos objetivos que no sean tu propia visión, sino lo que se percibe por cualquiera que haya observado tu trabajo. No incluyas aficiones a menos que contribuyan decididamente a reforzar tu capacidad laboral frente al empleo que solicitas. Y recuerda no abusar de tecnicismos que hagan incomprensible el curriculum para una persona no experta en tu área.

Todos los datos que pongas en el curriculum vitae deben ser ciertos. Exagerar en algo puede detectarse en la entrevista, lo que te eliminará, o finalmente puede causarte problemas en tu futuro trabajo pues se verá claramente que no posees los conocimientos que dijiste tener y en ese caso la consecuencia puede ser un despido. Por tanto, no exageres tus capacidades.

Respecto a lo que creas que pudiera ser negativo para el puesto que optas puedes optar por no incluirlo y trabajar sobre ese aspecto para que cuando salga en la entrevista vean que has logrado convertir ese punto negativo que es una aparente debilidad en una fortaleza al haberla analizado y saber cómo superarla si te tienes que volver a enfrentar a esa situación.

Ahora vamos a presentar los formatos habituales de curriculum vitae y su estructura: cronológico, funcional y mixto.

Curriculum vitae cronológico

Este formato es el más común y es el que solemos usar la mayoría de los candidatos para enviarlo a todo tipo de ofertas. Es un desglose de toda nuestra trayectoria profesional organizado en el tiempo, usualmente a la inversa -lo último que hemos hecho lo presentamos primero- en el que se ve tu recorrido profesional a lo largo del tiempo en las diferentes empresas en las que has estado.

El inconveniente puede venir si se observa que has estado en varias empresas en un breve espacio de tiempo, cosa que en algunas ocasiones puede ser mal visto.

Como he dicho, suele ser el que usamos para todo y es ésta una de las causas por las que en muchas ocasiones no recibimos ni siquiera respuesta a nuestras candidaturas.

Los buzones de entrada de curricula están tan llenos (piensa por un momento desde el lado de la persona que tiene que seleccionar el mejor candidato) que sólo lo que a primera vista encaja a la perfección en lo que se busca, se selecciona para la siguiente fase del proceso.

Ventajas del curriculum vitae cronológico

- Permite ver claramente tus responsabilidades actuales y analizar tu progresión hasta llegar a ese punto de tu carrera profesional.
- Refuerza nuestra posición en un sector si muestra la trayectoria lógica de progreso y evolución dentro de él.
- Si no hemos cambiado mucho de empresa, refuerza la imagen de compromiso que establecemos con el empleador.

Desventajas del curriculum vitae cronológico

- Si muestras haber desarrollado varias funciones, el entrevistador podría llegar a pensar que no tienes claro tu objetivo y vas probando de todo sin especializarte en nada concreto, por lo que más que ver tus fortalezas intuiría erróneamente debilidades personales.

- Si tu descripción no es precisa obliga a un análisis para intentar ver el verdadero encaje de tu perfil con el puesto. Dada la enorme cantidad de curricula que recibe el seleccionador esto podría hacer que fueras descartado en una primera ronda de selección.
- Puede destacar una falta de progresión profesional o mostrar periodos de inactividad laboral.

Esquema tipo del curriculum cronológico

La estructura más habitual de este formato de curriculum vitae suele ser la siguiente:

1. **Datos personales:** Nombre y apellidos, dirección completa, teléfono y correo electrónico de contacto.
2. **Objetivo ocupacional:** Descripción del puesto que buscas.
3. **Experiencia profesional:** Desglose de todas las empresas en las que has estado y de las funciones desempeñadas, junto con logros destacados.
4. **Formación académica:** Nivel de estudios alcanzado. Se pueden incluir programas de postgrado y/o MBAs.
5. **Otros cursos:** Cualquier curso de capacitación profesional que hayas recibido a lo largo de tu carrera profesional.
6. **Otros datos personales:** Aquí se pueden citar aficiones, salvo que vayan en contra de tu candidatura.

Puedes ver un ejemplo de un curriculum cronológico inverso en la figura 4.1, aunque no corresponde con este esquema de presentación planteado. Dicho ejemplo está en la Web de la Fundación Universidad Empresa de su "Guía de empresas que ofrecen empleo" (`http://quierounbuentrabajo.com`), y que si quieres lo puedes ver en su totalidad en la URL `http://www.quierounbuentrabajo.com/recursos/cap01pag06G.asp?opc=3`.

Algunos breves consejos para que la información que pongas en tu curriculum vitae cronológico resulte más profesional:

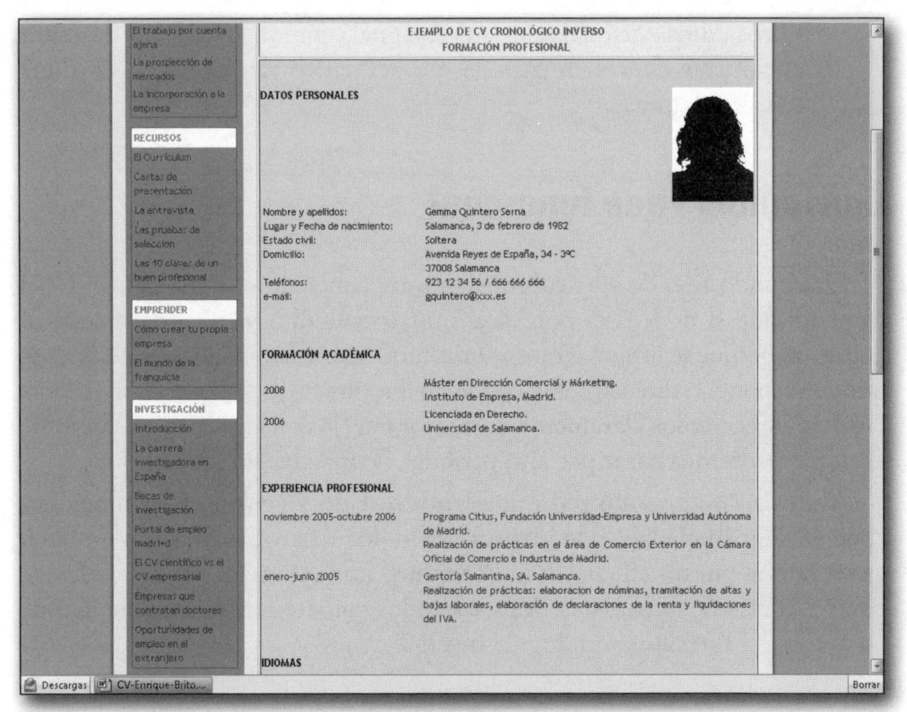

EJEMPLO DE CV CRONOLÓGICO INVERSO
FORMACIÓN PROFESIONAL

DATOS PERSONALES

Nombre y apellidos:	Gemma Quintero Serna
Lugar y Fecha de nacimiento:	Salamanca, 3 de febrero de 1982
Estado civil:	Soltera
Domicilio:	Avenida Reyes de España, 34 - 3ºC 37008 Salamanca
Teléfonos:	923 12 34 56 / 666 666 666
e-mail:	gquintero@xxx.es

FORMACIÓN ACADÉMICA

2008	Máster en Dirección Comercial y Márketing. Instituto de Empresa, Madrid.
2006	Licenciada en Derecho. Universidad de Salamanca.

EXPERIENCIA PROFESIONAL

noviembre 2005-octubre 2006	Programa Citius, Fundación Universidad-Empresa y Universidad Autónoma de Madrid. Realización de prácticas en el área de Comercio Exterior en la Cámara Oficial de Comercio e Industria de Madrid.
enero-junio 2005	Gestoría Salmantina, SA. Salamanca. Realización de prácticas: elaboracion de nóminas, tramitación de altas y bajas laborales, elaboración de declaraciones de la renta y liquidaciones del IVA.

IDIOMAS

Figura 4.1.
Ejemplo de curriculum vitae cronológico inverso.

- Utiliza una cuenta de correo que tenga un aspecto profesional, a ser posible contratando un dominio propio. Es decir, si tu correo es `pastillero_total@loquesea.com` vete pensando que no te van a contestar.
- Si el objetivo ocupacional que describes no corresponde con el puesto al que envías el curriculum, mejor no pierdas el tiempo enviándolo. Este punto es claro para ver el error que cometemos todos de redactar un solo curriculum vitae para todo.
- Recuerda destacar logros en tu experiencia profesional como porcentajes de beneficios o ventas, o reducciones de costes o plazos.
- Otros cursos: cita los que correspondan con el puesto al que optas. Reitero la idea de olvidarte de un solo curriculum vitae para todas las ofertas a las que te presentes.

- Otros datos personales: en mi personal opinión sólo debes describir aficiones y demás en caso de que refuercen claramente y sin duda tu candidatura.

Curriculum vitae funcional

El segundo tipo de curriculum vitae más conocido es el funcional. Es el más indicado si te decides por hacer un curriculum a medida del puesto al que optas porque te limitas a mostrar tus funciones y habilidades profesionales que correspondan directamente con los requerimientos del puesto solicitado. No sólo ofreceremos claramente un mayor encaje con el puesto en cuestión, sino que podremos pasar por alto periodos de inactividad laboral.

Al no ir desglosando todo nuestro recorrido y centrarse en funciones concretas facilita la labor de identificación de nuestro perfil como un buen candidato al puesto en cuestión. Por tanto, aumentará las posibilidades de pasar a la fase de entrevistas. Aún así, todos cometemos el error de insistir en el uso del formato cronológico inverso.

Ventajas del curriculum vitae funcional

- Permite ocultar periodos cortos en los que se haya cambiado varias veces de empresa o se haya estado desocupado.
- Dado que lo importante es qué sabemos hacer y no dónde lo hemos hecho, nos permite ocultar empresas poco relevantes que pudieran hacer creer que nuestra valía no es la adecuada al puesto.
- Centramos el mensaje que transmitimos en todas nuestras capacidades acordes al puesto ofertado.

Desventajas del curriculum vitae funcional

- El seleccionador sabe que este curriculum oculta cambios de empresa frecuentes. Podría eliminarte por esta sospecha, pero sólo se basaría en su sospecha, por lo que sólo cometerá este error si las funciones que describes no son exactamente las que busca.

- Al no indicar las empresas en las que se ha estado, se puede estar usando para realizar un cambio de trayectoria profesional. Nuevamente, depende del seleccionador si esta sospecha la quiere considerar negativa o positiva.
- Se han mezclado diversas funciones profesionales que no encajan con el perfil o que son contrarias y no complementarias. Esto provocará dudas del seleccionador y te puede eliminar del proceso.

Esquema tipo del curriculum funcional

La estructura más habitual de este formato de curriculum vitae suele ser la siguiente:

1. **Datos personales:** Nombre y apellidos, dirección completa, teléfono y correo electrónico de contacto.
2. **Objetivo ocupacional:** Descripción del puesto que buscas.
3. **Experiencia profesional:** Desglose por área funcional de las funciones desempeñadas y de los logros obtenidos.
4. **Historial laboral:** Opcionalmente, puedes destacar alguna empresa en la que hayas estado, pero no es necesario en este formato e incluso podría ser contraproducente por no presentar todas tus empresas anteriores.
5. **Formación académica:** Nivel de estudios alcanzado. Se pueden incluir programas de postgrado y/o MBAs.
6. **Otros datos personales:** Aquí se pueden citar aficiones, salvo que vayan en contra de tu candidatura.

Puedes ver un ejemplo de un curriculum funcional en la figura 4.2, aunque no corresponde con este esquema de presentación planteado.

Dicho ejemplo está en la Web de la Fundación Universidad Empresa de su "Guía de empresas que ofrecen empleo" (`http://quierounbuentrabajo.com`), y que si quieres lo puedes ver en su totalidad en la URL `http://www.quierounbuentrabajo.com/recursos/cap01pag06G.asp?opc=5`.

EJEMPLO DE CV FUNCIONAL
TITULADOS UNIVERSITARIOS

FRANCISCO MARÍN FERNÁNDEZ
Vía Augusta, 245 - 1º F
08017 Barcelona

Barcelona, 26 de octubre de 1985
Teléfono: 93 123 45 67
e-mail: fmarin@xxx.es

OBJETIVO PROFESIONAL

Conseguir un puesto de responsabilidad en el Gabinete de Comunicación de una entidad sin ánimo de lucro, para contribuir a la promoción y difusión de las actividades de la organización y lograr una mayor participación ciudadana en los mismos.

LOGROS PROFESIONALES

Formé parte del equipo encargado del diseño y puesta en marcha, para la Fundación Ayuda al Tercer Mundo, de campañas de prensa, a nivel nacional, destinadas a recaudar fondos para el apadrinamiento de menores en situación precaria en Iberoamérica. Se negoció la participación desinteresada en dichas campañas de 23 periódicos, 10 cadenas de televisión y 37 emisoras de radio. Como resultado de dichas campañas se lograron 4.510 apadrinamientos en Brasil, Colombia, Ecuador, Guatemala y Perú.

Elaboré una serie de reportajes, por encargo de la Agencia de Noticias Hoy, sobre la adopción de niños iberoamericanos por parte de parejas españolas, que fueron publicados en los principales periódicos españoles de difusión nacional.

EXPERIENCIA PROFESIONAL

2008-2009 — Fundación Ayuda al Tercer Mundo, Madrid.
Colaborador en el Gabinete de Prensa.

2008 — Agencia de Noticias Hoy, Madrid.
Becario en prácticas del Programa START,
promovido por la Fundación Universidad-Empresa.

Figura 4.2.
Ejemplo de curriculum vitae funcional.

Algunos breves consejos para que la información que pongas en tu curriculum vitae funcional resulte más profesional:

- Recuerda lo comentado sobre la dirección de correo electrónico y sobre el objetivo ocupacional.
- Evita repetir funciones en el curriculum y agrúpalas en el área funcional adecuada.
- Trata de que las funciones principales y las secundarias que las complementan se correspondan con el puesto ofertado y con lo que se hace en esa empresa. Para ello deberás haberte informado lo mejor posible sobre todo esto usando tu red de contactos.
- Al presentar logros, describe primero los que causen mayor y mejor impacto. Mantendrás la atención del seleccionador y aumentarás

las posibilidades de ser convocado a una entrevista. Evidentemente, procura tener información contrastable que avale tus afirmaciones porque deberás dejarlo claro en las entrevistas posteriores.

Curriculum vitae mixto

En este formato de curriculum vitae tratamos de sacar el mayor provecho de cada una de las fortalezas de los formatos anteriores.

Partimos del curriculum funcional y destacamos empresas relevantes en las que hayas ocupado un puesto importante. Puedes ver un ejemplo de un curriculum funcional en la figura 4.3, aunque no corresponde con este esquema de presentación planteado. Dicho ejemplo está en la Web AZCarreras (`http://www.azcarreras.com`), y que puedes ver en su totalidad en la URL `http://www.azcarreras.com/cv/cv04com.htm`.

INÉS EMPRESARIALES BOSCHECK

Avenida de los Pirineos 42, 3ºB. 18012 Valencia
Teléfonos: 961111111- 65622222 e-mail:ineslade@yahoo.com

Directora de Exportación: Tres años de experiencia internacional en venta, marketing, dirección de equipos.

DIRECCIÓN Responsable de un equipo de más 40 personas. Diseño de un plan de cohesión y fidelización del equipo que ha hecho que la empresa sea en la actualidad una organización principalmente exportadora.
Experiencia en el diseño e implementación de un plan estratégico.

RRHH Responsable de la selección de 29 empleados, nacionales y extranjeros, para ocupar diversos cargos en delegaciones de diferentes países europeos.
Diseño de planes de formación impartidos a más de 40 colaboradores.
Reducción de la rotación del personal en un 75%.

EXPERIENCIA PROFESIONAL

Desde 1998 SUELOS STORM, Valencia. **Desde 09/1998**
Fabricante de Cerámicas: 200 empleados, 8.000 millones de facturación, 60% exportación
Directora Exportación **Desde 01/2000**
Incremento de las exportaciones en un 40%, mejora del 15% en el Margen Bruto de Exportación, reducción de la rotación del personal del Departamento en un 75%

- Apertura de 5 Delegaciones en Europa y selección de 25 empleados para las mismas
- Implementación del plan estratégico de exportación, elaborado con la ayuda de consultores externos
- Presentación al Consejo de Administración de previsiones trimestrales de ventas
- Elaboración de informes semestrales de exportación: resultados del Departamento, análisis de desviaciones, seguimiento de indicadores del sector
- Implantación de un nuevo plan de formación y fidelización para 40 empleados de Exportación

Responsable Mercado Alemán **09/1998-2000**
Aumento de las ventas de Alemania en un 60% y de la base de clientes en un 15%

- Dirección de un equipo de 9 personas
- Selección y formación de 4 vendedores
- Diseño y seguimiento de los planes de publicidad
- Reporting mensual a la matriz
- Elaboración, a iniciativa propia, de un estudio de mercado que permitió la implantación de la empresa en Polonia

VEPA, Barcelona **Verano 1998**

Figura 4.3.
Ejemplo de curriculum vitae mixto.

Ventajas del curriculum vitae mixto

- Destaca con total claridad las funciones y logros obtenidos en empresas relevantes.
- Al ser un formato de presentación diferente al habitual permite destacar entre todos los demás.

Desventajas del curriculum vitae mixto

- No se adapta a los formularios establecidos en muchas Webs de empleo o consultoras de selección, por lo que no lo podrás copiar directamente en ellos.
- Este es el caso en el que resulta imprescindible realizar un curriculum para cada puesto porque dependerá de la empresa objetivo si destacas el nombre o no de una empresa anterior o alguna función realizada. Por esta razón, casi nadie usa este formato.

Webs útiles para la elaboración de tu curriculum vitae

Aparte de la breve descripción aquí expuesta sobre el curriculum vitae y sus tipos, en la red puedes encontrar muchas páginas donde te orientan para conseguir una redacción efectiva o incluso para poder dejarlo disponible para su consulta por Internet.

Quierounbuentrabajo.com

En la URL `http://quierounbuentrabajo.com` tienes la versión Web de la "Guía de las empresas que ofrecen empleo" que publica todos los años la Fundación Universidad Empresa (`http://www.fue.es`). Esta guía se puede comprar en papel y viene acompañada de un CD con diversos formularios PDF que te puedes imprimir o trabajar directamente con ellos en el ordenador para evaluar tu proyecto profesional (¿quién soy?, ¿qué quiero hacer?, ¿qué puedo hacer?), para redactar tu curriculum vitae, tu carta de presentación o para prepararte para las entrevistas de trabajo.

En este capítulo, la información que buscamos es la referente al curriculum vitae, que puedes encontrar en esta Web en la opción RECURSOS que puedes ver en el menú de la parte izquierda de la figura 4.4.

Al hacer clic se presenta un menú emergente donde puedes dirigirte a la sección específica dedicada al curriculum vitae, que puedes ver en detalle en la figura 4.5.

Figura 4.4.
Quierounbuentrabajo.com de la Fundación Universidad Empresa.

Como puedes ver en la parte inferior de la figura 4.5, te aconsejan sobre cómo estructurarlo, presentarlo, algunos consejos prácticos, los errores más comunes, listas de comprobación final (muy útiles) y modelos de curriculum.

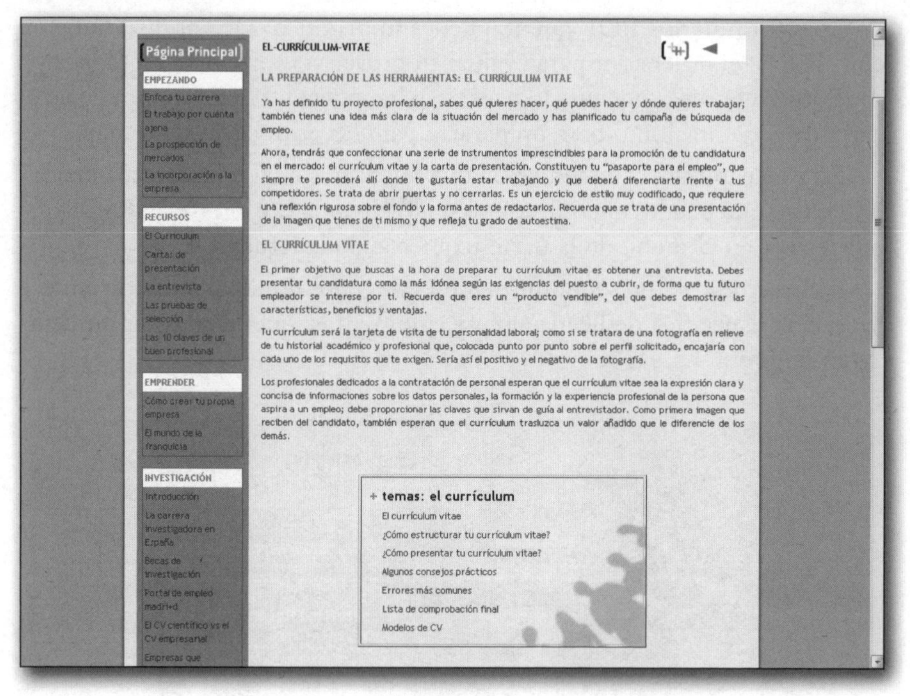

Figura 4.5.
El curriculum vitae según http://quierounbuentrabajo.com.

Sobre esta Web volveremos a hablar en capítulos posteriores. Por tanto puedes irla apuntando en tu marcador de direcciones favoritas.

AZcarreras

Ya citamos esta Web en el capítulo 2 (véase la figura 2.17).

Te aporta reglas básicas sobre su forma, fondo y cómo organizarlo; te guía paso a paso para elaborarlo indicándote qué poner en cada sección; te muestra los tres tipos de curriculum vitae descritos, con lo que podrás complementar la información necesaria para poder hacer una curriculum más efectivo; te muestra ejemplos tipo de curricula para diversas profesiones y te aconseja sobre lo que NO debes incluir porque sería contraproducente y te eliminaría de los procesos de selección.

Modelocurriculum.net

Aparte de unas breves pautas sobre los tipos de curriculum y su estructura, en `http://modelocurriculum.net` puedes descargarte modelos y plantillas de curriculum vitae de los tres tipos descritos, cronológico, funcional y mixto.

En la parte derecha de la pantalla principal de `http://modelocurriculum.net` que ves en la figura 4.6 tienes el enlace a las plantillas de los diversos modelos de curriculum. Una de las que cita es el modelo de curriculum europeo, también conocido como *Europass*, del que hablaremos más adelante. En el menú de la izquierda que vemos en la figura 4.6 vemos que en esta Web nos orientan sobre los distintos tipos de curriculum, incluyendo el videocurriculum.

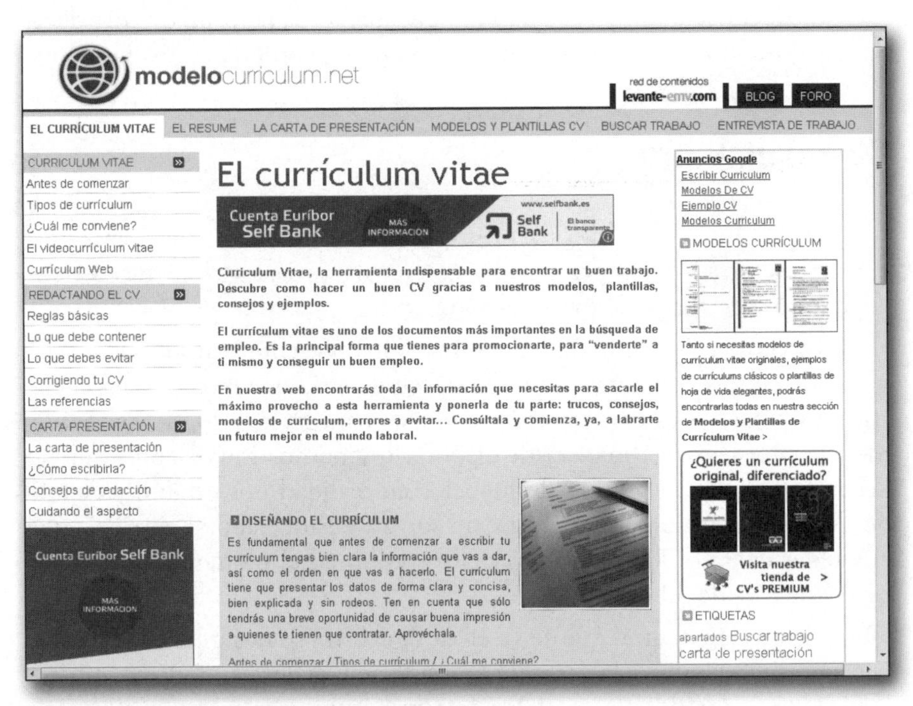

Figura 4.6.
En http://modelocurriculum.net dispones de plantillas para hacer un CV.

También se dedica una sección a cómo redactar el curriculum vitae, indicando reglas básicas, lo que debe contener y lo que se debe evitar, así como nos recuerda que debemos hacer una revisión final y buscarnos referencias profesionales que será quien pueda dar su opinión sobre nosotros si algún entrevistador quiere contrastar lo que le decimos con lo que otras personas perciben de nosotros.

Otra sección importante es la dedicada a la carta de presentación. Con la proliferación de los portales de empleo y aunque en estos también se puede incluir, se está desatendiendo la importancia de una buena carta de presentación. Con la carta de presentación tenemos la oportunidad de incitar al lector a leer nuestro curriculum al dirigirle hacia los puntos fuertes que queramos destacar. Además es donde queda reflejado el interés que como candidatos mostramos por el puesto. Si está mal redactada nos puede eliminar incluso antes de que pasen a leer el curriculum vitae.

Modelocurriculum.net es una Web que merece la pena un estudio detallado y por eso te la cito, para que no se te pase guardarla en tus favoritos.

CV-resume.org

En la URL `http://www.cv-resume.org/curriculumvitae` encontrarás otra Web imprescindible con formatos descargables de curricula vitarum y de cartas de presentación.

Tal y como se ve en la figura 4.7, la página presenta la información organizada en tres columnas. La de la izquierda es la que se centra en el curriculum vitae y nos dará acceso a consejos para redactarlo, su contenido, modelos, formatos, la manera de elaborarlo y puntos importantes que no debes olvidar. En la sección de modelos en realidad nos están ofreciendo descargar una versión de prueba de un software para elaborar curricula que cita tener unas 25.000 plantillas, y cuyo precio en el momento de escribir estas líneas es de 30 euros.

En la sección central que se ve en la figura 4.7 se nos guía a las secciones correspondientes a la carta de presentación, aconsejándonos cómo escribirla y presentándonos modelos de cartas de presentación.

En la sección derecha se nos citan tests de orientación profesional, algunos de los cuales los trataremos en el capítulo siguiente de este libro.

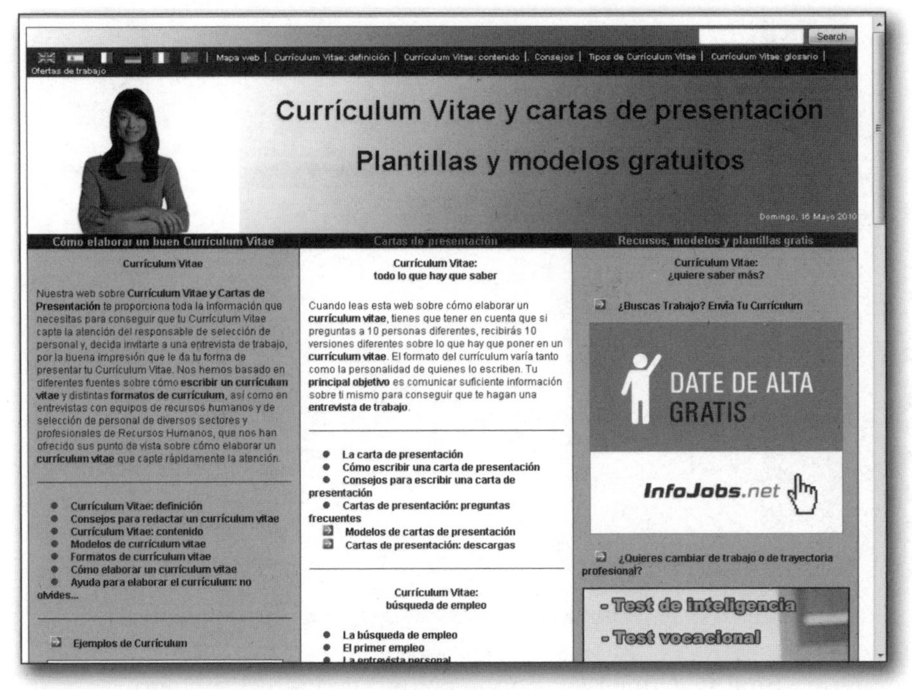

Figura 4.7.
CV-resume.org dispone de plantillas de CV y cartas de presentación.

SmartCV

En la URL `http://smartcv.org` podemos usar un formato novedoso de curriculum vitae, el video curriculum.

En 5 pasos podemos: grabar nuestro curriculum y crearnos una página Web, traducirlo automáticamente al inglés, exportarlo a formato PDF para poder imprimirlo o enviarlo por correo electrónico, añadir tu video curriculum con imágenes y contenido multimedia y, finalmente, administrar una agenda de contactos para tu campaña de búsqueda de empleo.

En la figura 4.8 puedes ver el enlace de registro gratuito que te llevará a un formulario donde deberás rellenar los siguientes datos: usuario, contraseña, email (correo electrónico que servirá para recuperar la contraseña) y finalmente el país, provincia y localidad.

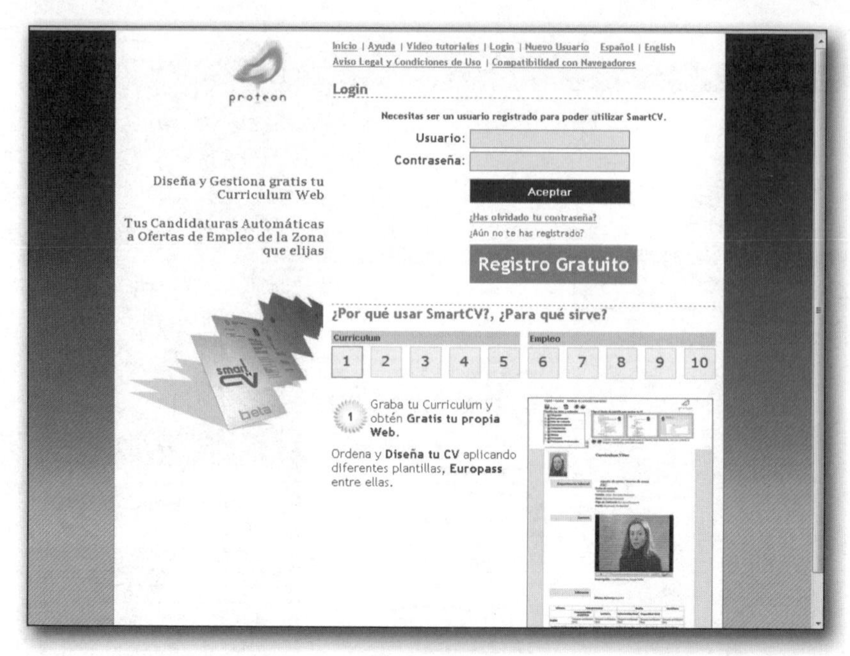

Figura 4.8.
SmartCV, una Web donde colgar tu video curriculum.

Una vez rellenado el formulario, se te pide que confirmes el usuario y el correo. Finalmente recibirás un correo con un enlace para confirmar tu registro en el sistema. Tras recibir ese correo (revisa que no haya entrado erróneamente en la carpeta de spam), se te presenta la pantalla de bienvenida al sistema donde puedes ver la URL en donde se publicará tu curriculum vitae. Puedes verla en la figura 4.9.

En la figura 4.9 podemos ver el enlace Comenzar desde donde podremos seguir todos los pasos para completar nuestra información en SmartCV. Los pasos que se te ofrecen son: Crea tu CV, Tus preferencias profesionales, Ofertas de empleo Protean y otras utilidades (Diseña tu CV y Candidatura espontánea). Véase la figura 4.10.

Al hacer clic en Crea tu CV (véase la figura 4.10) pasamos a la zona de carga de datos de todo nuestro perfil profesional. En el menú superior que se ve en la figura 4.11 vemos todas las secciones de datos que debemos completar: Datos personales, Datos de contacto, Experiencia, Formación, Competencias, Idiomas y pulsando en la flecha que apunta hacia la derecha nos aparecen las nuevas opciones de menú Servicio Militar, Publicaciones, Referencias, Conferencias, Certificaciones, Logros, Asociaciones, Otros, Anexos y Autorizaciones. Como se ve, todas las opciones que se te pueden ocurrir para incluir en un curriculum vitae. También disponemos de un editor XML por si quisiéramos aplicar alguna etiqueta específica a nuestro curriculum vitae.

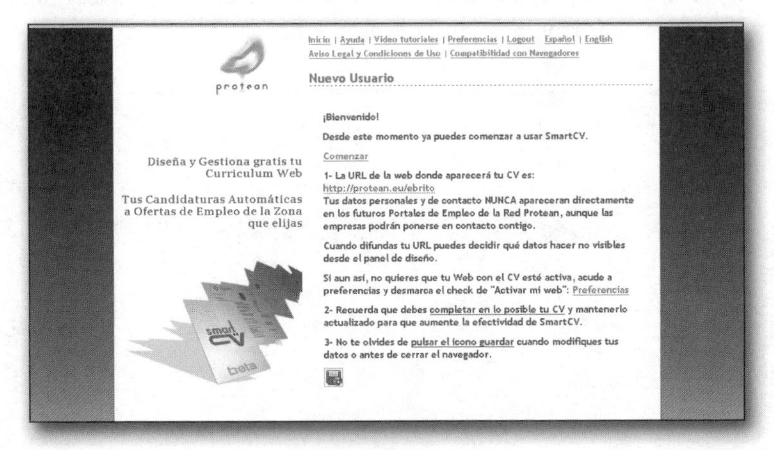

Figura 4.9.
Pantalla de bienvenida tras darse de alta en SmartCV.

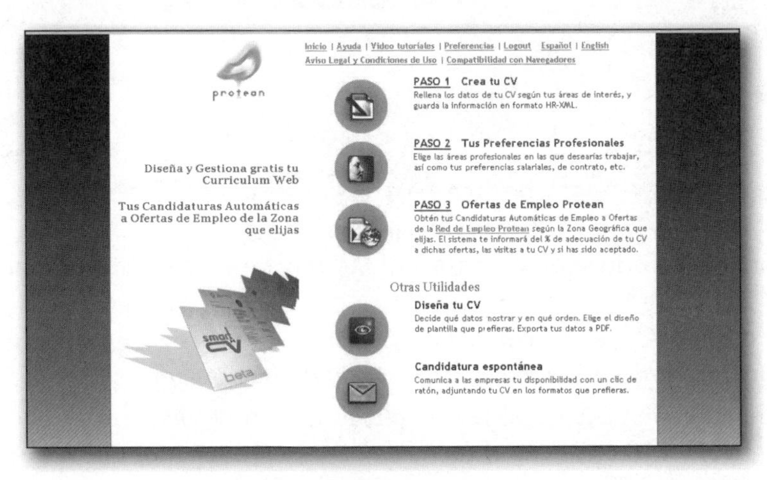

Figura 4.10.
Panel de opciones de SmartCV.

En la parte superior de la figura 4.11 tenemos el menú general de navegación con iconos. El de la izquierda, que se ve como una casita, nos llevará nuevamente a la pantalla que se ve en la figura 4.10. Desde este menú de la parte superior de la figura 4.11, en el icono con una cara de perfil o en la opción Tus preferencias profesionales que se ve en la figura 4.10 podremos describir el sector, área de la empresa, puesto y perfil que estamos buscando. Tener claro el objetivo ayuda a encontrarlo más fácilmente. Puedes ver el aspecto de este formulario en la figura 4.12.

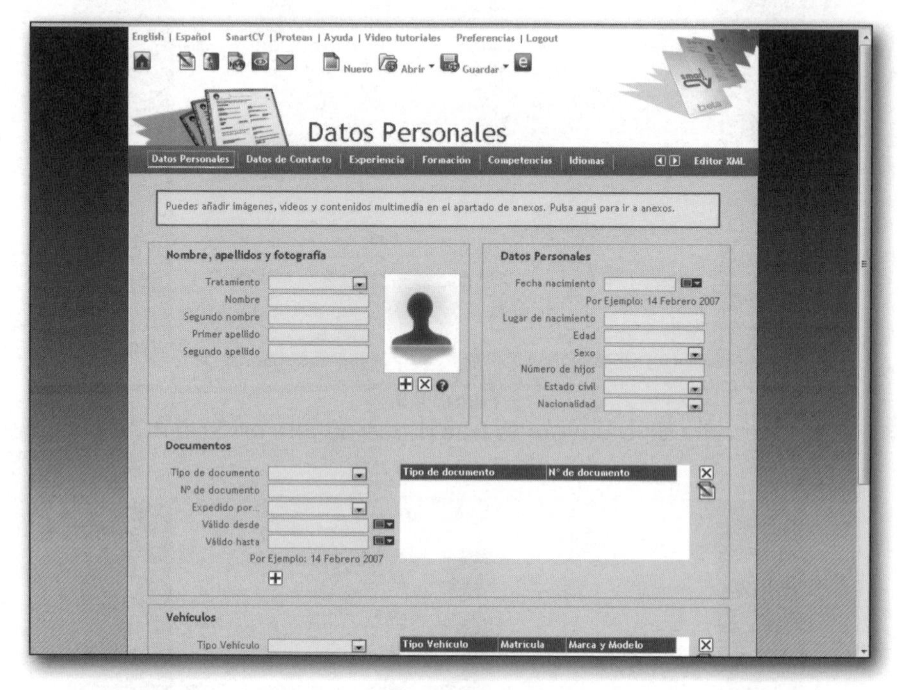

Figura 4.11.
Panel de introducción de datos en las secciones del CV de SmartCV.

En **SmartCV** disponen de una sección de ofertas de empleo pero, sinceramente, hoy por hoy no es el punto fuerte de sus servicios.

En la sección Diseña tu CV (se puede acceder desde el enlace que se ve en la figura 4.10 o bien en el menú de navegación superior que se ve en las figuras 4.11 y 4.12 en el icono con forma de ojo) puedes modificar la plantilla con la que se presentará tu curriculum, incluido el formato europeo

Europass. Una vez seleccionado el formato que quieras, se publicará en la dirección que te ha generado el sistema. En mi caso, los datos ficticios que he introducido se pueden ver en `http://protean.eu/ebrito`. Cuantas más secciones rellenes, más completa será la información que aparezca. Una vez publicado nuestro CV, permite descargarlo en PDF y en HR-XML (formato que sirve para luego poderlo subir a otros sitios Web al tratarse de un estándar abierto).

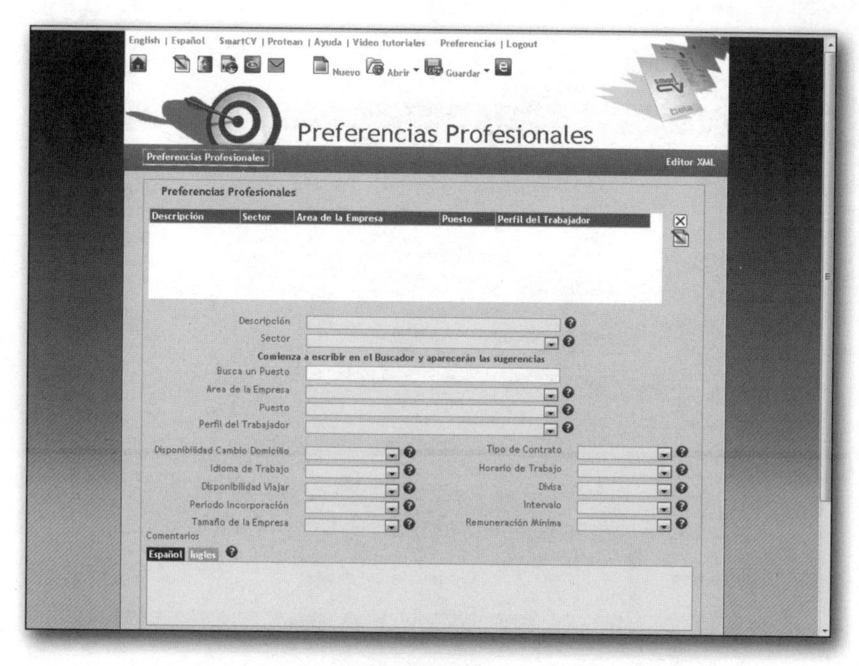

Figura 4.12.
Definición de objetivo profesional con SmartCV.

En el momento de escribir estas líneas, al intentar cargar la Web de **SmartCV** *nos sale un aviso de seguridad referente a la caducidad de su certificado de seguridad de este sitio Web, lo que por defecto bloqueará el acceso a su Web, salvo que nosotros establezcamos esta Web como segura. Es de esperar que los administradores de* **SmartCV** *resuelvan este problema y no se presente cuando tengas este libro en tus manos.*

En la figura 4.11 puedes ver el recuadro en el que te ofrecen el enlace para ir a la sección de Anexos donde agregar contenido multimedia. Desde dicho enlace llegas a la pantalla que se muestra en la figura 4.13 donde puedes adjuntar una imagen, un enlace a contenido multimedia o un enlace a un video colgado en **YouTube** (`http://youtube.com`).

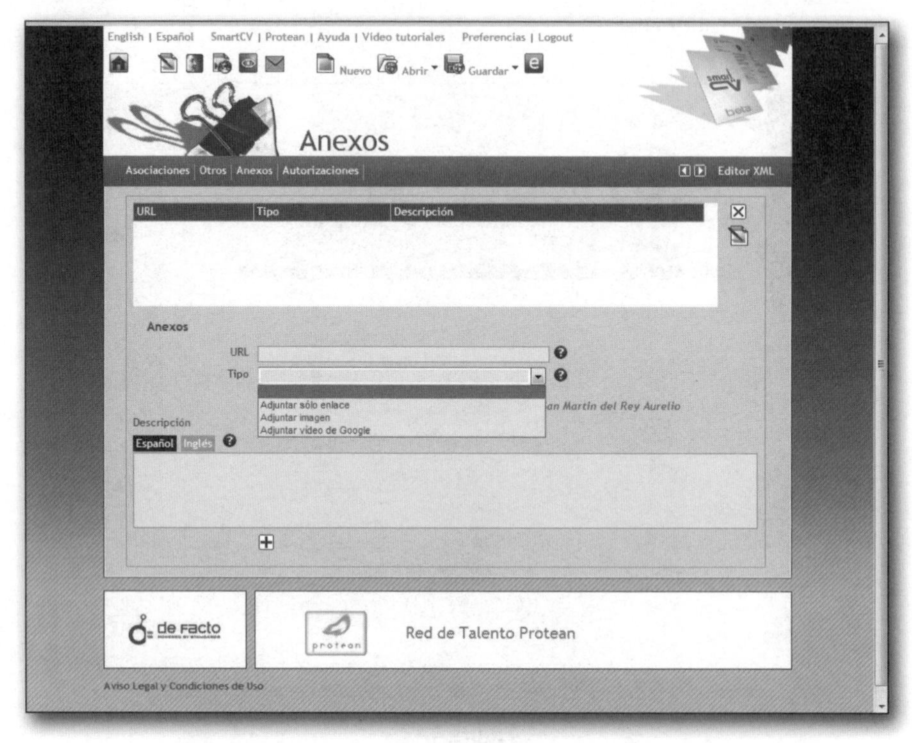

Figura 4.13.
Añadir contenido multimedia a SmartCV.

Easy-CV

En la URL `http://www.easy-cv.es` se encuentra la versión española de esta Web donde también puedes hacer que tu curriculum esté disponible en Internet las 24 horas del día. Dispones de más de 200 modelos para personalizar su aspecto.

Te permite hacer un curriculum en video de 3 minutos de duración (tendrás que ser preciso a la hora de transmitir tu mensaje). También te permite incluir tu página de curriculum en Facebook para darle mayor visibilidad. Además dispone de *Widgets* para posicionar tu curriculum en buscadores y redes sociales.

En el enlace superior de la figura 4.14 en Registrado puedes darte de alta en el servicio (sí, es una mala traducción). Una vez dado de alta en el sistema se accede al panel de control que se ve en la figura 4.15 en donde se nos muestra una barra para comprobar qué cantidad de información de toda la que nos permite almacenar el sistema hemos introducido. Se refleja en la barra que se ve a la derecha de la figura 4.15, donde se indica lo completo que está el perfil.

Figura 4.14.
Easy-CV, otro portal para mostrar tu CV al mundo.

La figura 4.15 corresponde a la opción 1, Completo mi CV, en donde puedes introducir tu perfil, experiencia laboral, diplomas y formación, conocimientos en informática, maestría lingüística (idiomas) y otros datos. También puedes añadir (véase la parte derecha de la figura 4.15) tu foto y un vídeo. Además puedes descargar tu curriculum en formato Word y PDF.

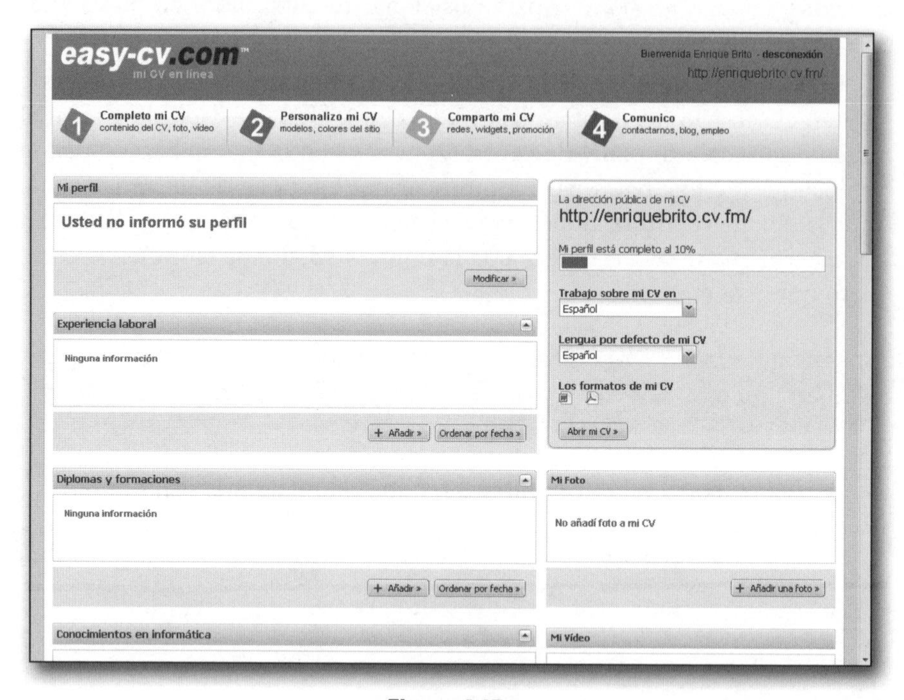

Figura 4.15.
Panel de control de Easy-CV.

En el menú superior de la figura 4.15 ves el enlace que te lleva a la opción Personalizo mi CV, en donde puedes seleccionar modelos y colores entre las 200 opciones que dicen disponer.

La opción 3 del menú superior de la figura 4.15, Comparto mi CV, te permite poner un mini curriculum en tu propio sitio Web, publicarlo en Facebook o añadir un acceso a este CV desde varias redes sociales profesionales. Es decir, añadiría en tu perfil de LinkedIn, por ejemplo, un enlace a este curriculum.

También te permite registrar tu curriculum para ser localizado con los motores de búsqueda de información tradicionales: Google, Bing, Exalead o Yahoo!.

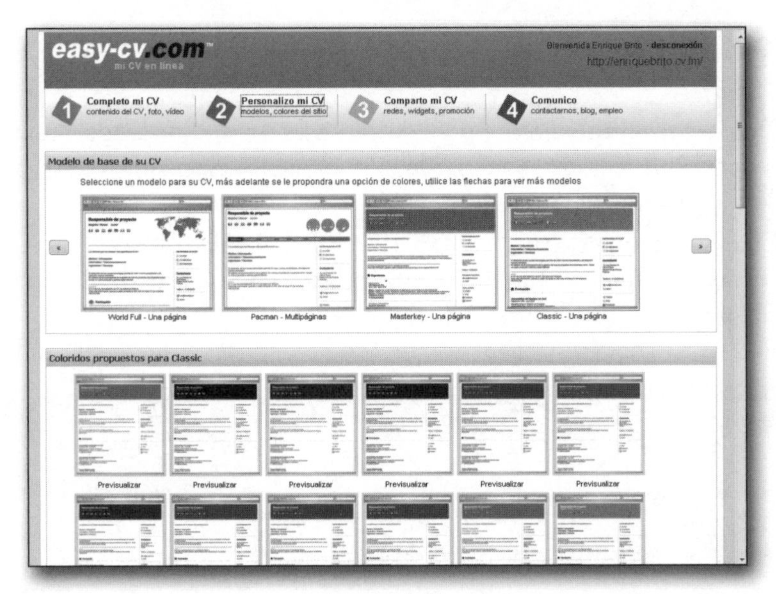

Figura 4.16.
Personalización del aspecto en Easy-CV.

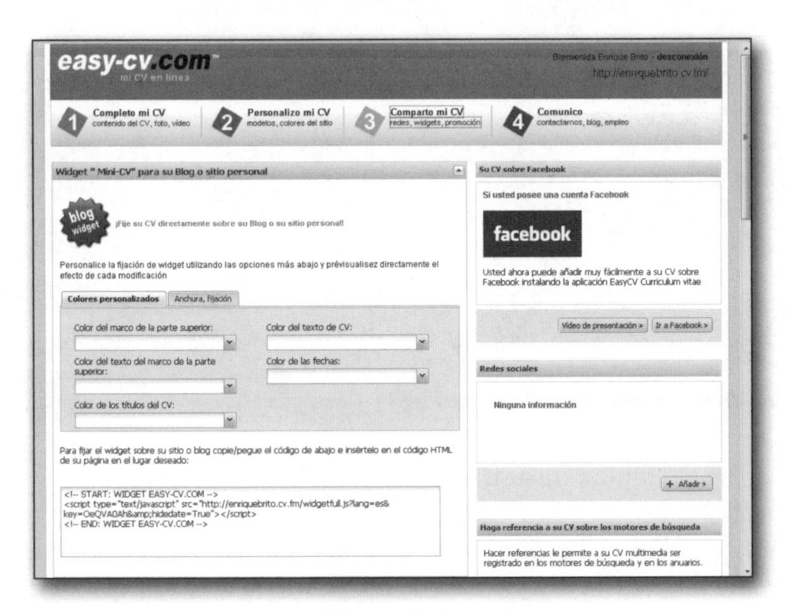

Figura 4.17.
Compartir el CV desde Easy-CV.

Infoempleo

Desde **Infoempleo** (`http://www.infoempleo.com`) podemos disponer de un área personal desde la que puedes crear una Web personal en donde mostrar tu curriculum vitae.

En el menú superior de la figura 4.18 tienes el enlace ÁREA PERSONAL que te permite tanto entrar en tu zona privada como darte de alta en el sistema, tal y como se observa en la figura 4.19.

Figura 4.18.
Página de entrada a http://infoempleo.com.

Al hacer clic en el enlace Crear un usuario de manera gratuita de la figura 4.19 nos vamos a la pantalla de introducción de datos que se ve en la figura 4.20 donde rellenar todos nuestros datos personales y el usuario y la clave que deseamos tener en el sistema.

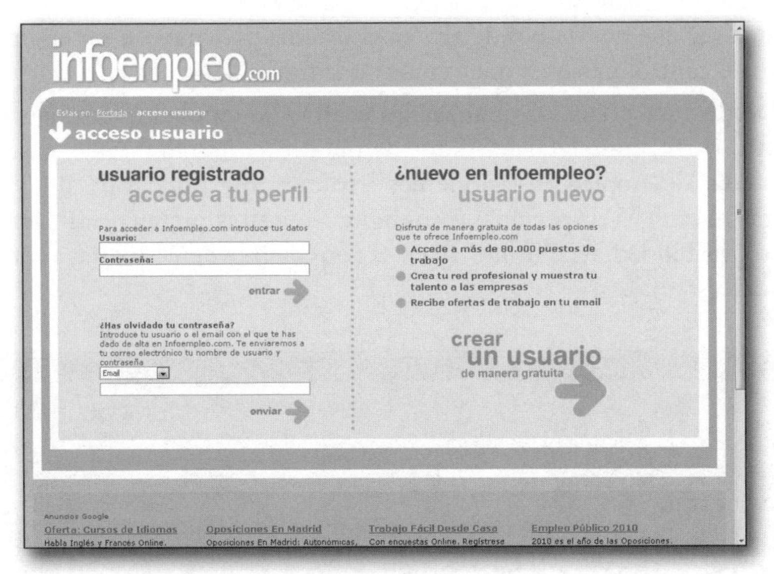

Figura 4.19.
Entrada en la zona privada de Infoempleo o de creación de nuevo perfil.

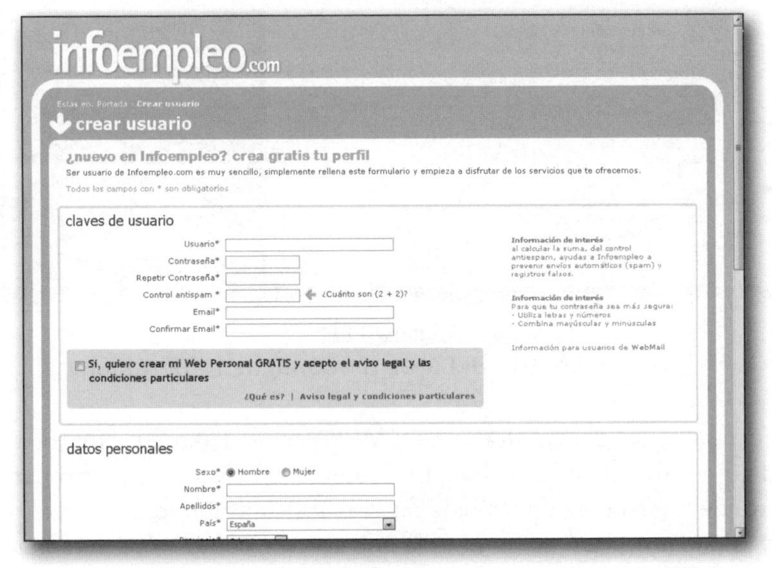

Figura 4.20.
Alta en Infoempleo. Formulario de datos personales.

Una vez que nos damos de alta en el sistema podemos entrar en nuestro panel de control personal que vemos en la figura 4.21.

Desde aquí podemos analizar las ofertas de empleo que se ajustan a nuestro perfil, completar los datos de nuestro curriculum vitae, gestionar las ofertas de empleo en las que nos hayamos inscrito, dar de alta y configurar nuestra Web personal o configurar nuestras preferencias (datos de acceso, visibilidad, recibir ofertas en el correo electrónico y otras preferencias del sistema).

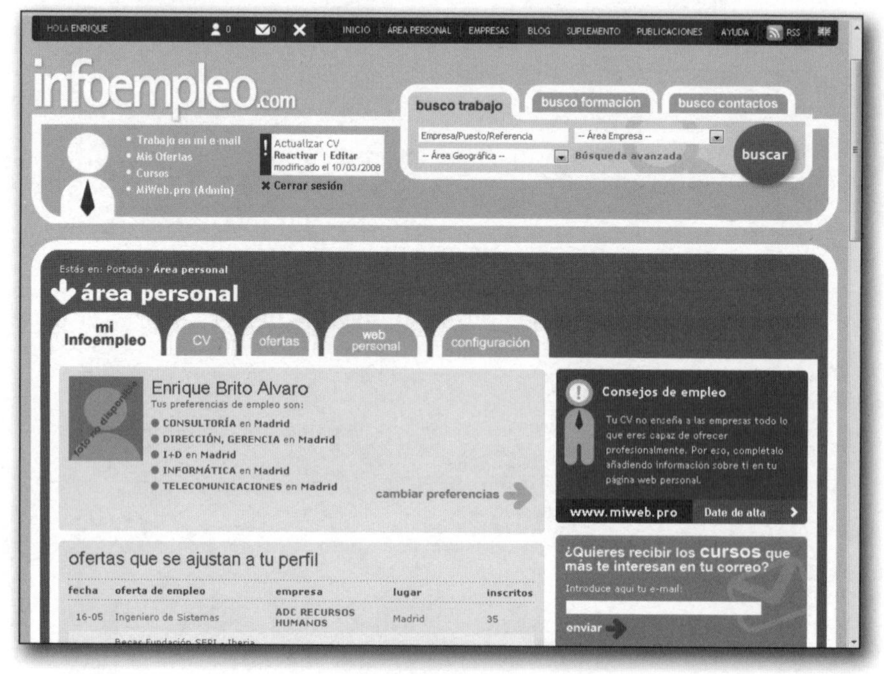

Figura 4.21.
Panel de control del área personal de Infoempleo.

Veamos cómo dar de alta nuestra Web personal, para dar mayor visibilidad a nuestro curriculum vitae. En la figura 4.21 vemos nuestro panel de control de nuestra área personal. En la parte superior vemos varias pestañas y la que nos interesa ahora es la que aparece como Web personal. Ahí vemos la URL para acceder a nuestra Web personal y a su panel particular de administración para poder configurarla.

Si es la primera vez que se accede a esa opción te aparece la pantalla que se muestra en la figura 4.22 en donde se nos pide que aceptemos las condiciones del servicio y procedamos a crear nuestra Web personal.

Para ello dejamos marcado el botón de opción que ya viene seleccionado y hacemos clic en el botón derecho Aceptar.

Figura 4.22.
Aceptación de condiciones para crear Web personal en Infoempleo.

Ahora se nos ofrece tener una página Web propia con un subdominio o con un dominio propio. En el primer caso, se nos ofrece como URL (en mi caso particular) `http://www.enriquebritoalvaro.miweb.pro` o bien registrando un dominio que en este caso proponen `http://www.enriquebritoalvaro.com` por un precio anual de 29 euros. La primera opción es gratuita y será la que vamos a describir.

También se nos ofrece la posibilidad de cambiar el nombre que se nos propone, si es que no nos gusta. Véase la figura 4.23.

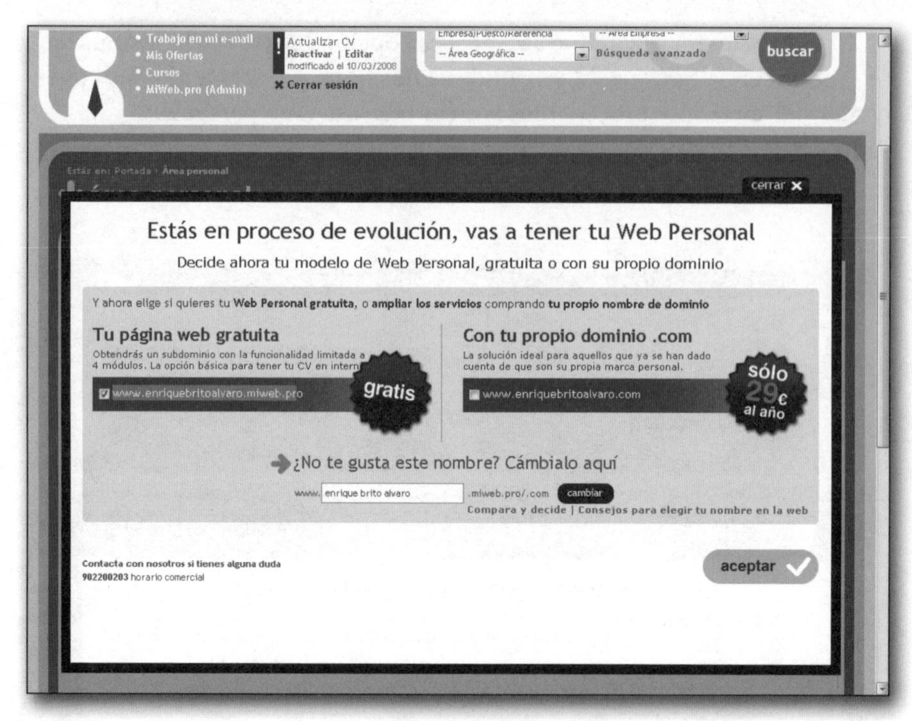

Figura 4.23.
Elección de la URL de la Web personal que ofrece Infoempleo.

Una vez decidida la URL deseada, hacemos clic en el botón Aceptar y ahora desde el panel de control de nuestro área personal que se ve en la figura 4.21, en la pestaña Web personal vemos ya nuestra URL personalizada y el enlace a la zona de administrador de dicha Web que podemos ver en la figura 4.24.

Desde este nuevo panel de administración de nuestra página Web personal podemos publicar noticias, crear álbumes de fotos, crear una sección de información sobre nosotros, crear canales para publicar nuestros propios vídeos, presentar nuestros proyectos profesionales, insertar objetos (llamados *widgets*) en otras Web o editar nuestro curriculum de **Infoempleo**.

En la figura 4.24 podemos ver que entre el menú superior (CONTENIDO, MI PÁGINA) y las opciones inferiores citadas, tenemos un enlace CONFIGURAR que nos permite configurar las opciones que vemos en la figura 4.25.

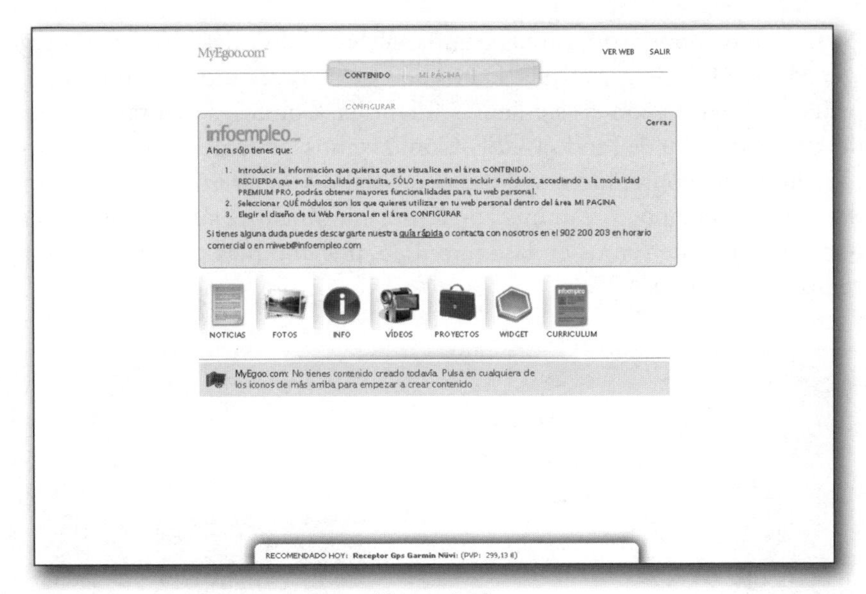

Figura 4.24.
Administración de la página personal de Infoempleo.

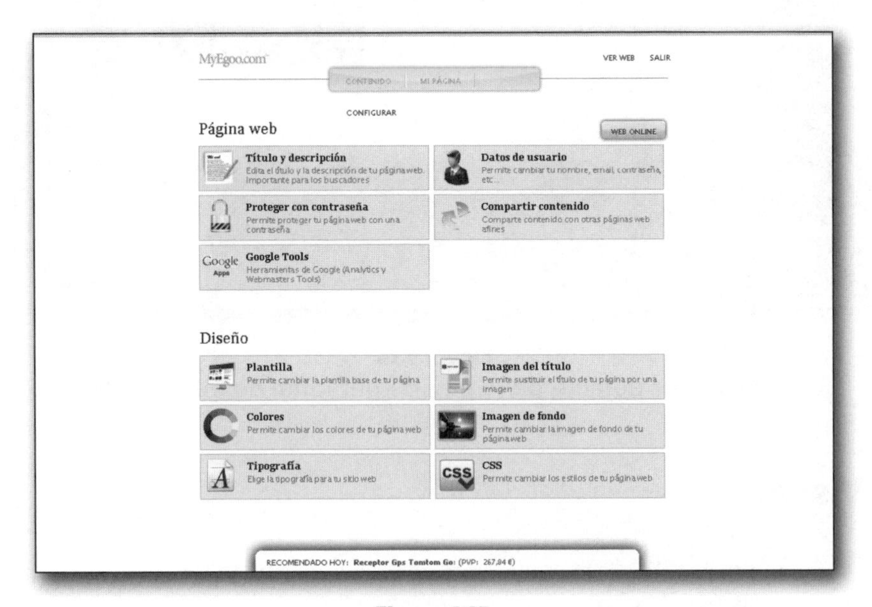

Figura 4.25.
Configuración de opciones de la página personal de Infoempleo.

Dichas opciones son, para la página Web: Título y descripción, Proteger con contraseña, Google Tools, Datos de Usuario y Compartir contenido. Y para el contenido, son las siguientes: Plantilla, Colores, Tipografía, Imagen del título, Imagen de fondo y CSS. Como vemos, podemos tener un control total tanto del contenido a mostrar como del diseño estético que queramos darle. Con unos pocos cambios, podemos modificar el aspecto que se crea por defecto y que vemos en la figura 4.26, por uno más personalizado que vemos en la figura 4.27.

Figura 4.26.
Diseño por defecto de la página personal de Infoempleo.

VisualCV

En la URL `http://www.visualcv.com` podemos encontrar otra Web donde dejar visible nuestro curriculum vitae con un diseño moderno y elegante.

Figura 4.27.
Diseño personalizado de la página personal de Infoempleo.

Por el momento esta Web sólo dispone de versión en inglés. Pero si nuestro objetivo es buscar un empleo en el extranjero esto es una ventaja, más que un inconveniente. Pásate por la sección de ejemplo que encontrarás en la URL `http://www.visualcv.com/www/examples` para ver el aspecto de curricula de gente tan conocida como Guy Kawasaki (bueno, a lo mejor no le conoces, pero fue "evangelista" de productos Apple y ahora es entre otras cosas *Business Angel* de proyectos emprendedores tecnológicos). Una vez que te des de alta gratuitamente en el servicio haciendo clic en el botón de la figura 4.28 donde dice Sign-up Now- It´s FREE! y tras rellenar el formulario correspondiente con tus datos de usuario, contraseña deseada y correo electrónico de contacto, accedes a tu panel de control que ves en la figura 4.29. En esta primera pantalla del panel de control se nos solicita que rellenemos nuestros intereses profesionales (*career interests*) como son nuestro tipo de compañía, si queremos viajar, en qué localidad queremos trabajar y tu profesión actual e industrias objetivo, entre otras cosas. Tras rellenar este formulario debemos empezar a completar el perfil añadiendo nuestra experiencia profesional.

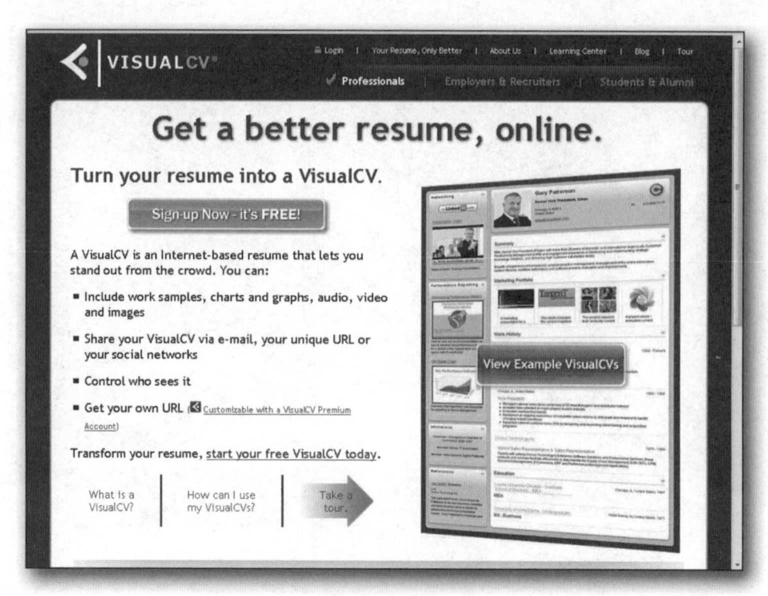

Figura 4.28.
VisualCV, un curriculum online con un diseño muy cuidado.

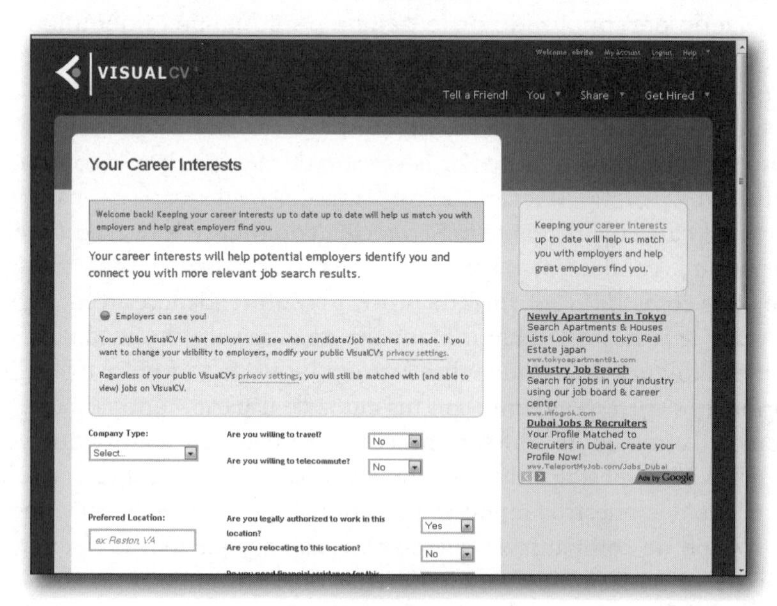

Figura 4.29.
VisualCV, panel de control. Intereses profesionales.

En la figura 4.30 vemos que podemos ahora decidir la visibilidad (bajo nuestro nombre vemos el recuadro para seleccionar la visibilidad deseada) de nuestro VisualCV o empezar añadir nuestro historial profesional (*work history*, en la parte superior derecha).

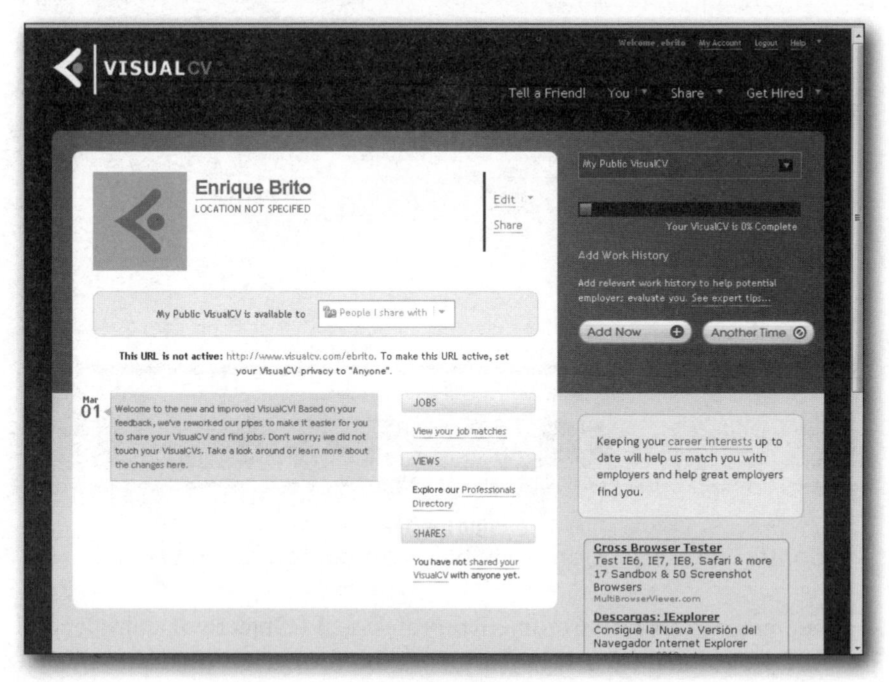

Figura 4.30.
VisualCV. Control de la información visible.

Tanto desde el citado enlace *work history* (en concreto, haciendo clic en el botón Add Now inferior, como desde el enlace Edit que aparece a la derecha de nuestro nombre, accedemos al panel donde podemos decidir qué secciones deseamos tener visibles en nuestro **VisualCV** y su contenido. Dichas secciones, podemos verlas en el menú superior de la figura 4.31.

Podemos añadir un Portfolio, desde donde podemos colgar videos de YouTube o Yahoo! a nuestro **VisualCV**.

También podemos subir una presentación (un PowerPoint) que hayamos subido a SlideShare (`http://slideshare.net`) o subir cualquier imagen o video que tengamos en nuestro ordenador.

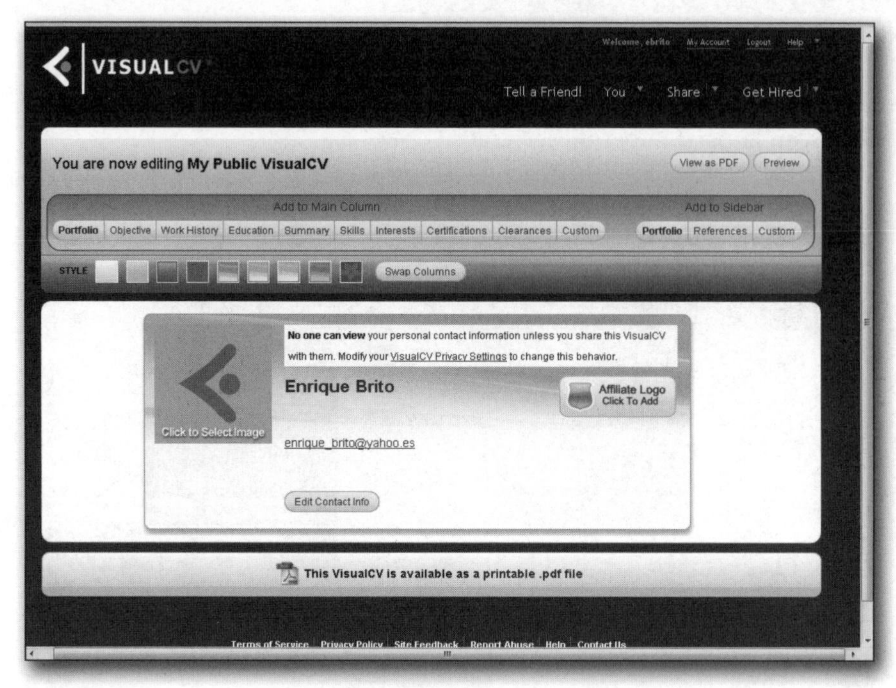

Figura 4.31.
Control de las secciones visibles y su contenido en VisualCV.

Podemos definir nuestro objetivo profesional (Objective), completar el historial profesional (Work History), nuestra formación (Education), añadir un breve resumen personal (Summary), mostrar nuestras habilidades (Skills), intereses (Interests), certificaciones profesionales (Certifications), autorizaciones (Clearances -confieso que no entiendo bien el contenido de sección-) o poner un campo personalizado (Custom) si es que no encaja dentro de todas las posibilidades anteriores.

También disponemos a la derecha de un pequeño menú para incluir en la barra lateral derecha referencias (References) que en el mercado anglosajón se usan mucho para que puedan contactar con antiguos compañeros o superiores nuestros para que aporten una opinión objetiva sobre nuestra capacidad o idoneidad para el puesto que deseen cubrir con nuestra candidatura.

Otras opciones configurables son los colores del diseño que deseemos tener y cambiar de orden las columnas. Finalmente obtendremos un curriculum vitae que se podrá ver en una página Web desde la que también se podrá descargar como fichero PDF.

Europass

El formato de curriculum europeo *Europass*, aparte de poder ser creado tal y como se citó en `http://modelocurriculum.net` y en `http://smartcv.org`, dispone de su propio sitio Web creado a tal efecto. Para crear y publicar en la Web tu curriculum *Europass* debes dirigirte a la URL `http://eurocv.eu`.

Desde la página que puedes ver en la figura 4.32 podrías acceder a un curriculum del que te hubieran facilitado su código de acceso público (*Public Access Code*) introduciéndolo en el campo visible en la parte superior derecha, junto al botón Muestra CV.

Figura 4.32.
Página de entrada a http://eurocv.eu.

Haciendo clic en el botón amarillo central **Nuevo CV** te das de alta en el sistema para poder crear tu curriculum vitae. El formulario de alta que debes rellenar puedes verlo en la figura 4.33. Si no completas tus datos, al cabo de un tiempo el sistema borra tus datos para dejar disponible tu *Public Access Code* a quien realmente lo quiera usar.

Figura 4.33.
Formulario de alta en http://eurocv.eu.

En la figura 4.34 vemos el panel de control del que disponemos para completar toda la información que podemos poner en nuestro curriculum europeo. Lo primero, debajo de nuestro nombre y de donde nos muestra la URL donde se publica nuestro curriculum, disponemos de un menú despegable para seleccionar nuestro sector principal de actividad.

Podemos dar de alta experiencias profesionales o importarlas si disponemos de ellas en formato HR-XML. Igualmente podemos introducir o importar información referente a educación y formación, otros idiomas y capacidades y competencias.

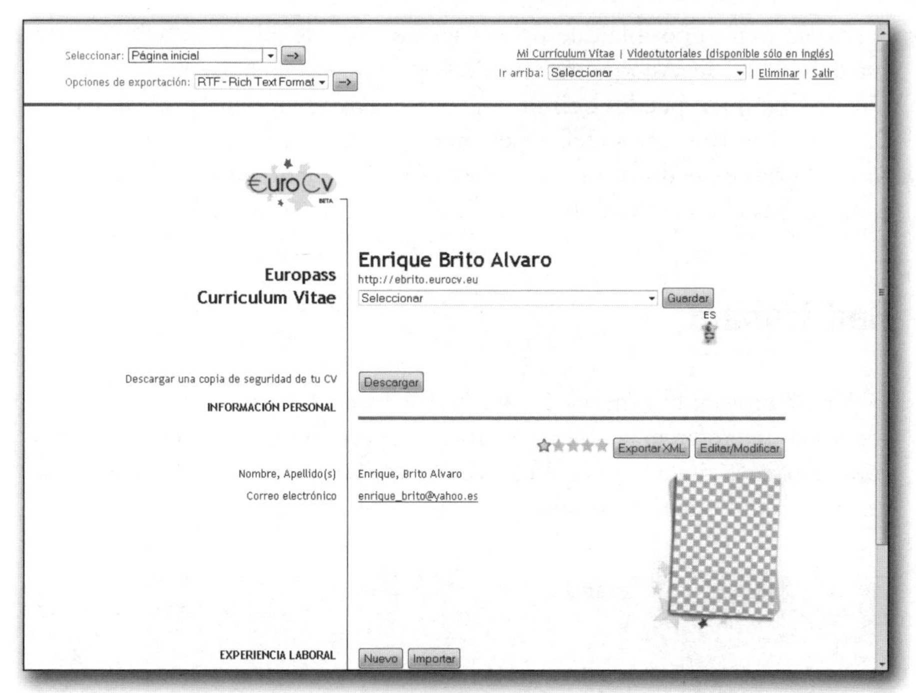

Figura 4.34.
Gestión de la información presente en nuestro curriculum de http://eurocv.eu.

En el menú superior, por encima de la raya azul que se observa en la figura 4.34, tenemos un menú despegable para dirigirnos al panel de control, a la modificación de nuestro curriculum vitae, al panel de protección de nuestros datos personales, a la sección de creación de la carta de presentación para acompañar a nuestro curriculum, a la sección de documentos que podemos anexar (o un curriculum ya creado, o documentos de experiencia laboral o de formación), a una página donde definir nuestros objetivos profesionales, al panel de gestión del PAC (*Public Access Code*), a las opciones de idioma en que estará disponible nuestro curriculum, a las estadísticas de acceso a mi curriculum para poder comprobar la eficacia de nuestras campañas de promoción, a las opciones disponibles de exportación de nuestro curriculum (que tenemos disponibles en el menú desplegable de la parte superior izquierda y que son RTF, TXT, RSS, HR-XML, EUROPASS DOC, DOC, VCARD, PDF, CUSTOM, EUROPASS WXD y EUROPASS PDF. Es decir, veo casi imposible que no encuentres una de ellas que te valga para cualquier tipo de Web o empresa de selección, sea cual sea su formato de trabajo), también puedes definir tus contactos y referencias profesionales y finalmente puedes ver aquellas personas que han accedido a tu curriculum tras haberles enviado tu un correo solicitando que accedan a él. (Es decir, compruebas el efecto real de tu campaña de difusión del CV).

Red Trabaja

Ya citamos en el capítulo 2 esta Web `http://www.redtrabaja.es` como una referencia obligada para el que esté buscando empleo y vimos cómo darse de alta en dicha Web. Ahora nos centraremos en la creación de un curriculum vitae utilizando los recursos de Red Trabaja.

Figura 4.35.
Pantalla de entrada a RedTrabaja.

Desde la URL de entrada a Red Trabaja (`http://www.redtrabaja.es`), navegamos por las opciones Trabajo (menú superior) y Mi curriculum (lateral derecho).

Acabamos en una página donde se requiere que nos identifiquemos con las credenciales que nos creamos al darnos de alta en el servicio, tal y como se explicó en el capítulo 2.

Una vez identificados, entramos en el panel de control de los curricula que tengamos dados de alta en el sistema y que podemos ver en la figura 4.36.

Figura 4.36.
Gestión de curriculum en RedTrabaja.

Crearemos el primero haciendo clic sobre el botón inferior **CREAR CURRICULUM**.

Ahora nos aparece como opción crear un curriculum básico o uno avanzado. Si optamos por el curriculum básico, se nos muestra un formulario para completar nuestros datos que acabarán conformando nuestro curriculum cronológico, tal y como se ve en la figura 4.37.

En esta figura 4.37, en sus dos secciones superior e inferior, comprobamos que aparte de los datos personales de contacto de la parte superior, en la zona inferior podemos completar las secciones correspondientes a nuestra formación y aprendizajes, experiencia profesional, idiomas, conocimientos de informática y otros datos que queramos destacar. Cada sección dispone de su botón **añadir** correspondiente. Para que se nos creen las secciones deseadas debemos marcar la casilla inferior para aceptar que los datos que introducimos son verdaderos y que podremos acreditarlo cuando así se nos requiera.

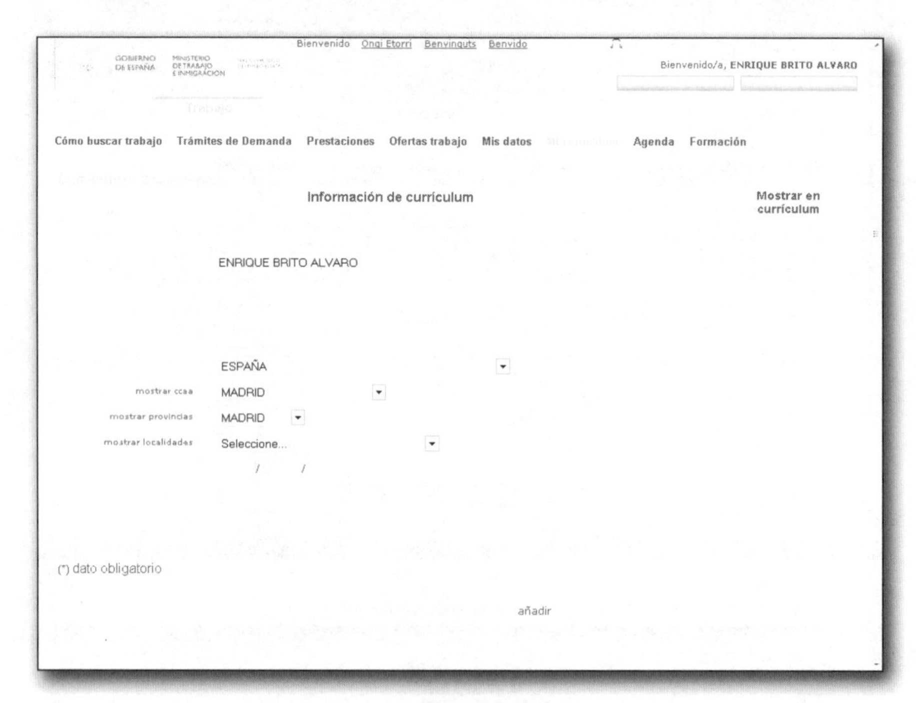

Figura 4.37a.
Creación de un curriculum básico en RedTrabaja. (Parte superior).

Una vez rellenados todos los datos usando los menús correspondientes que se ven a la izquierda de la figura 4.38, tendremos nuestro curriculum completado.

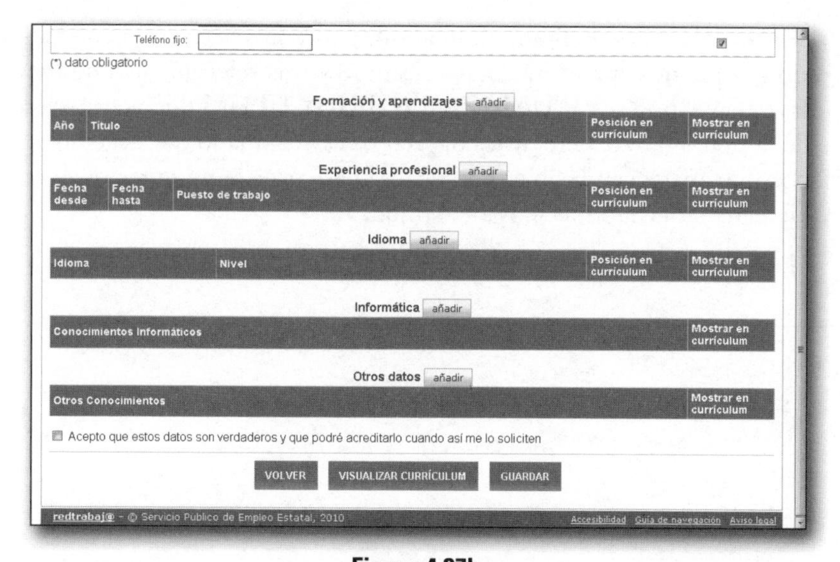

Figura 4.37b.
Creación de un curriculum básico en RedTrabaja. (Parte inferior).

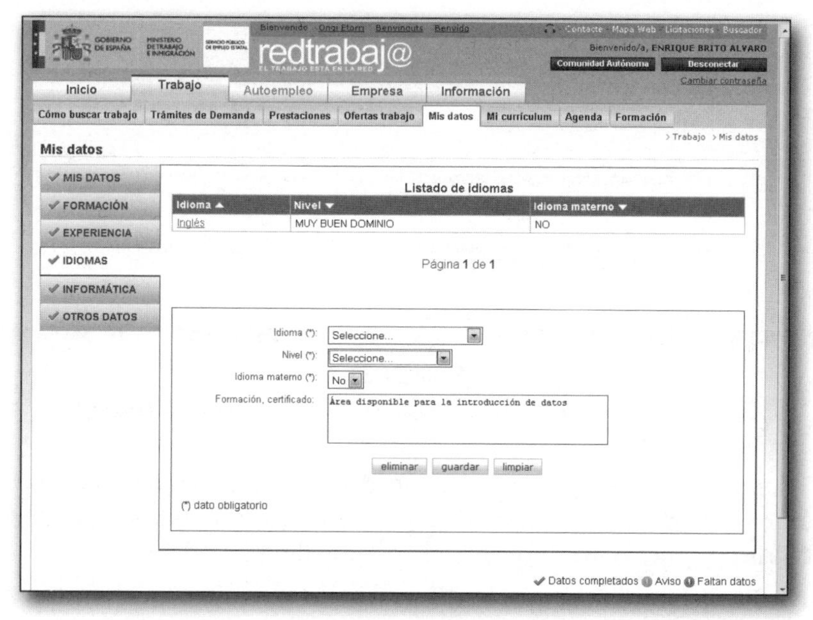

Figura 4.38.
Rellenando los datos del curriculum básico de RedTrabaja.

Desde el panel de la figura 4.36 ahora podremos acceder al curriculum creado porque nos aparecerá con su nombre y tras seleccionarlo podremos hacer clic en el botón **VISUALIZAR CURRICULUM** que nos aparece al pie de la figura 4.37b, pero antes habremos seleccionado qué secciones deseamos que aparezcan visibles con las casillas correspondientes que vemos a la derecha de las figuras 4.37a y 4.37b.

El resultado lo podemos ver en la figura 4.39.

Nombre y apellidos: ENRIQUE BRITO ALVARO
NIF/NIE:
Fecha de nacimiento:
Direccion:
Teléfonos:
Correo electrónico:

Permiso de conducir: PERMISO B.
Carnets profesionales: COIT, AEIT.
Otros:

2000 **LICENCIADO O INGENIERO SUPERIOR** . Ingeniero de Telecomunicación

Inglés MUY BUEN DOMINIO . No es idioma materno
Formación/Certificado: CAMBRIDGE PROFICIENCY

Internet Ofimática Correo electrónico

Figura 4.39.
Curriculum básico cronológico creado con RedTrabaja.

Como ya dijimos, aparte de este curriculum básico cronológico, podemos acceder a la creación de un curriculum avanzado en donde se nos ofrecen diversas opciones que se nos presentan en la figura 4.40.

Estas opciones son, aparte del ya citado cronológico, el curriculum creativo, el *Europass*, el curriculum por funciones o bien el curriculum por proyectos.

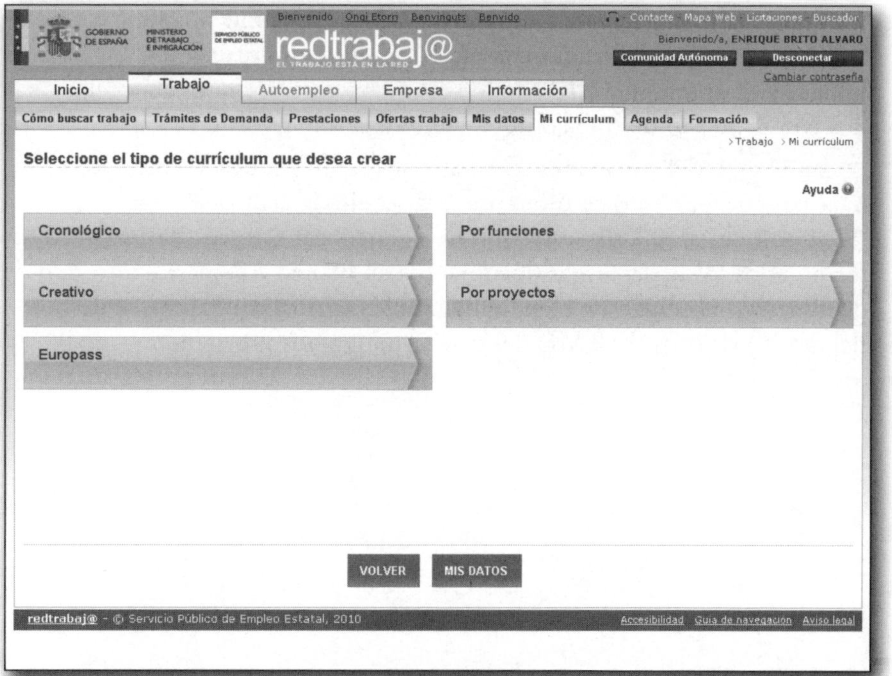

Figura 4.40.
Tipos de curriculum avanzados disponibles en RedTrabaja.

En estos curricula avanzados que se nos ofrecen en Red Trabaja, vemos que en realidad complementamos la información del curriculum cronológico básico presentado en las figuras 4.37a y 4.37b añadiendo secciones específicas para cada caso.

En el curriculum por funciones podremos incluir información para describir nuestro objetivo profesional o puesto de trabajo al que optemos, además de poder también disponer de una sección para describir las funciones de una o varias profesiones realizadas en el ámbito profesional relacionado con el puesto de trabajo de la oferta a la que se opte.

En el curriculum por proyectos, la nueva sección disponible podemos utilizarla para describir los proyectos en los que se ha participado, el nivel de desarrollo, implicación y funciones llevadas a cabo dentro del mismo, en el ámbito profesional, relacionado con el puesto de trabajo de la oferta a la que se opte.

En el curriculum creativo, la nueva sección disponible nos sirve para describir los trabajos de diseño y creación multimedia realizados, incluyendo los sitios en Internet o URL donde están expuestos, y que están relacionados con el puesto de trabajo de la oferta a la que se opta.

En el caso del curriculum *Europass* nos salimos de la Web de **Red Trabaja** para acabar en otra diferente a la ya citada `http://eurocv.eu`. Aquí podremos rellenar este tipo de curriculum a través de una serie de formularios Web, descargar documentos en blanco *Europass* y otro tipo de documentos asociados o bien actualizar el curriculum Europass desde un fichero XML o PDF+XML del que dispongamos previamente.

5 Analizándose a uno mismo

Vimos en el capítulo 1 de este libro cómo plantearnos una búsqueda activa de empleo para tratar de conseguir mejores resultados. Como mejores resultados entendemos primeramente conseguir un empleo más rápidamente que dedicándonos simplemente a difundir masivamente nuestro curriculum o bien a apuntarnos a todas las ofertas que veamos en todos los portales de empleo. También podemos entender como mejores resultados conseguir un empleo que encaja mejor con nosotros, no sólo con nuestra experiencia y trayectoria profesional previa, sino con nuestra propia manera de ser que al fin y al cabo influye siempre en cómo desarrollamos cualquier actividad.

Por tanto, toca realizar un análisis personal y de esta manera determinar claramente nuestras cualidades y saber cómo somos. Es evidente que tienes que ser lo más sincero posible en las respuestas y que al ser tests que te realizas tú mismo debes tener en cuenta que eso influye en el resultado tanto para bien o como para mal.

Es decir, dependiendo mucho de tu estado de ánimo puede salirte algo muy positivo o muy negativo como reflejo directo de lo que tú vuelcas en las respuestas. Por tanto, procura ser lo más "frío" que puedas y evalúate casi como si te estuvieras viendo a ti mismo desde fuera.

Ni que decir tiene que la mejor opción siempre es recurrir a un servicio profesional en el que junto con un test bien diseñado y la valoración y orientación que te aporta el profesional que te lo administre podrás obtener unos resultados mejores.

Por tanto, considera todos los tests que aquí se van a mencionar como una buena referencia para que te conozcas a ti mismo y, si no decides optar por un profesional que te asesore, al menos comenta los resultados que obtengas con personas de confianza de tu entorno que te conozcan bien y de ese modo, puedes mejorar la información que se obtiene de tus propias respuestas con la información que te facilitan las personas que te conocen y que te dirán tal y como te ven.

SDS de Holland

Este test, el *Self Directed Search* del doctor John Holland sirve tanto para planificar la educación que se debe elegir como la profesión que mejor se adapta a nuestra forma de ser. Está diseñado para poder aplicárselo uno mismo y realizarse la propia evaluación.

Aún así, recomiendo que comentes los resultados con alguien que te conozca bien para mejorar resultados.

En resumen, se definen 6 tipos de personalidades y **el resultado del test será el código de las tres que más corresponden contigo**. Se complementa con una cuadernillo llamado "Descubridor de ocupaciones" en el que puedes ver qué profesiones encajan con esas tres letras de tu código.

Por tanto, al darte esta lista de ocupaciones puede estar descubriéndote algo que podrías hacer y que no te habías planteado.

Es decir, con este test puedes ampliar tu horizonte de búsqueda de trabajo o incluso plantearte un cambio de carrera al descubrir que lo que estabas haciendo no encajaba realmente contigo.

Los 6 tipos de personalidad que define este test son: Realista (R), Investigadora (I), Artística (A), Social (S), Emprendedora (E) y Convencional (C).

Se representan en un hexágono que sirve para ver la interrelación de los tipos y su consistencia y congruencia. Podemos verlo en la figura 5.1.

De manera breve, podemos resumir las características de cada uno de las seis personalidades del siguiente modo:

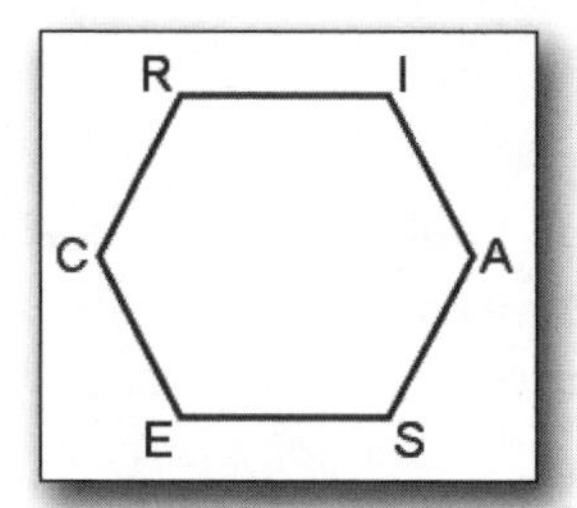

Figura 5.1.
Modelo hexagonal RIASEC de John Holland.

Realista

Les gusta trabajar con sus manos, suelen ser atléticas, y tienden a disfrutar en exteriores con animales, maquinaria y la naturaleza. Prefieren las actividades físicas y el "hacer cosas" por encima de la socialización. Les gustan las soluciones concretas, llegando a ellas a través de la prueba de varias posibilidades. Suelen evitar las situaciones que involucran discusiones con otras personas, y tienden a querer ejecutar sus ideas más que dejarlas en teorías. Se les suele describir como:

- Conformistas.
- Francos.
- Honestos.
- Humildes.
- Con los pies en el suelo.
- Naturales.
- Persistentes.
- Prácticos.
- Modestos.
- Tímidos.
- Estables.
- Ahorradores.

Investigadora

Disfrutan las actividades que tienen que ver con los estudios y pruebas para desarrollar ideas. Les gusta analizar y trabajar con conceptos en la búsqueda de soluciones creativas. Prefieren trabajar solas y no les gusta tener que convencer, persuadir, o "venderle" a otros sus ideas. Generalmente tienen habilidades matemáticas o científicas. Se les suele describir como:

- Analíticos.
- Curiosos.
- Críticos.
- Cautelosos.
- Independientes.
- Intelectuales.
- Introvertidos.
- Metódicos.
- Modestos.
- Precisos.
- Racionales.
- Reservados.

Artística

Les gusta expresar ideas y sentimientos a través de poemas, pintura, fotografía, escultura, escritura creativa y movimientos físicos. Es habitual que las personas de esta categoría disfruten de la música, arte, drama y actividades. Muestran más fácilmente sus sentimientos y prefieren evitar las reglas y las situaciones estructuradas. Se les suele describir como:

- Complejos.
- Desordenados.

- Emocionales.
- Expresivos.
- Idealistas.
- Imaginativos.
- Imprácticos.
- Impulsivos.
- Independientes.
- Intuitivos.
- Inconformes.
- Originales.

Social

Les gustan las áreas como la enseñanza, consultoría, asistencia y labores informativas. Las personas de esta categoría disfrutan de la compañía de otros, así como el trabajo en relación directa con la gente. Buscan el contacto interpersonal y huyen de las tareas físicas. Se les suele describir como:

- Convincentes.
- Cooperativos.
- Amigables.
- Generosos.
- Idealistas.
- Profundos.
- Amables.
- Responsables.
- Sociables.
- Diplomáticos.
- Comprensivos.

Emprendedora

Les gusta persuadir, supervisar y guiar a otras personas hacia metas comunes, de la misma manera que disfrutan y sacan provecho de sus capacidades verbales para vender una idea o producto. Tienden a ejercer roles de liderazgo, así como protagonizar situaciones en donde perciben un sentido de poder, prestigio y estatus. Se les suele describir como:

- Aventureros.
- Ambiciosos.
- Centros de atención.
- Dominantes.
- Enérgicos.
- Impulsivos.
- Optimistas.
- Seguros.
- Sociables.
- Populares.

Convencional

Les gusta organizar información, cuidar los detalles y probar resultados para verificar su exactitud. Están cómodos en situaciones estructuradas, ya que les gusta mantener todo ordenado y limpio. Suelen trabajar con formularios, tablas, e informes, tienen mucho autocontrol y se identifican con figuras de poder, estatus y autoridad. Se les suele describir como:

- Conformistas.
- Concienzudos.
- Inhibidos.
- Obedientes.

- Prácticos.
- Controlados.
- Cuidadosos.
- Conservadores.
- Ordenados.
- Persistentes.
- Eficientes.

¿Cuál es mi tipo?

Ya dijimos que como resultado de este test se obtiene un código de tres letras que define tu personalidad y, por lo tanto, los trabajos en los cuales encajas.

La forma correcta de hacer este test es con los cuadernillos oficiales que distribuye PAR, *Psychological Assessment Resources, Inc* (`http://www.parinc.com`) pero no están disponibles para la venta al público sino a profesionales acreditados.

Puedes hacer una aproximación al resultado imaginando que vas a una reunión y ves que hay seis grupos de gente. Cada grupo encaja con cada uno de los seis tipos definidos. Después de ver todas las características de todos los grupos, decides cuál es el que más prefieres.

Ahora, de los cinco grupos que quedan, decides cuál es el siguiente grupo en el que querrías estar y finalmente haces lo mismo con el tercer grupo de tu preferencia. Es un método simple y poco científico, pero puede darte una buena respuesta si realmente te conoces bien.

Para realizar el test en Internet dispones del sitio oficial creado por PAR, *Psychological Assessment Resources, Inc.* El único inconveniente que le encuentro al sitio es que sólo puedes hacer el test en inglés. Respecto al precio, es francamente asequible porque en el momento de escribir estas líneas es de tan sólo 4,95 dólares. Cuando yo descubrí este sitio su precio era el doble.

La URL para localizarlo es ésta `http://www.self-directed-search.com` y puedes ver su aspecto en la figura 5.2.

Figura 5.2.
Versión oficial online del test SDS de Holland.

MBTI

Otro test clásico para averiguar qué tipo de personalidad te corresponde es el MBTI (*Myers-Briggs Type Indicator*) que clasifica a los individuos según los dieciséis tipos definidos por Jung. En realidad se presentan 4 dicotomías que dan lugar a los dieciséis tipos citados.

Estas dicotomías o pares opuestos son:

- extrovertido / introvertido.
- sensorial / intuitivo.
- racional / emocional.
- calificador / perceptivo.

La Web oficial de la fundación Myers-Briggs (disponible sólo en inglés) es donde encontrarás la información más detallada sobre este test y los 16 tipos. Su URL es `http://www.myersbriggs.org` que puedes ver en la figura 5.3.

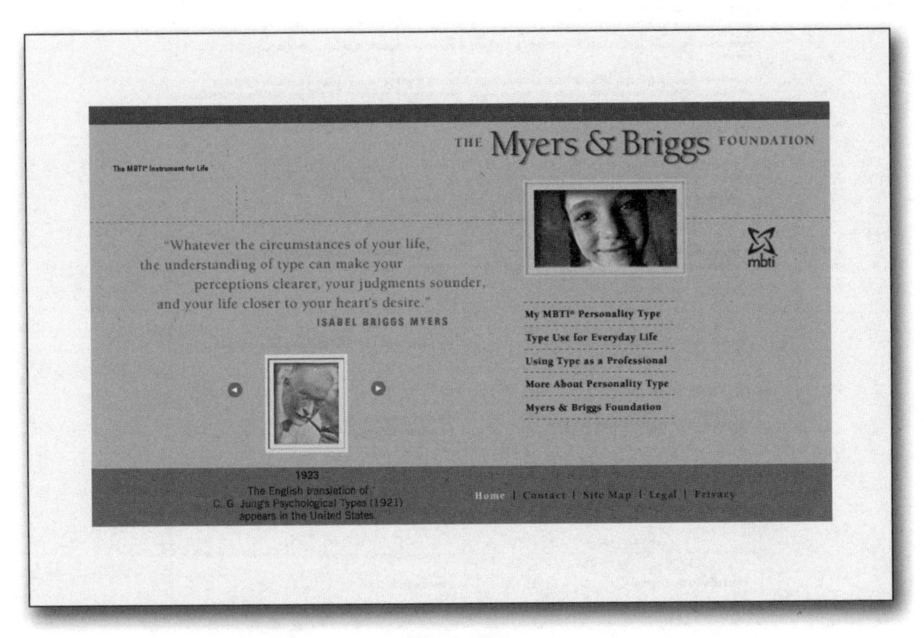

Figura 5.3.
Web oficial de la fundación Myers-Briggs.

El sitio oficial que cita dicha fundación para realizar el test es el siguiente `https://www.mbticomplete.com` y su precio es de 59,95 dólares.

Si quieres leer una descripción detallada de los dieciséis tipos en español y acceder a un test para evaluar tu tipo, puedes ir entonces a la URL `http://www.odiseajung.com/tipos-psicologicos-jung-mbti/index.php`.

Esta Web no figura como realizador oficial de dicho test y por tanto considéralo como una buena aproximación al resultado que te proporciona el test oficial.

Es un test extenso en el que debes completar 4 páginas de preguntas, por lo que el resultado es en realidad bastante fiable, aunque repito que no está catalogado como test oficial. Puedes ver la primera página de preguntas en la figura 5.4.

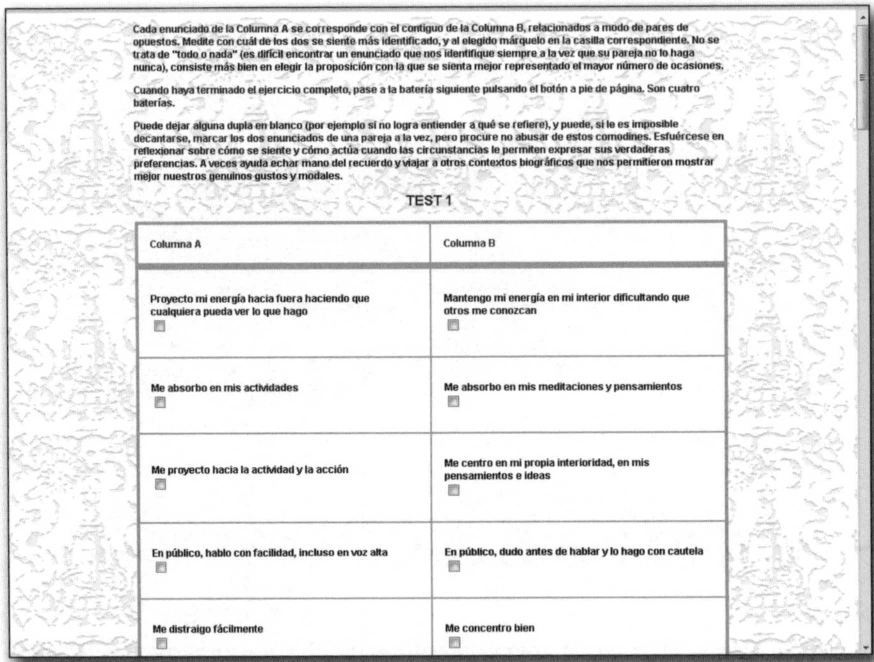

Cada enunciado de la Columna A se corresponde con el contiguo de la Columna B, relacionados a modo de pares de opuestos. Medite con cuál de los dos se siente más identificado, y al elegido márquelo en la casilla correspondiente. No se trata de "todo o nada" (es difícil encontrar un enunciado que nos identifique siempre a la vez que su pareja no lo haga nunca), consiste más bien en elegir la proposición con la que se sienta mejor representado el mayor número de ocasiones.

Cuando haya terminado el ejercicio completo, pase a la batería siguiente pulsando el botón a pie de página. Son cuatro baterías.

Puede dejar alguna dupla en blanco (por ejemplo si no logra entender a qué se refiere), y puede, si le es imposible decantarse, marcar los dos enunciados de una pareja a la vez, pero procure no abusar de estos comodines. Esfuércese en reflexionar sobre cómo se siente y cómo actúa cuando las circunstancias le permiten expresar sus verdaderas preferencias. A veces ayuda echar mano del recuerdo y viajar a otros contextos biográficos que nos permitieron mostrar mejor nuestros genuinos gustos y modales.

TEST 1

Columna A	Columna B
Proyecto mi energía hacia fuera haciendo que cualquiera pueda ver lo que hago	Mantengo mi energía en mi interior dificultando que otros me conozcan
Me absorbo en mis actividades	Me absorbo en mis meditaciones y pensamientos
Me proyecto hacia la actividad y la acción	Me centro en mi propia interioridad, en mis pensamientos e ideas
En público, hablo con facilidad, incluso en voz alta	En público, dudo antes de hablar y lo hago con cautela
Me distraigo fácilmente	Me concentro bien

Figura 5.4.
Versión alternativa del test MBTI de http://www.odiseajung.com.

Perfil DISC

Este test mide el perfil personal de conducta en estas cuatro dimensiones: D = Dominancia, I = Influencia, S=Serenidad y C = Conformidad. El resultado del test indica la posición alta o baja del individuo en cada una de estas cuatro dimensiones. Este resultado muestra el estilo natural de conducta del individuo. Puedes adquirir el test para realizarlo y evaluarte en el URL `http://www.resourcesunlimited.com/perfil_disc_espanol.asp` que ves en la figura 5.5.

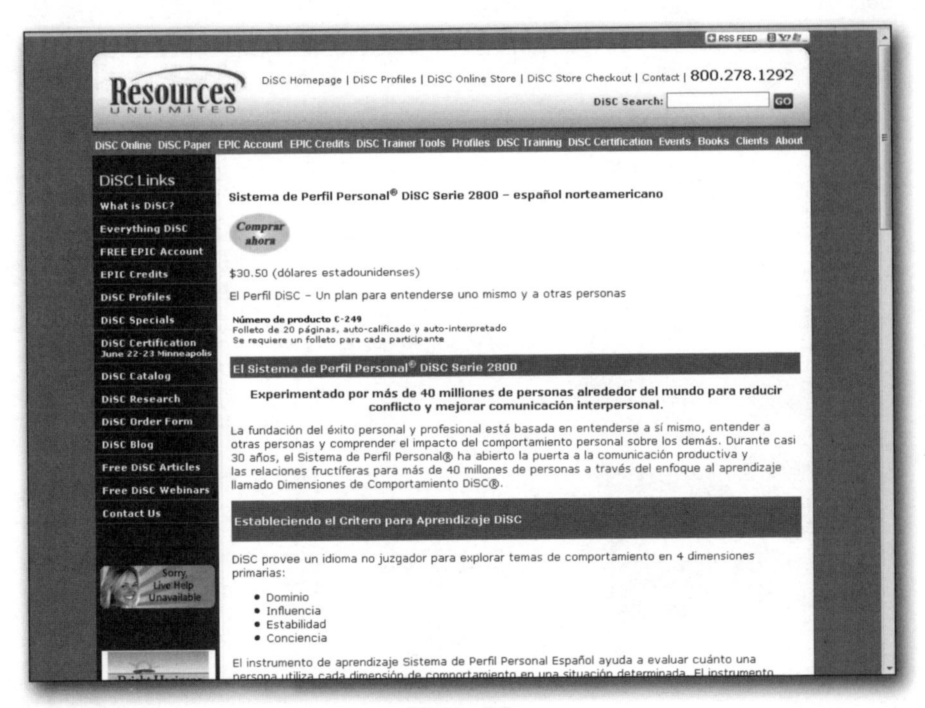

Figura 5.5.
Compra online del test DISC.

En la URL `http://www.counselors.com.ar` puedes contratar la realización online del Test de Tendencias Conductuales DISC, pero no facilitan información de su precio.

Puedes ver más información sobre este test y sus aplicaciones.

Orientación EDUCAWEB

El test GR (Gran Recorrido) de Educaweb permite ayudarte en tu proyecto profesional, tal y como definen ellos mismos en su Web que encontrarás en la URL `http://orientacion.educaweb.com` y que puedes ver en la figura 5.6. En la parte superior de la figura 5.6 ves las diversas opciones del menú para ir completando las distintas fases del test.

Pero primero debes registrarte haciendo clic en el botón Empezar que encontrarás en la esquina inferior izquierda de la figura 5.6.

Figura 5.6.
El Gran Recorrido de Educaweb.

Una vez dado de alta en el sistema, se presenta la primera opción, qué te gusta, en donde se te presenta una clasificación de diversas ocupaciones o actividades clasificadas en catorce grupos. Primero debes leer atentamente la descripción de todos estos grupos y luego decides qué grupo corresponde mejor con el tipo de trabajo que te gustaría hacer. También debes elegir una segunda opción. Una vez elegidas tus dos opciones, en la parte inferior de la pantalla te aparecerá el botón Siguiente, para continuar con el test, o el botón Guardar y salir, para guardar lo completado y seguir evaluándote en otra ocasión, si es que no dispones del tiempo suficiente para ir progresando en este test.

Al hacer clic en Siguiente pasamos a la opción qué te gusta hacer, que nos presenta un grupo de materias o asignaturas escolares. Se deben escoger los cuatro grupos de preferencia. Si ya no estamos en edad escolar, obviamente nos remitimos a nuestras preferencias pasadas.

La siguiente opción es qué sabes hacer, en donde debemos elegir 4 aptitudes o habilidades que consideremos que poseemos.

Pasamos ahora a qué valoras en el trabajo, donde elegiremos los cuatro valores que desearíamos encontrar en nuestro trabajo ideal.

Ahora debemos completar la sección cómo eres, donde debes indicar tus preferencias profesionales en un test de cuarenta y ocho preguntas, y completar un test de características personales de treinta preguntas.

Tras todas estas fases llegas a tus resultados, que puedes ver como ejemplo en la figura 5.7 donde se te indica que lo puedes ver en versión ampliada haciendo clic en el botón Versión ampliada. En la parte inferior de la figura 5.7 puedes observar los enlaces que te llevan a las ofertas de trabajo que corresponden con tus resultados. Es el enlace inferior derecho.

Figura 5.7.
Resultado del Gran Recorrido de Educaweb. (Versión reducida).

ASSESS-NET

Este test, según dicen en su propia Web que encontrarás en la URL `http://www.assess-net.net`, es una autoevaluación para conocerse mejor y poder hablar sobre uno mismo con realismo, definir tu carrera profesional con más precisión, preparar futuras entrevistas y confirmar una orientación profesional. Es un cuestionario de 75 preguntas que se contesta en un cuarto de hora, aproximadamente. Tienes disponibles 4 tipos de test que cuestan entre 8 y 12 euros.

En el menú superior de su página (véase la figura 5.8) puedes acceder a informes ejemplo en la sección Nuestros tests y también te dan más información sobre módulo experto.

El cuestionario citado es único y simplemente decides qué módulo te interesa más, que será por el que tengas que pagar.

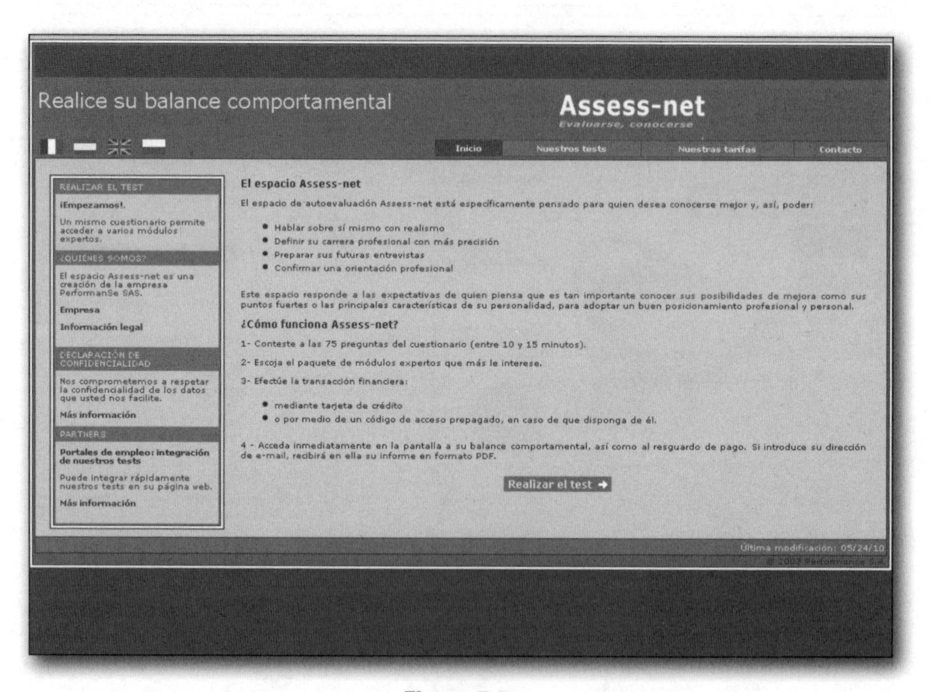

Figura 5.8.
Página principal de http://www.assess-net.net.

EDUCASTUR

Educastur nos ofrece un test de competencias laborales desde HOLA (Herramienta Orientación Laboral Asturias) que puedes ver explicado en la URL `http://www.educastur.es/index.php?option=com_content&task=view&id=1276&Itemid=129`.

En la figura 5.9 puedes ver el enlace Autoanálisis de competencias laborales que es el que te da acceso a la realización del test.

En la parte inferior de esa página que te muestra la figura 5.9 tienes acceso a unos vídeos para ayudarte a mejorar en competencias laborales generales como gestión del tiempo, autocontrol, organización y planificación, comunicación, flexibilización y adaptación, hablar en público y trabajo en equipo.

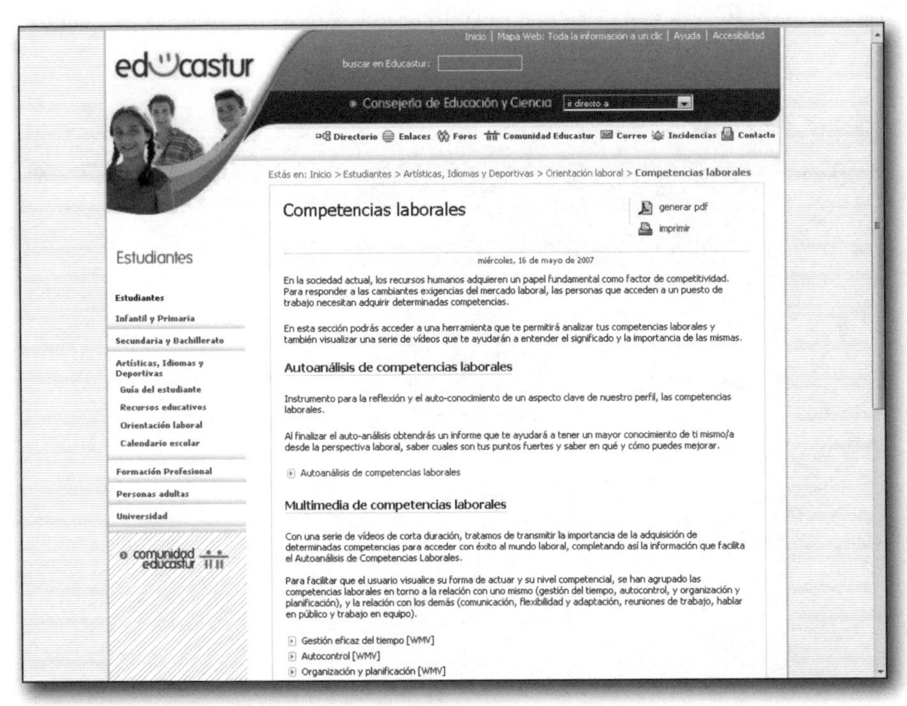

Figura 5.9.
Acceso al test de competencias laborales de Educastur.

Por si no lo he citado ya, recorre toda la información del portal HOLA de Educastur porque tienes mucho material para aprender. Volveremos a hablar de Educastur en al capítulo 10 al tratar de las entrevistas de selección.

WEBS DE TESTS EN INGLÉS

Voy a citar ahora dos direcciones Web con una gran colección de tests online gratuitos de todo tipo. Eso sí, son en inglés y deberás tener un nivel intermedio, al menos un equivalente a *First Certificate*, para que puedas entender las preguntas y contestar correctamente. El primer sitio es Similarminds que puede encontrar en la URL `http://similarminds.com` y que te permite hacer tests de eneagrama, test sobre los 16 tipos de Jung (muy similar al MBTI citado anteriormente), tests de personalidad, tests de compatibilidad, tests de carrera profesional y muchos más. Navega e investiga los que más te interesen.

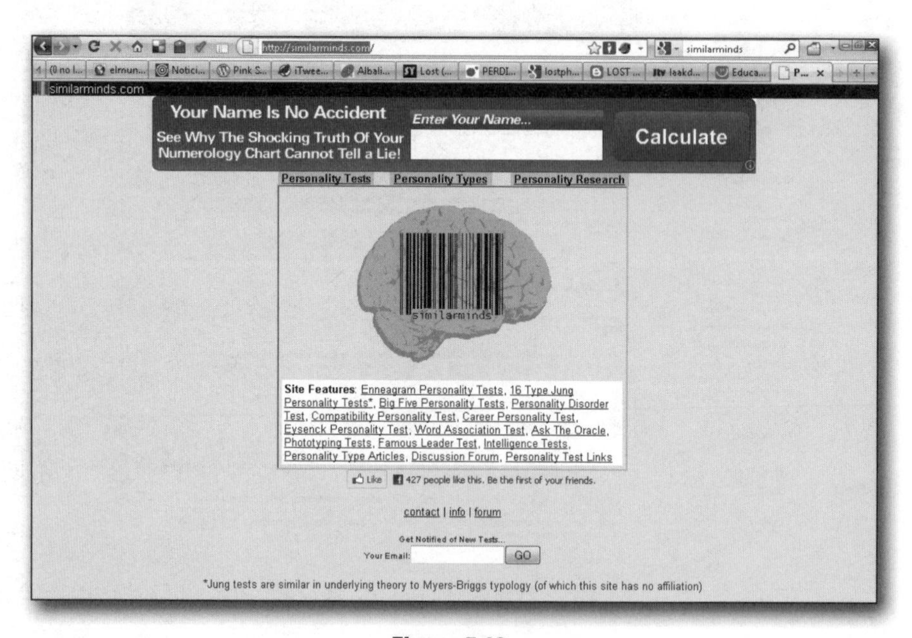

Figura 5.10.
Página de entrada a Similar Minds.

Otra URL que debes mirar para localizar muchos más tests es la Textdex en `http://testdex.com`.

También es una Web en la que sólo hay tests en inglés y que tiene tests de personalidad, compatibilidad e inteligencia.

Tanto en una como en otra, no te los tomes como verdades científicamente irrefutables. Haz de ellos una forma de verte a ti mismo desde fuera y, como ya he dicho antes, comenta los resultados con alguien que te conozca bien.

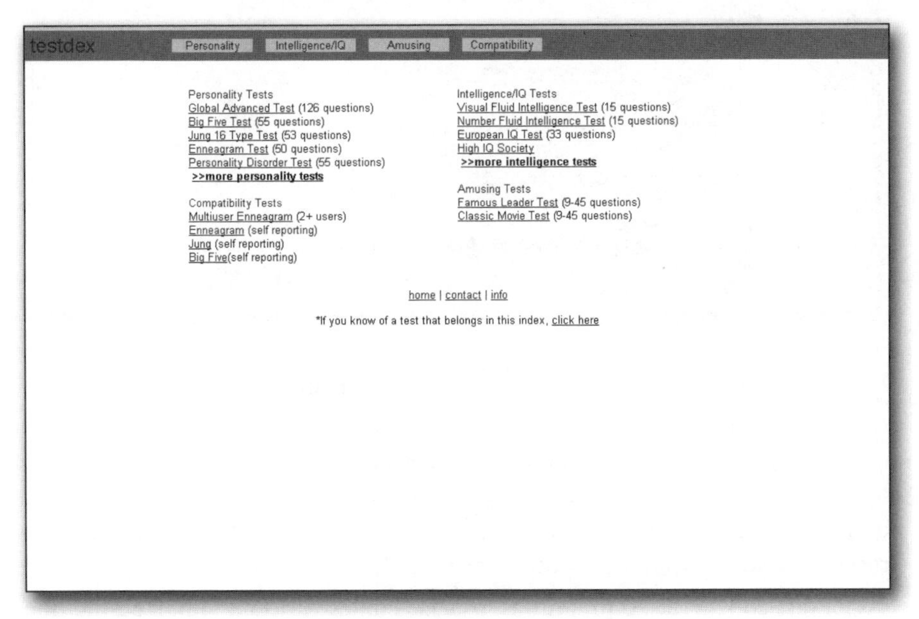

Figura 5.11.
Página de entrada a TESTdex.

KEIRSEY

El test de personalidad de Keirsey lo puedes encontrar en la URL `http://www.keirsey.com` que ves en la figura 5.12. Se definen cuatro tipos de personalidades: Guardianes, Racionales, Idealistas y Artesanos.

Figura 5.12.
Tests de personalidad de Keirsey.

En la parte superior derecha de la página principal que puedes ver en la figura 5.12 tienes el acceso al test gratuito *Keirsey Temperament Sorter II* que ofrece un informe gratuito. Lo bueno es que las preguntas las puedes responder en español, tal y como ves en la figura 5.13.

El test consta de 70 preguntas, tras las cuales verás en la parte final que se te pide que introduzcas tu nombre, el que aparecerá en el informe, un correo electrónico y una clave para poder acceder posteriormente a tus resultados. En el pie de la página hay un enlace (que se ve poco) Returning users, que te lleva a la página donde introducir tu correo y tu clave para ver tus tests.

Como se ve en la figura 5.14, en la zona privada accedes a todos los tests que hayas realizado (y ves que cada vez te puede salir un perfil dependiendo de lo que contestases) y que puedas contratar informes más detallados. Como ves en dicha figura, tienes disponible gratuitamente el *Temperament Mini Report*. Los informes están todos redactados en inglés.

We offer the KTS II in several languages. You may select the language in which you take the Sorter below. At this time, all temperament reports are delivered in English.

Espanol (Internacional)

1. **Le resulta más fácil**
   - hacer que los demás le sean útiles.
   - identificarse con los demás.
2. **Prefiere trabajar**
   - con libertad de tiempo.
   - con fechas límite.
3. **Es una persona más**
   - sensible que idealista.
   - idealista que sensible.
4. **Es peor ser una persona de carácter**
   - blando.
   - duro.
5. **Tiende a sentirse**
   - en las nubes.
   - con los pies en el suelo.
6. **Suele preferir**
   - exposiciones preliminares.
   - exposiciones finales e inalterables.
7. **Se considera**
   - un buen conversador.
   - una persona que sabe escuchar.
8. **Cuando está al mando de otras personas, suele ser**
   - comprensivo e indulgente.
   - firme e intransigente.
9. **Se siente más cómodo**
   - después de tomar una decisión.
   - antes de tomar una decisión.
10. **Suele hablar en términos**
    - más generales que particulares.
    - más particulares que generales.

Figura 5.13.
Formulario del test *Keirsey Temperament Sorter II*.

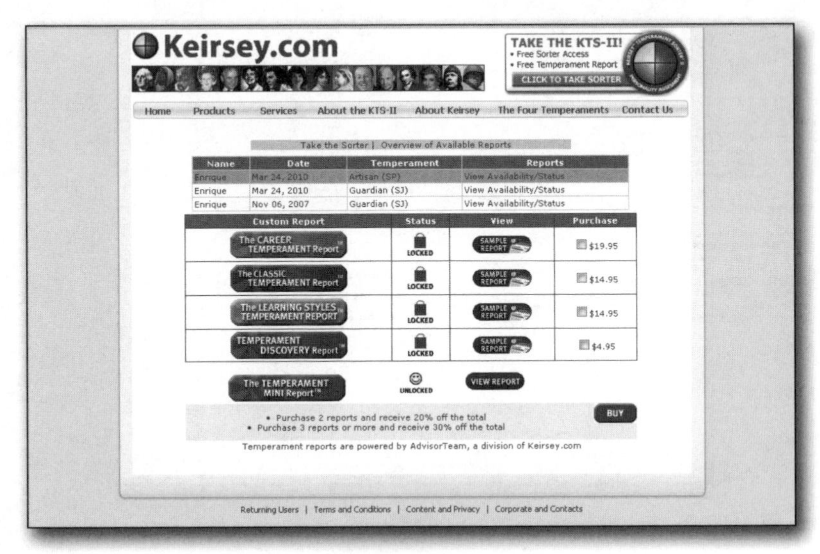

Figura 5.14.
Zona privada de Keirsey.

MAPP

En la URL `http://www.assessment.com` puedes acceder al test MAPP (otro que tan sólo está disponible en inglés). MAPP son las siglas de *Motivational Appraisal of Personal Potential* que significa Evaluación de la Motivación del Potencial Personal. Permiten hacer un test gratuito con un informe muy limitado para dar pie a que compres el informe completo, que es francamente muy detallado. Este informe completo cuesta desde 19,95 dólares hasta 129,95 dólares de la versión ejecutiva. Yo personalmente he adquirido el barato y es el que cito como muy completo.

Consiste en 71 preguntas con tres opciones donde debes elegir la que más prefieres y la que menos prefieres.

Como digo, yo he pagado la opción más barata y para que te hagas una idea de su calidad, impreso en un PDF ocupa 14 páginas.

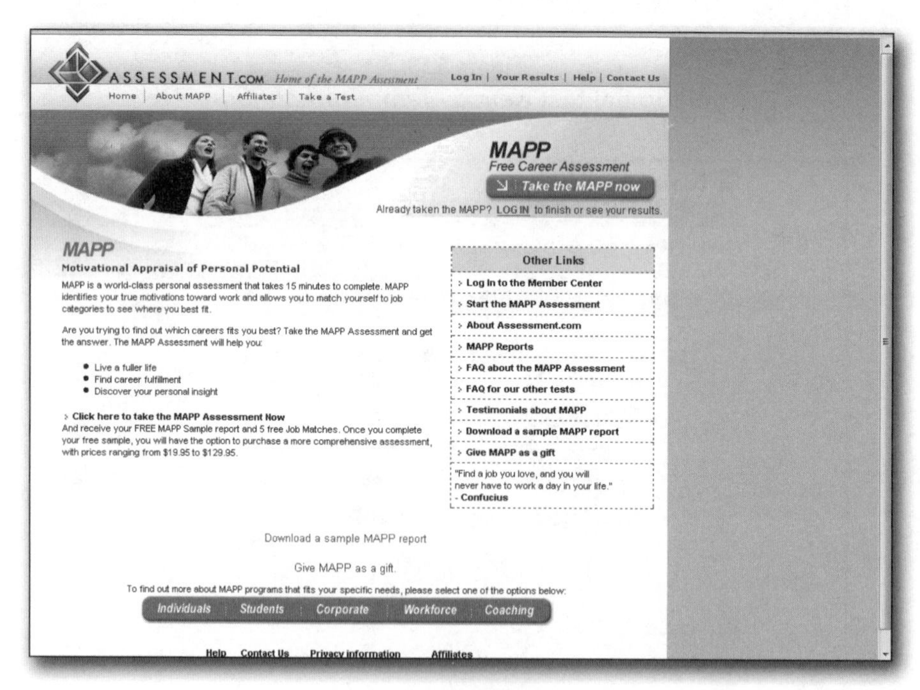

Figura 5.15.
Test MAPP de http://assessment.com.

Análisis DAFO

Finalmente no podemos dejar de citar el clásico análisis DAFO (Debilidades, Amenazas, Fortalezas y Oportunidades) que siempre nos podemos hacer a nosotros mismos. Es en realidad un análisis de conciencia metódico que nos puede aclarar y fijar ideas de qué opción queremos seguir. Si quieres leer un buen documento sobre la metodología para llevarlo a cabo puedes ir a la URL `http://www.scribd.com/doc/2405093/Analisis-Foda` donde si quieres puedes descargarte el documento. Mejor aún que este documento es utilizar la herramienta gratuita que hay disponible en la Web de INGHENIA. Primero te explican cómo hacer el análisis DAFO en la URL `http://inghenia.com/wordpress/2009/08/28/balanced-scorecard-como-realizar-un-simple-analisis-dafo-swot/` y ahí te dan el enlace a la página donde muestran el uso de su herramienta gratuita. El enlace es `http://inghenia.com/wordpress/2009/10/07/dafo-foda-swot` que ves en la figura 5.16.

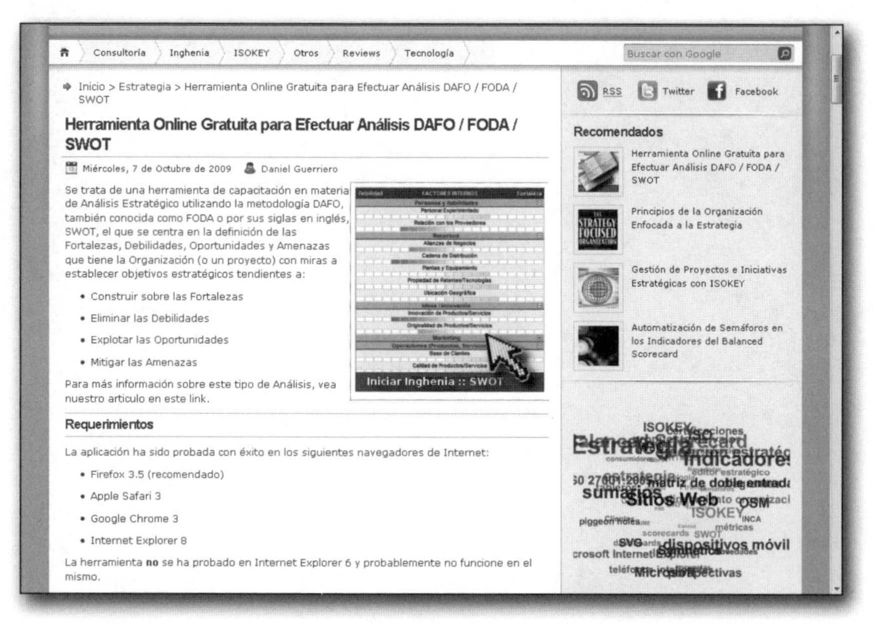

Figura 5.16.
Herramienta gratuita de análisis DAFO de INGHENIA.

Para acceder a la herramienta debes hacer clic en la figura de la derecha con el texto Iniciar Inghenia :: SWOT y un cursor de ratón aumentado.

La herramienta está realmente pensada para análisis DAFO empresarial, pero espero que te sirva para orientarte sobre cómo hacer un análisis DAFO personal.

6 Opciones profesionales

Vimos en el capítulo 3 cómo hicimos un recorrido de nuestra trayectoria profesional, evaluando competencias y recopilando logros que hubiéramos conseguido en nuestros trabajos anteriores. También hemos visto en el capítulo 4 cómo realizar un curriculum vitae, con lo que también hemos tenido que revisar nuestro pasado para ver qué información poner en él. Finalmente en el capítulo anterior a este hemos visto toda una serie de tests que podemos hacer para conocernos mejor a nosotros mismos.

El objetivo de todo este proceso es conseguir definir lo mejor posible qué trabajo nos gustaría hacer, que es lo que también dejamos claro en el capítulo 1 de este libro. **Se trata de poder transmitir qué trabajo deseamos a nuestra red de contactos para que se convierta en oídos activos, en antenas receptoras a la escucha de oportunidades que encajen en nuestro proyecto.**

Ha llegado el momento de decidir si sigues la misma trayectoria profesional o si, gracias a lo que has descubierto con los tests y tu análisis de competencias, decides dar un cambio de rumbo y probar nuevas posibilidades. O simplemente esta última sea tu única opción ya que tu sector está en recesión y es muy difícil que consigas regresar a la actividad en el mismo sector.

Tienes que conjugar lo que te gustaría realmente hacer con lo que encaja con tu personalidad, formación y lo que se denomina "activos transferibles". Es decir, aquello que sabes hacer bien, sea en el sector o empresa que sea.

Para definir bien qué trabajo queremos deberemos hacer un análisis de los siguientes puntos:

- Localización geográfica.
- Sector o tipo de actividad.
- Características de la empresa.
- Modelo de gestión de la empresa.
- Condiciones personales del puesto de trabajo.
- Nivel de responsabilidad y salario.
- ¿Qué aporto yo?

Localización geográfica

Lo primero que te puedes plantear es si quieres seguir viviendo en la misma ciudad. Y no es por un tema del ambiente de ésta en sí misma, sino porque quizá no te quede más remedio que plantearte cambiar de residencia a una donde sí se pueda realizar tu actividad.

Un ejemplo claro lo tenemos en el sector de la construcción que actualmente está francamente mal en España, sobre todo en lo que se refiere a construcción de vivienda. Quizá si deseas seguir en este sector tengas que pensarte ir a Eslovenia o bien a otro país de Europa que esté en una fase de crecimiento similar a la vivida en España en años anteriores. Al menos en marzo de 2009 las estadísticas indicaban que crecía vertiginosamente (puedes consultar este artículo `http://www.inmoversion.com/articulo_item.php?numero=1692`).

En cualquier caso, es una decisión siempre difícil y más si se tiene familia porque o decides irte tú solo, con lo que eso representa, o mueves a toda la familia. Y en este segundo caso, la empresa destino se lo podría pensar dos veces ya que si tiene que ayudar al nuevo empleado a integrarse en el país, ayudándole a reubicarse a él y a su familia (vivienda, colegio e incluso un posible trabajo para la pareja, si se hubiera pactado así), es posible que sea mucho más barato un candidato local, aunque su perfil profesional no sea tan bueno porque siempre se le puede formar por un coste menor que recolocar a una persona traída del extranjero.

Sea como sea, si decides explorar esta vía, puedes primero investigar cómo está el mercado laboral del país que estés pensando como destino ayudándote de Webs de empleo de esos respectivos países. La mejor recopilación, a mi entender, de portales de empleo internacionales la puedes encontrar en `http://www.quierounbuentrabajo.com`. En el menú de la parte izquierda haz clic en BUSCA TRABAJO y te aparece un menú flotante donde deberás hacer clic en Portales de empleo internacionales donde te aparece la lista que puedes ver en la figura 6.1.

Figura 6.1.
Listado de portales de empleo internacionales de http://www.quierounbuentrabajo.com.

Evidentemente valora también el lado humano, con todo lo positivo o negativo que pueda tener cambiar de país. Es una decisión difícil para tomarla a la ligera.

También puedes encontrar una buena colección de guías para trabajar en el Espacio Económico Europeo en la Web del Servicio Público de Empleo Estatal, concretamente en la URL `http://www.sepe.es/contenidos/ciudadano/empleo/eures/trabajadores/eures_TRAB02.html`.

Y mejor si te diriges directamente al portal EURES que es el portal europeo de la movilidad profesional. Lo localizarás en la URL `http://ec.europa.eu/eures/home.jsp?lang=es`.

Sector o tipo de actividad

Ya hemos visto que has revisado tu pasado, tus competencias, tus logros. Como he planteado en la introducción, ahora es el momento definitivo de plantearte el sector o actividad objetivo, siguiendo la misma trayectoria o decidiendo cambiar a otra que tenga más posibilidad de generar empleo o que sea algo que realmente te guste o te apetezca hacer.

Puedes ver un directorio de sectores de actividad empresarial en España en la Web Directorio PYMES, concretamente en la URL `http://www.directoriopymes.com/html/sectoresempresariales.html` (véase la figura 6.2) donde tienes un breve resumen de cada uno de ellos. Si lo que quieres es ver información de actividad emprendedora a nivel internacional, puedes acudir al *Global Entrepreneurship Monitor* (GEM) en la URL `http://www.gemconsortium.org` que puedes ver en la figura 6.3.

En el menú superior, en la opción PUBLICATIONS se despliega un menú cuando sitúas el cursor encima y te ofrece entre otras opciones informes nacionales (GEM National Reports), informes globales (GEM Global Reports), informes de asuntos específicos (GEM Special Topic Reports), artículos basados en sus datos (Articles using GEM Data) y finalmente navegar por todas sus publicaciones (Browse all publications).

Sobre España puedes consultar el Informe Ejecutivo de 2009, publicado el 8 de abril de 2010, en la URL `http://www.gemconsortium.org/document.aspx?id=1020`. Es un PDF de unos 10 megas de peso y escrito en español.

Figura 6.2.
Sectores empresariales de España de Directorio PYMES.

Figura 6.3.
Global Entrepreneurship Monitor (GEM).

Hay un equipo de trabajo del GEM en Extremadura que ha publicado un informe sobre dicha Comunidad Autónoma el pasado 15 de mayo de 2010, con los datos de 2009.

Lo puedes descargar desde la URL `http://www.gemconsortium.org/article.aspx?id=153` y es un PDF de menos de 3 megas de peso y también escrito en español.

Características de la empresa

Ahora debes decidir sobre el tipo de empresa que buscas. ¿Quieres trabajar en una gran empresa, incluso multinacional? ¿Prefieres una más pequeña? Cada tipo tiene sus ventajas e inconvenientes.

Una gran empresa se supone, a priori, que te puede dar más estabilidad (aunque a estas alturas deberías saber que la estabilidad te la das en realidad tú mismo estando preparado para manejar tu carrera profesional en todo momento) pero quizá tenga también una estructura ya muy conformada y rígida que no te permita progresar fácilmente una vez dentro de ella.

Una empresa pequeña aunque pueda parecer que sea menos estable puede ser tu verdadera oportunidad de crecer y progresar dentro de ella según vaya creciendo.

Incluso en tiempos de crisis, las grandes empresas pueden estar en un escenario de pérdida de competitividad por su gran coste de estructura y están, por ello, reduciendo plantilla, mientras que una empresa pequeña es más ágil y puede encontrar un hueco de mercado en el que no tenga mucha competencia y por tanto sea una verdadera generadora de empleo.

Modelo de gestión de la empresa

Este aspecto está muy relacionado con el punto anterior. No sólo importa el tamaño de la empresa, sino cómo se gestiona. Es muy importante saber si la estructura de mando es rígidamente jerárquica o si es distribuida u horizontal. Esto te definirá no sólo el tipo de jefes que te pueden tocar en suerte sino que también marcará tu encaje porque quizá ese modelo no encaje con lo que has aprendido de ti mismo al analizarte o que simplemente no te guste.

Tanto para este punto como para el anterior debes contar con tu red de contactos para acabar de confirmar la información que hayas podido conseguir de la empresa que sea tu objetivo.

Veremos esto en más detalle en el capítulo siguiente, cuando confeccionemos un listado de empresas objetivo.

Veremos más preguntas que nos podemos hacer para aclararnos yendo una vez más al portal de la Fundación Universidad Empresa `http://www.quierounbuentrabajo.com` navegando por las siguientes opciones: EMPEZANDO>Enfoca tu carrera>¿Qué quiero hacer? que nos lleva a la página que se ve en la figura 6.4.

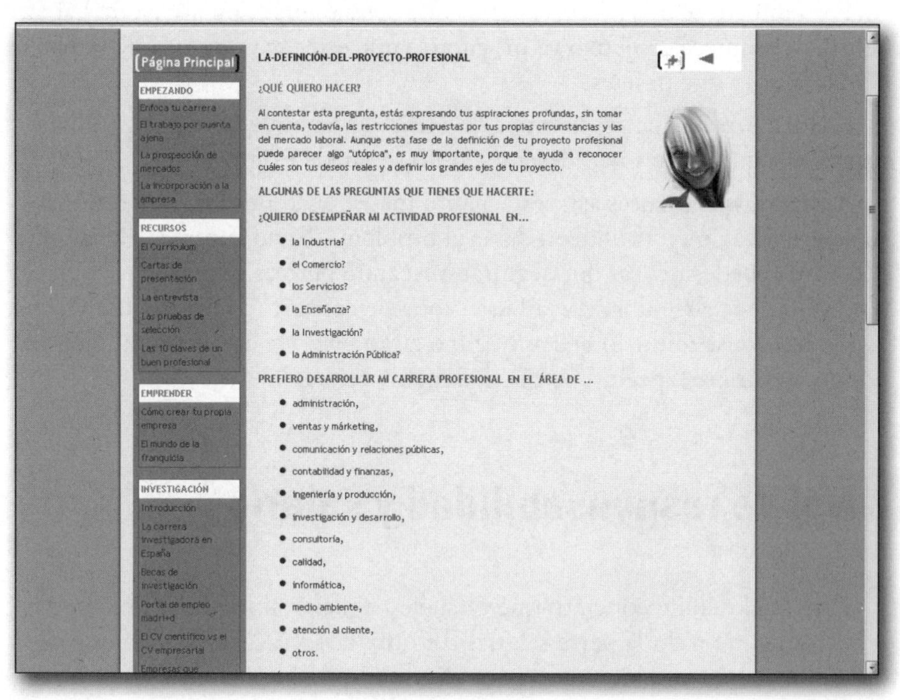

Figura 6.4.
¿Qué quiero hacer? Preguntas para enfocar tu carrera profesional.

Condiciones personales del puesto de trabajo

Aquí juega un papel muy importante el análisis que hayas hecho de ti mismo para ver si vas a encajar con el ambiente de la empresa. Vuelve a verse la importancia de la información obtenida a través de tus contactos.

En líneas generales, lo que te planteas en este punto son las condiciones contractuales que deseas, la formación real que esperas recibir dentro de la empresa, compensaciones como bonos, tickets de comida, seguros médicos, seguros de vida, ordenador portátil, móvil de empresa y demás condiciones que consideres necesarias para poder desarrollar tu trabajo.

Conseguirlo todo o no es cuestión no sólo de tu capacidad de negociación, sino de lo que sea costumbre en la empresa en cuestión.

Por tanto, tú te marcas unas metas que deseas conseguir y cuando hagas la lista de empresas objetivo ya procurarás que éstas sean de las que te pueden ofrecer lo que quieres.

Puedes pensar que en tiempos de crisis no hay que abusar y pedir demasiado, o que estando en desempleo no se puede exigir.

Entiendo que pienses así, pero cuanto más se acerque el trabajo que consigas a tu ideal, mejor solución darás al problema. Si no cumples dichas expectativas puedes pensar que seguirás buscando pero es muy fácil caer en la tentación de crearse una nueva falsa "zona de confort" conformándote con lo que has conseguido, lo que a medio o largo plazo te acarreará problemas por no cubrir las expectativas que realmente tenías.

Nivel de responsabilidad y salario

Este es el detalle concreto que se suele negociar al final del proceso de selección, sobre todo la parte salarial. Te intentarán sacar el sueldo que deseas al principio posiblemente para eliminarte o simplemente para ver si está dentro de sus posibilidades. Por tanto, definir claramente estos dos aspectos te ayuda a ir aclarando más el trabajo de tus sueños.

Se trata de que te valores adecuadamente. Si crees que ofrecerte por un salario menor al que consideras que debes ganar te va a dar más posibilidades de conseguir el trabajo, puedes acabar arrepintiéndote después cuando veas que no vas a obtener grandes subidas una vez dentro de la empresa, con lo que comprenderás que nunca alcanzarás el nivel que realmente deseabas. Esto te hará o bien buscar un nuevo trabajo o bajarte la moral y la autoestima. En todo caso, es evidente que esta opción es muy normal considerarla si estas desempleado y lo que te interesa es reincorporarte a la vida laboral. Si es este caso, hazte la firme promesa de seguir buscando lo que realmente quieres y no crearte una falsa zona de confort que a la larga no va a ser buena para ti. Si quieres hacerte una idea de lo que puedes pedir, puedes recurrir a algunas páginas que dan referencias de niveles salariales. Como digo es una referencia que deberás tener en cuenta para plantearte tu cifra personal de salario deseado. En la figura 6.5 verás el comparador salarial de `http://tusalario.es`, en concreto el comparador está en la URL `http://www.tusalario.es/main/Comparatusalario`.

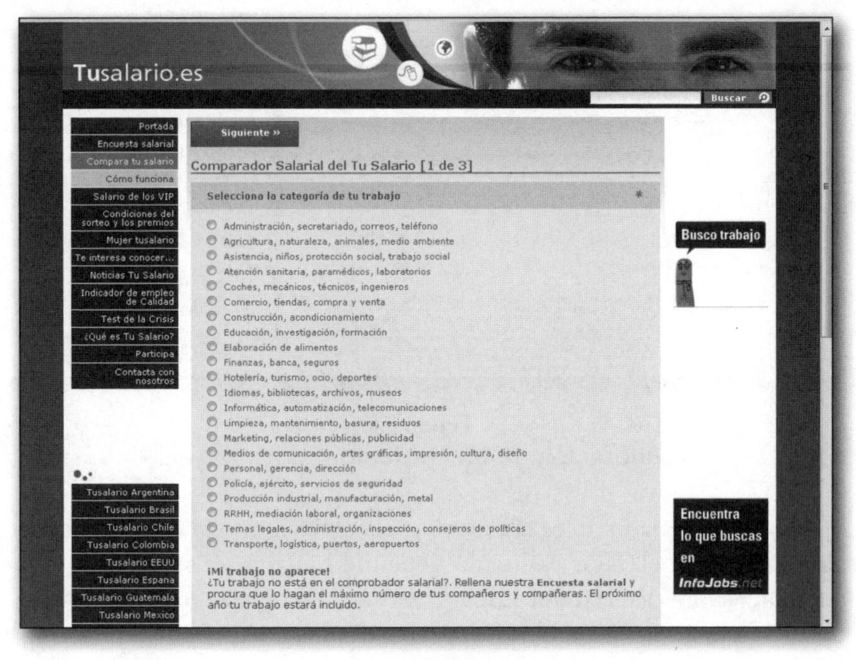

Figura 6.5.
Comparador salarial de http://tusalario.es.

Otro sitio interesante (que también podría haber citado en el capítulo 4 donde tratamos sobre el curriculum vitae) es Jobsket que encontrarás en la URL `http://www.jobsket.es`. En Jobsket publicas tu curriculum subiendo un archivo que tengas (no es un sitio donde ir rellenando campos para diseñarlo, como vimos en el capítulo 4) y el sistema te ofrece una valoración de tu perfil profesional en el mercado ya que, según dicen ellos mismo, agregan información de diversas Webs de empleo. Puedes ver un ejemplo de una valoración en la figura 6.6.

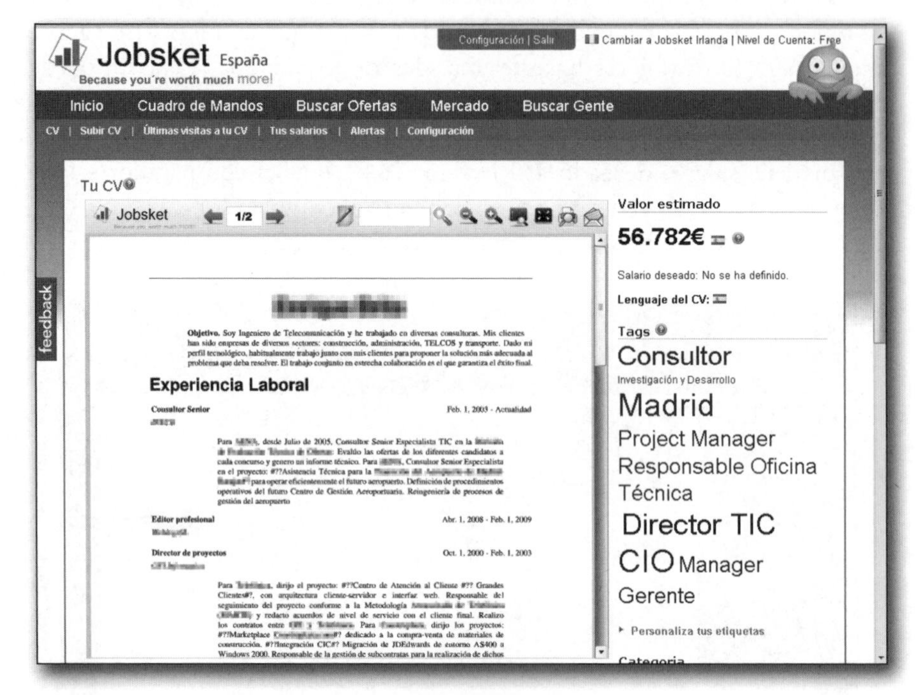

Figura 6.6.
Valoración de un curriculum en Jobsket.

El valor estimado no es el mismo si el curriculum está en inglés o en español. Además el valor estimado depende mucho de las etiquetas (*tags*) que pongas. Es decir, todos estos sitios son referencias relativas porque se basan también en el sueldo que quiera publicar el propio candidato. En Jobsket puedes indicar el sueldo que recibías en cada uno de tus puestos y no será publicado pero se usará para valorar los puestos similares de otras personas. Por tanto, si todo el mundo exagera acabarán subiendo el valor que estime el sistema.

Otra referencia sobre salarios la puedes encontrar en el portal Infojobs en la URL `http://salarios.infojobs.net`. Introduces un término de búsqueda y te muestra la tendencia que puedes ver con un ejemplo concreto en la figura 6.7.

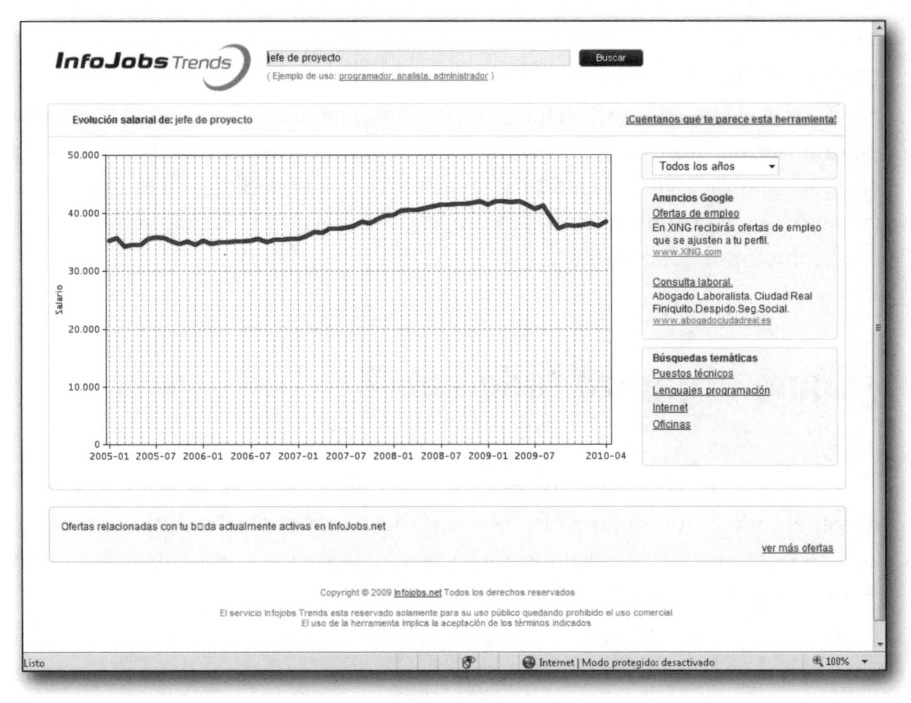

Figura 6.7.
Tendencia salarial para un jefe de proyecto según Infojobs.

¿Qué aporto yo?

Este punto es el que te sirve para defender tu candidatura a ese trabajo ideal que te has pintado. Al haberte estudiado en profundidad, con tu trayectoria anterior, tus logros, tus activos transferibles y tus capacidades personales puedes hacerte un inventario de argumentos que te serán muy útiles en el transcurso de las entrevistas de selección que tengas que pasar antes de lograr tu trabajo.

También es importante analizar todas tus habilidades, tanto físicas, como mentales e interpersonales.

Para averiguar todas estas habilidades no sólo debes contar con toda tu trayectoria profesional que ya has analizado, sino que debes recorrer también tu propia vida. Muchas veces describir experiencias que has tenido y qué problemas has resuelto te ayuda a ver qué habilidades tienes realmente.

Esto es especialmente relevante para los que se incorporan al mercado laboral porque no tiene registro de experiencias profesionales previas, pero sí de lo que han vivido que bien analizado puede indicar claramente sus capacidades de organización de equipos, de gestión de tiempos y tareas o de resolución de conflictos.

¿Cómo organizo todo esto?

Hemos visto todos los elementos que debes considerar para describir el trabajo ideal que quieres. Ese es el trabajo que ahora puedes comunicar a tu red de contactos porque podrán ayudarte mejor a encontrarlo ya que sabrán lo que realmente quieres.

En el siguiente capítulo veremos cómo crearnos listas de empresas objetivo en donde podemos esperar encontrar este trabajo que es el que nos encaja a la perfección.

Toda esta información te la puedes apuntar dispersa en papeles o en un cuaderno. O mejor, volvamos a usar Google Docs usando la cuenta con la que nos dimos de alta según vimos en el capítulo 2.

Podemos, por ejemplo, organizarlo por medio de una hoja de cálculo tal y como vemos en la figura 6.8 con un ejemplo ficticio.

Como ves, este capítulo no es muy extenso, pero acabar decidiendo qué poner en cada apartado te va a requerir un proceso largo y meticuloso con varias revisiones hasta que definas claramente lo que buscas, que será muy útil para aumentar las posibilidades de conseguirlo.

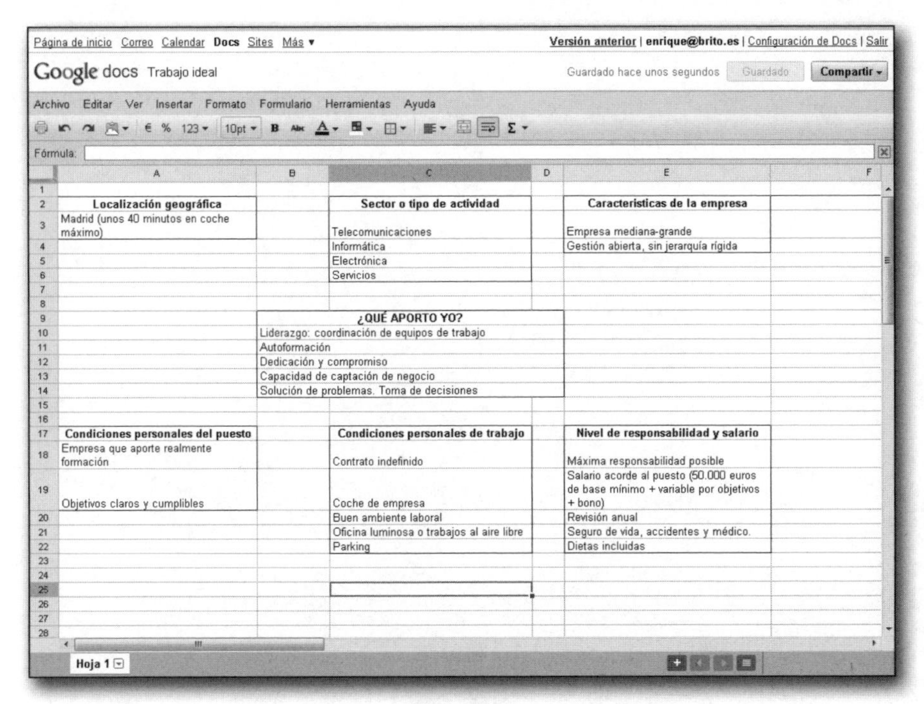

Figura 6.8.
Descripción de nuestro trabajo ideal.

7 Listas de empresas objetivo

Ya hemos visto cómo recopilar nuestra trayectoria profesional, sitios donde crear y poner disponible nuestro curriculum vitae, nos hemos analizado para conocernos mejor a nosotros mismos y saber que trabajo encaja mejor con nuestra manera de ser y finalmente hemos descrito las características del trabajo que realmente deseamos.

Ahora nuestra misión es hacernos la lista de empresas objetivo en donde suponemos que podemos encontrar este trabajo. Se trata de ir haciendo primeramente una lista extensa que iremos poco a poco revisando para estrechar el cerco y acabar con una lista de empresas corta que sean en las que realmente podamos encontrar ese trabajo.

Para ello deberemos investigar en diversas fuentes de información, y en este capítulo expondremos varias de ellas, y completaremos el trabajo con nuestra red de contactos para tratar de confirmar primero que esa empresa debe formar parte de nuestra lista y segundo para que tratemos de averiguar la persona con capacidad directa de contratación sobre el trabajo que encaja con nuestras expectativas. Se trata de evitar, en la medida de lo posible, el paso por el departamento de Recursos Humanos y así tener mayores posibilidades de éxito.

Estamos diciendo que debemos partir de una lista extensa e irla reduciendo para tener mayores posibilidades de éxito. Esto te puede parecer una contradicción, pero te aseguro que es mucho mejor seleccionar unas pocas empresas, estudiarlas bien y trabajarse el modo de acceder a las personas clave que mandar el curriculum a todo lo que se mueve. Esto último que puede parecer la mejor idea para conseguir empleo rápidamente sólo sirve para desesperarse al ver que tras cientos de envíos de curricula no se obtiene ni tan siquiera una entrevista.

Dos ejemplos claros de esto lo podemos ver en dos artículos.

En el primero (en inglés) se nos dice claramente que si tu estrategia de búsqueda de empleo no te consigue entrevistas, es que ha llegado la hora de probar algo nuevo. La URL donde encontrar el artículo es `http://www.msnbc.msn.com/id/35605070/ns/business-careers` y nos cuenta el caso de una persona que tras mandar nada menos que 1.500 curricula (*résumés* en inglés) y de responder a 400 ofertas sólo había obtenido frustración. En vez de quedarse en casa en pijama y dedicarse a ver portales de empleo (búsqueda pasiva), decidió pasar a la acción. Empezó a ponerse su traje y marcharse a una oficina alquilada y contrató los servicios de una empresa de reubicación profesional y a un consejero (*coach*) de carrera. Tras el trabajo correspondiente (que consiste en lo que ya has ido leyendo hasta este momento en este libro) acabó enviando tan sólo 10 curricula que dieron lugar a 8 entrevistas y a tres ofertas de trabajo.

El segundo caso es todavía más espectacular. Lo que puedes leer en la URL `http://www.reclutando.net/el-cazador-cazado` es la historia de un norteamericano que contrató publicidad de Google AdWords de tal modo que cuando los 5 directores de las 5 mejoras agencias de Nueva York se buscaban a sí mismos en Google, le salía un anuncio que le decía que buscarse a sí mismo en Google era divertido y que contratarle a él también lo era, que puedes ver en la figura 7.1.

Consiguió 4 entrevistas y 2 ofertas de trabajo.

Finalmente se decidió por una de ellas. El coste de la campaña de anuncios fue de tan sólo 6 dólares.

Sí, dirás que esto pasa en Estados Unidos pero que en España no pasa así. Pues te equivocas. Al acotar el número de empresas objetivo y ponerte en contacto con la persona decisoria, bien a través de un contacto o enviando el curriculum vitae junto con una carta de acompañamiento debidamente redactada, lo que consigues es demostrar no sólo verdadero interés por el puesto sino que además no le haces perder el tiempo a la persona que recibe habitualmente cientos de curricula que no encajan.

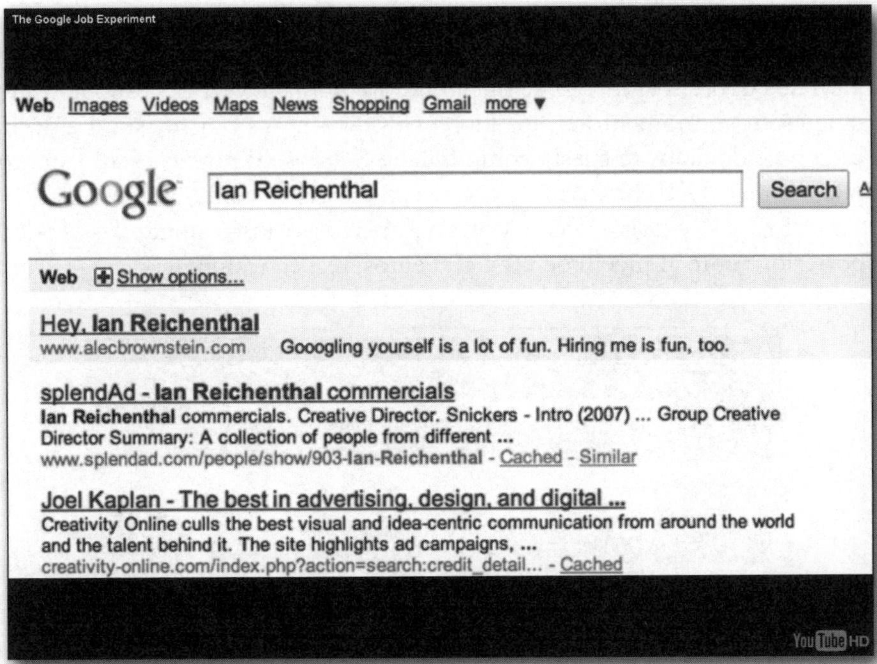

Figura 7.1.
Uso de publicidad AdWords para contactar a tu futuro empleador.

Vamos, sin más preámbulos, a localizar fuentes de información para elaborarnos la lista de empresas objetivo. Eso sí, hay que avisar que acceder a los datos implica pagar por ellos. No todo es gratis en Internet.

Actualidad Económica

La primera base de datos que recomiendo se trata en realidad de las dos bases de datos que publica la revista Actualidad Económica anualmente. Se trata de su base de datos de las "5.000 Mayores Empresas Españolas" y del "Quién es Quién en la Empresa Española".

La primera base de datos se publica en la revista de papel aproximadamente en el mes de noviembre. La segunda se publica en abril. Generalmente se publica primero la edición en papel y a la semana siguiente se publica la revista con el CD-ROM que contiene la base de datos. En este mes de abril de 2010, sin embargo, se ha publicado todo a la vez. El coste, si lo adquieres en su momento en los kioscos es de 4 euros por revista. Es decir, cada base de datos te cuesta como mucho 8 euros. Si no has estado atento puedes ir a la URL `http://app.unidadeditorial.es/unidadeditorial/ecommerce/Venta?codTienda=5` donde las venden posteriormente al precio de 60 y 100 euros, respectivamente.

Figura 7.2.
Bases de datos de la revista Actualidad Económica.

Debes tener en cuenta que estas bases de datos se hacen a partir de los datos del Registro Mercantil, por lo que deberás comprobar la veracidad de los datos que aparecen. Esta advertencia es en realidad para todas las fuentes de información: siempre debes cotejar su información y comprobar que es correcta. Imagínate mandando una carta al director comercial y poner en el encabezado el nombre de la persona que ocupaba anteriormente el cargo y no el de la que lo ocupa actualmente. Habrías echado a perder tu aproximación a esa persona clave.

Europages

En la URL `http://www.europages.es` puedes acceder a una base de datos europea de empresas estructurada en 26 sectores de actividad. Aunque en principio la anuncian como una base de datos B2B (*Business to Business*, es decir, entre negocios o empresas), puede servir para conseguir información si deseamos reubicarnos en un país diferente al nuestro.

En la figura 7.3 podemos ver su página principal en la que se ha desplegado la lista de sectores de actividad.

Figura 7.3.
Europages, detalle de sectores de actividad disponibles.

DICODI

Originariamente DICODI significaba "Directorio de Consejeros y Directivos"; se denomina ahora "Anuario de Principales Sociedades Españolas" y lo publica Equifax. Se puede adquirir en la URL `http://www.dicodi.equifax.es` en donde puedes adquirir la base de datos completa de 50.000 empresas tanto en libro como en CD-ROM, o las bases de datos de las Comunidades Autónomas de Madrid, Cataluña y Valencia.

Sus precios varían de los 200 a los 1.500 euros aproximadamente, según el producto que compremos. Puedes encontrar esta base de datos para su consulta en las bibliotecas públicas, lo que te saldrá más barato. Consulta los catálogos de bibliotecas públicas en la URL `http://www.mcu.es/bibliotecas/MC/CBPE/CatalogosCCAA.html`.

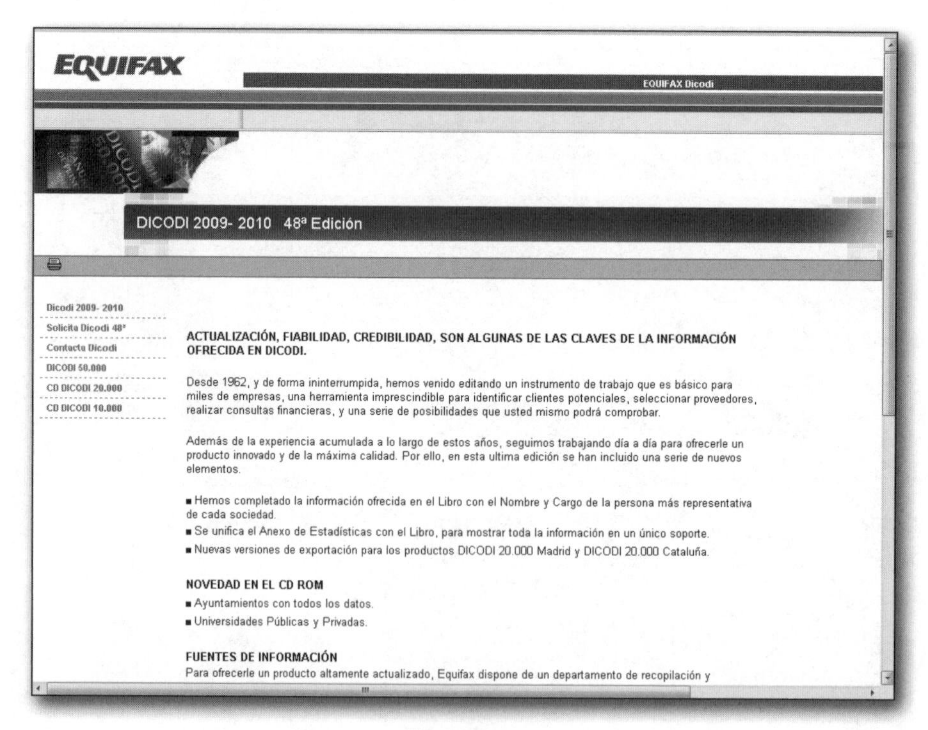

Figura 7.4.
DICODI, la base de datos de Equifax.

Quién es Quién en España (Editorial Campillo)

La editorial Campillo publica su propia guía "Quién es Quién en España" que sólo se edita en papel (al menos que yo sepa), pero que puedes comprar en la URL `http://www.libreriaproteo.com/ver_libros.php?EDITORIAL=978-84-935086` y, como ves en la figura 7.5, se trata de un libro de unas 1.500 páginas. También puedes buscarlo en las bibliotecas públicas o en las de las Cámaras de Comercio.

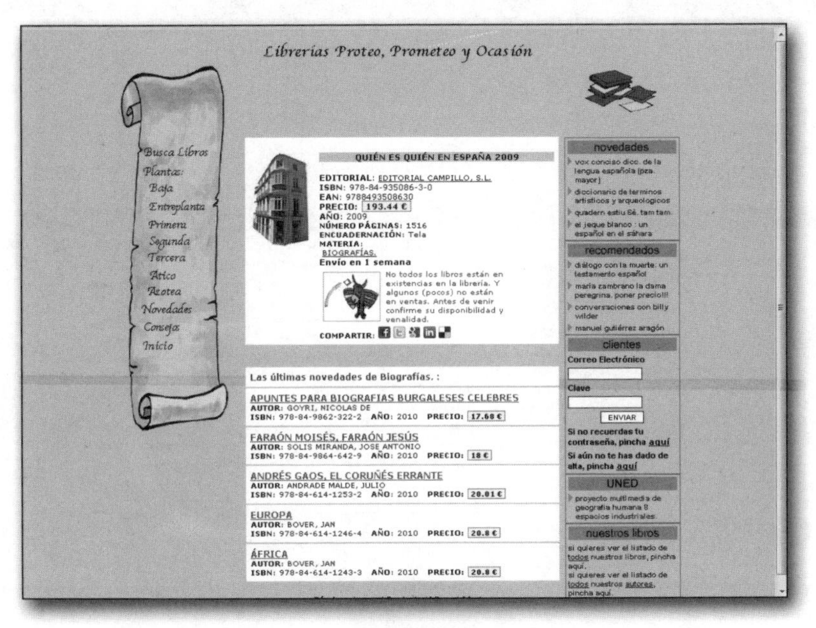

Figura 7.5.
Quién es Quién en España de Editorial Campillo.

Vulka

En la URL `http://www.vulka.es` encontrarás un detallado directorio de empresas de España. Como puedes ver en la figura 7.6, puedes usar el buscador de la parte superior derecha de la página para indicar qué buscas y dónde, o usar la clasificación que ves en el directorio a la derecha del mapa que ves en dicha figura. Dentro de cada categoría encontrarás subcategorías para poder ir restringiendo la búsqueda. Encontrarás empresas de todo tipo, pequeñas y grandes.

Ten en cuenta que lo que importa es que el trabajo te guste y que la empresa disponga de ese puesto soñado, independientemente de su tamaño.

Figura 7.6.
Vulka. Directorio de empresas de España.

IberInform

En `http://www.iberinform.es` no sólo puedes acceder a bases de datos de empresas buscándolas por su nombre o su CIF/NIF (tal y como ves en la figura 7.7), sino que además puedes solicitar informes comerciales y financieros de las empresas de tu interés para poder analizar si las cosas les van bien y, por tanto, entrar en ellas no debería entrañar riesgos o consultar si figuran inscritas en el RAI (Registro de Aceptaciones Impagadas). Como siempre, cualquier dato es mejor corroborarlo a través de la propia red de contactos consiguiendo información desde dentro de la empresa. También puedes solicitar notas simples a los registros mercantiles correspondientes.

Figura 7.7.
Iberinform. Base de datos e información comercial y financiera.

eInforma

En `http://www.einforma.com` encontrarás también información de empresas, autónomos, ejecutivos o subvenciones, tal y como ellos mismos publican.

También puedes obtener informes de empresas así como de grupos empresariales.

También nos ofrecen un listado de marketing y una base de datos con las 50.000 mayores empresas de España, aunque en realidad es un servicio para que esas empresas pongan un logo en su Web que lleve a los datos de eInforma.

Figura 7.8.
eInforma. Información de empresas, marketing y ejecutivos.

Cámaras de Comercio

Las Cámaras de Comercio son otra fuente fiable de datos para nuestro estudio de empresas objetivo. Podemos destacar las bases de datos que se citan a continuación.

Empresas de Importación y Exportación

En la URL `http://directorio.camaras.org` accedes al directorio de empresas españolas exportadoras e importadoras. Es un directorio creado por las Cámaras de Comercio en colaboración con la Agencia Estatal de Administración Tributaria (AEAT), de empresas con operaciones de comercio exterior. Los datos son de los años 2000 a 2007.

Se puede buscar empresas por el producto que importan o exportan, por el código TARIC (nomenclatura combinada de mercancías del sistema aduanero común de la Unión Europea (ver `http://es.wikipedia.org/wiki/Nomenclatura_combinada`), por el código CNAE (Clasificación Nacional de Actividades Económicas, ver `http://es.wikipedia.org/wiki/CNAE`), por el área nacional o por el área internacional donde operan.

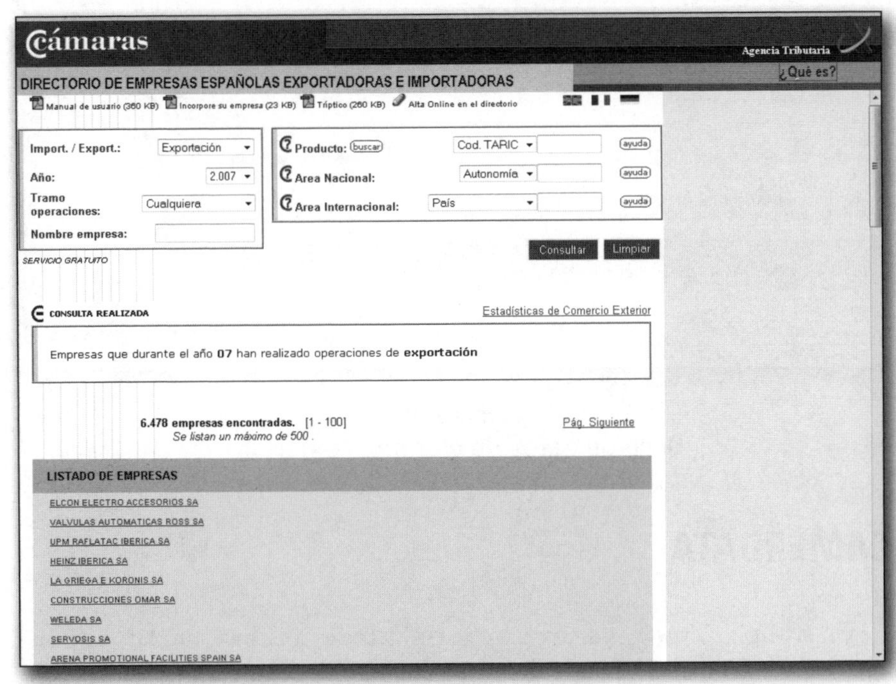

Figura 7.9.
Directorio de Empresas Españolas Exportadoras e Importadoras.

Base de datos de comercio exterior

En la URL `http://aduanas.camaras.org` encuentras otra base de datos de las Cámaras de Comercio que complementa a la citada anteriormente.

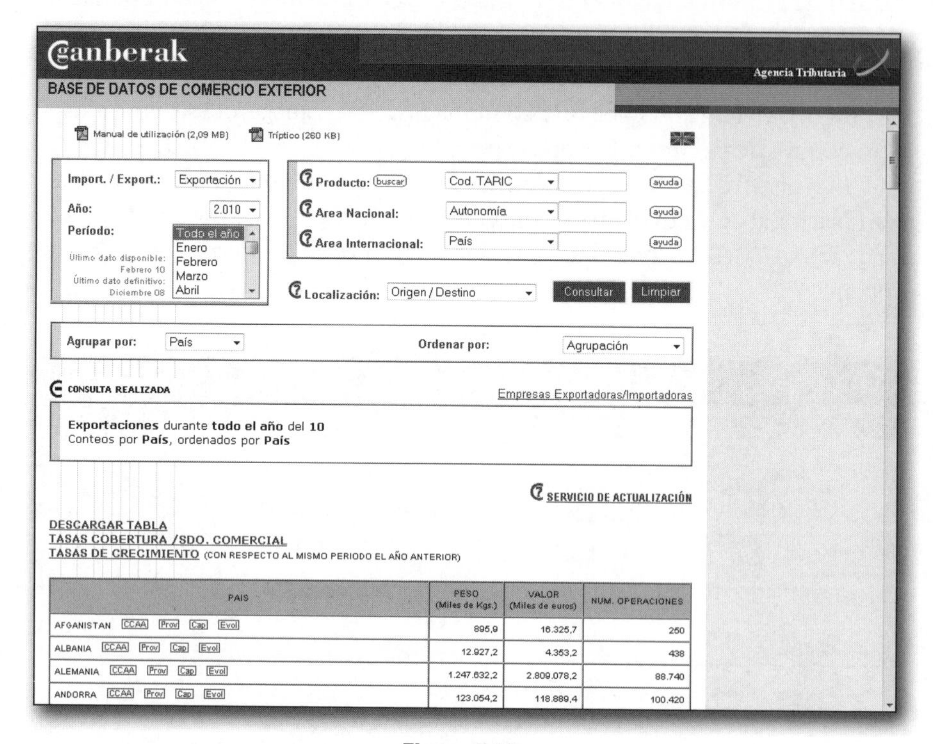

Figura 7.10.
Base de datos de comercio exterior.

CAMERDATA

En `http://www.camerdata.es` accedes a la base de datos de las Cámaras de Comercio, donde destaca su fichero de empresas españolas con más de 4 millones de direcciones de empresas que te permiten analizar en detalle cualquier sector de tu interés. También dispone de bases de datos internacionales con más de 150 millones de empresas de 200 países. Ofrece rankings empresariales por sectores, informes comerciales, informes y análisis sectoriales, así como estadísticas a medida.

Figura 7.11.
CAMERDATA, la base de datos de las Cámaras de Comercio.

N-economía

El banco de datos de empresas de la Nueva Economía (la relacionada con las Tecnologías de la Información y las Comunicaciones) se puede consultar en la URL `http://www.n-economia.com/banco_datos/banco_datos.asp` donde puedes consultar por áreas (Mundo, Europa y España), o por secciones (Innovación, Mercado TIC, Internet, Ordenadores personales, Telefonía y Comercio electrónico.

También puedes consultar fichas regionales para cada una de las 17 autonomías o para España en su conjunto en `http://www.n-economia.com/fichas_regionales/fichas_regionales.asp`.

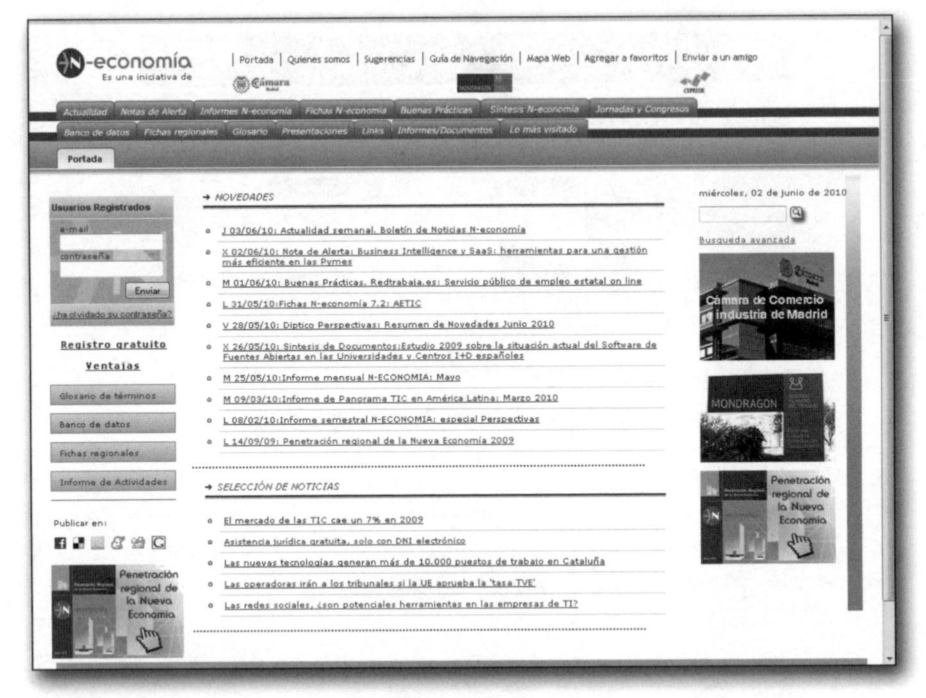

Figura 7.12.
N-economía: información de las nuevas tecnologías.

Alimarket

En la URL `http://www.alimarket.es` puedes acceder a información económico-sectorial de España referente a las 9 áreas siguientes: alimentación, construcción, electro, energía, envase, hostelería, *Non food*, sanidad y transporte.

Dispone de bases de datos y deberemos registrarnos para poder consultarlas, como en prácticamente todas las Webs citadas.

Figura 7.13.
Alimarket: información económico-sectorial de España.

Iris Data

En `http://www.irisdata.org` dispones también de bases de datos distribuidas en formato CD-ROM general, sectorial o geográfico. También pueden crear una base de datos a medida. Son datos para mailing y telemarketing. Es decir, por si quieres proceder a una siembra a los cuatro vientos de tu curriculum, pero ya avisé que esta técnica no suele dar buenos resultados. Véase la figura 7.14.

Schober

En `http://www.schober.es` puedes adquirir bases de datos de empresas y negocios, particulares, segmentos exclusivos, para marketing y ventas. Véase la figura 7.15.

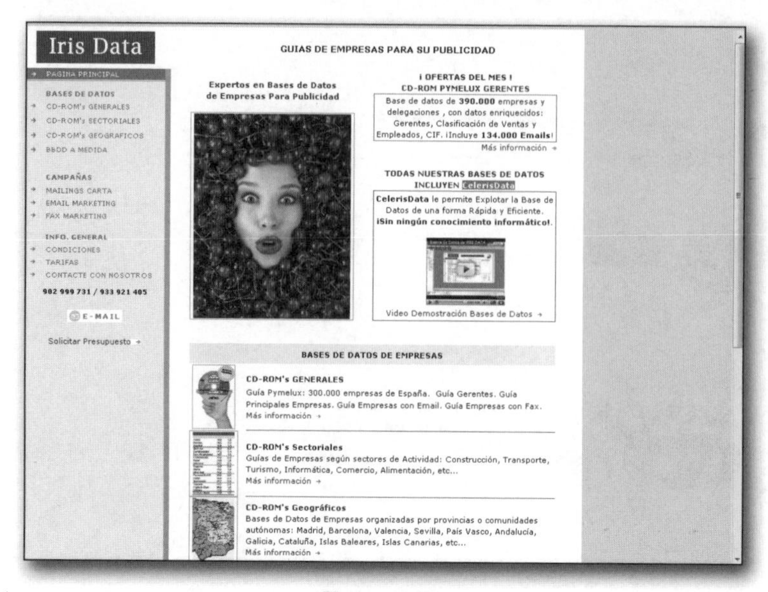

Figura 7.14.
Iris Data: mailing y telemarketing.

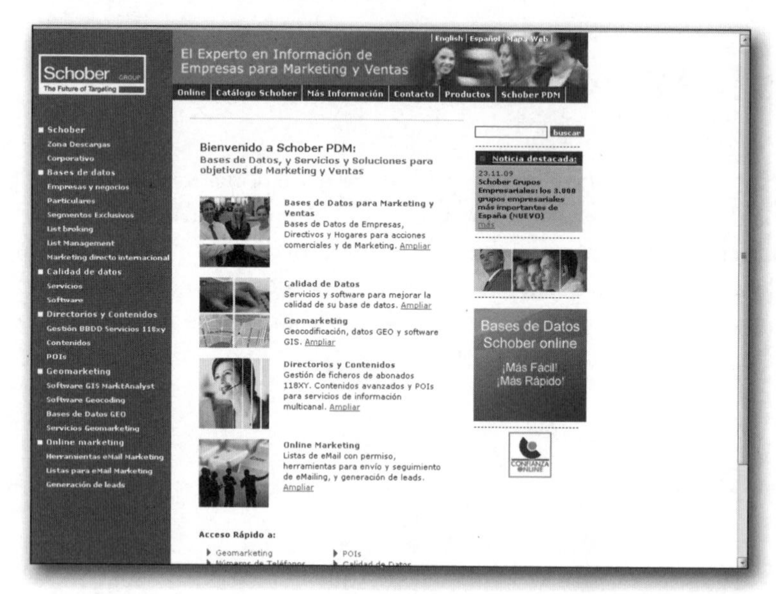

Figura 7.15.
Schober: bases de datos para marketing y ventas.

Logismarket

En http://www.logismarket.es encontrarás un directorio de productos y empresas industriales de España. Es más un catálogo de productos que de empresas, pero siempre puedes ir añadiendo empresas a tu lista para investigar a través de tus contactos.

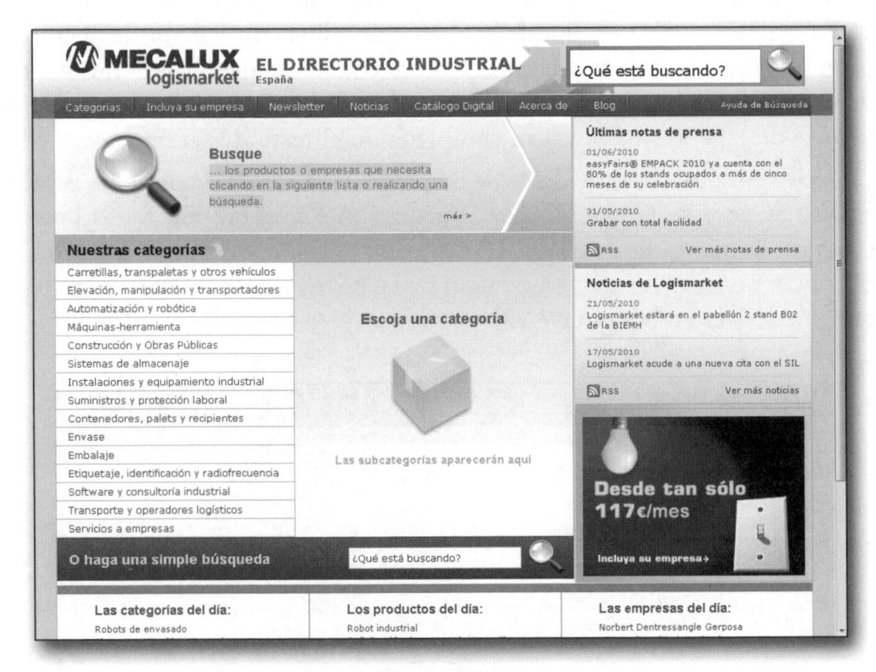

Figura 7.16.
Logismarket, el directorio industrial de España.

Redes Sociales Profesionales

En el capítulo 9, en donde ya describiremos todas las posibilidades de LinkedIn (http://linkedin.com) y Xing (http://xing.com), veremos su sección de búsqueda de empresas, además del resto de sus enormes posibilidades.

Red Trabaja

Finalmente, para terminar la cobertura de estas referencias donde localizar datos (referencia por otro lado incompleta ya que buscando con más detalle se pueden localizar bases de datos específicas por sectores que seguro que pueden dar datos más precisos que los que se ofrecen en las Webs mencionadas), no podemos dejar de nombrar la Web Red Trabaja (`http://www.redtrabaja.es`) en donde podemos localizar un listado de sectores profesionales por donde orientar tu búsqueda de empleo. En el momento de escribir estas líneas sólo hay información disponible de Cultura y Ocio pero es de esperar que se vayan completando el resto de secciones.

No es en sí una base de datos de empresas, sino información sobre profesiones. Se accede navegando por Información>Orienta2>Sectores profesionales, lo que te lleva a la URL `https://www.redtrabaja.es/es/redtrabaja/static/Redirect.do?page=orienta205` que puedes ver en la figura 7.17.

Figura 7.17.
Sectores Profesionales de Red Trabaja.

8 Empresas de selección, headhunters y portales de empleo

Si no nos hemos decidido por presentar directamente nuestra candidatura espontánea a las empresas de nuestra lista, o además de si lo hacemos, podemos optar por otras opciones para buscar empleo. En este capítulo vamos a hablar de tres canales en los que principalmente se hace búsqueda pasiva de empleo, o lo que es lo mismo, simplemente les damos nuestro curriculum y esperamos a ver qué pasa. Y recuerda que **el que espera, desespera**. Pero si lo pensamos, podemos hacer que dos de esos canales, y me refiero a las empresas de selección y a las empresas de *headhunting*, se utilicen de una manera activa intentando nosotros llevar las riendas de lo que pueda pasar con nuestro curriculum, en vez de estar a verlas venir.

La manera de intentar lograr darle la vuelta al proceso y transformar una búsqueda pasiva en una activa es, básicamente, seguir los siguientes pasos:

1. Hazte una lista de empresas de selección y *headhunters*.
2. Averigua quién es el responsable de cubrir los puestos de tu sector objetivo.
3. Consigue una cita con esa persona. Si es a través de tu red de contactos, será más fácil lograrlo.

4. Deja totalmente claro lo que buscas y lo que no buscas.
5. Realiza un seguimiento mensual.
6. Si ves que no hacen nada o que no progresan como crees, exige que borren tus datos.

Por lo tanto, vamos a intentar describir la forma habitual de trabajo de las empresas de selección y de los *headhunters* para ver cómo poder conseguir este objetivo. También veremos cómo conseguir información sobre estas empresas, es decir, localizar todas las que podamos y así poder seleccionar las más adecuadas a nuestro objetivo, del mismo modo que fuimos reduciendo el número de empresas objetivo para afinar en nuestra búsqueda de empleo.

Finalmente veremos los portales de empleo y los metaportales o metabuscadores, es decir, aquellos que realmente lo que hacen es ofrecernos puestos de trabajo publicados en diversos portales y que podemos buscar con más comodidad desde un solo sitio.

Empresas de selección

La verdad es que en los últimos años y debido al crecimiento exponencial del uso de Internet en general y en particular para la búsqueda de empleo, las empresas de selección aparentemente se parecen cada vez más a cualquier portal genérico de empleo donde los posibles candidatos suben un archivo con su curriculum vitae o rellenan una serie de formularios para así darles hecho el trabajo de procesado de nuestros datos y, por otro lado, las empresas publican sus ofertas. En este caso, la que publica la oferta es la empresa de selección, pero lo hace por cuenta de la empresa cliente que normalmente usa este medio para permanecer en el anonimato y evitar recibir directamente curricula al ser la empresa de selección la que se encargará de filtrar al tropel de candidatos que se registran a la busca de un empleo.

En principio, una empresa de selección conoce mejor el mercado que una empresa de ese propio mercado ya que recibe información directa de los propios candidatos de las diversas empresas cuando les realiza las entrevistas de selección. Me refiero a que una parte de la entrevista sirve para que la consultora de selección pueda ir haciéndose idea de la situación de la empresa de la que el candidato quiere salir. Cuantos más candidatos tenga, más entrevistas hará y más información tendrá de las empresas de sus candidatos.

Por el contrario, una empresa está normalmente más preocupada de lo que sería su mercado interno, es decir, de la gestión de los profesionales de su propia empresa, que de estar viendo al detalle todo lo que hacen todos los competidores. Evidentemente, a los competidores hay que conocerlos, pero yo me estoy refiriendo a la selección de nuevos profesionales para cubrir un determinado puesto. Por esta razón es por lo que muchas empresas acuden a las empresas de selección para cubrir un determinado puesto, porque las empresas de selección disponen de una base de datos de potenciales candidatos de empresas de su propio sector y, muchas veces, de sus directos competidores.

Eso sí, debe quedarte claro que cuando una empresa recurre a una consultora de selección externa lo hace no sólo por evitarse el filtro de los curricula que no cumplen los requisitos del puesto buscado, sino porque primeramente no lo ha podido conseguir por sus propios medios.

Una empresa que necesita cubrir un puesto lo primero que utiliza es a su propio personal para que le proponga candidatos, o al menos lo debería hacer. De hecho es habitual que se recompense con una cierta cantidad de dinero cuando se incorpora un profesional que viene presentado por un trabajador de la empresa y ha permanecido un cierto tiempo en la empresa. Esta es una razón más que refuerza la idea ya vertida de la importancia de la búsqueda de empleo a través de la red de contactos.

Podemos acceder a puestos que se necesitan en las empresas antes de que tengan que salir publicados en el mercado visible. Es decir, está quedando claro el poder del mercado oculto de empleo, que es donde hay más oportunidades de encontrar el puesto deseado que en el mercado visible.

Por tanto, el modo de trabajo de una empresa de selección consiste en que su cliente, la empresa que necesita cubrir una vacante, le proporciona una descripción lo más detallada posible del puesto a cubrir, de las características y requisitos que debe cumplir el candidato ideal y del rango salarial que está dispuesto a pagar al futuro empleado.

De este modo queda claro que las entrevistas de una consultora de selección al candidato están totalmente enfocadas por unos parámetros claros y, dado que dispone de una cada vez mayor base de datos de curricula de profesionales en búsqueda de empleo, le permite seleccionar el mejor de ellos de una manera más eficiente que la propia empresa cliente. Y si el candidato no encaja para ese puesto pasa a dormir el sueño de los justos en su base de datos hasta que vuelva a encajar con otro encargo de la consultora de selección.

Sin embargo, en una autocandidatura mediante la cual el que busca empleo va para cubrir un puesto al que accede por una referencia de su red de contactos podría dar lugar a que en realidad no entrara en ese puesto, pero que durante la entrevista se viera la mejor idoneidad en otro área de la empresa y pasaría a entrevistarse con otra persona decisoria en esa nueva posibilidad, en vez de perderse en un mar de curricula.

Otras razones para contratar a empresas de selección son que estas pueden cubrir la vacante, en principio, en menor tiempo que la propia empresa por su mayor base de datos de candidatos y que son más imparciales y neutras en el proceso.

Si pasamos a hablar del salario que se le ofrecerá al candidato, sólo saldrá al final del proceso de selección si se trata de puestos con salarios altos, es decir, altos directivos.

Por el contrario, si los puestos son intermedios o bajos, cuanto antes saquen el tema, antes empiezan a descartar candidatos. Veremos más en detalle las entrevistas de selección en el capítulo 10.

El último factor, aunque ya citado, es que la empresa de selección oculta al candidato la identidad de la empresa hasta el último momento, dándole sólo información genérica y difusa de sus características para evitar que el candidato acuda directamente a la empresa, ya sea por la citada razón de que no desea desbordarse con curricula o bien por evitar perder la comisión que la consultora de selección cobra cuando es ella la que consigue al candidato.

El lado negativo de las empresas de selección se lo suele llevar el candidato, dado que casi nunca se contacta con él cuando ha sido eliminado de un proceso, o no se le informa de sus posibilidades de ser contratado en algún determinado sector que el candidato no hubiera seleccionado como opción en el correspondiente formulario que se rellena al darse de alta en su base de datos y que el consultor que ha analizado su curriculum lo ha detectado como una verdadera posibilidad para el profesional. Aunque no contéis con esta posibilidad si simplemente os limitáis a ser un candidato más entre los miles que acumulan en su base de datos.

Si quieres profundizar en averiguar por qué las consultoras de selección han perdido una gran parte de su credibilidad desde el punto de vista del candidato, debes leer con detalle el artículo que Pedro Rojas (citado anteriormente en el capítulo 2 de este libro por su blog "Senior Manager" - `http://seniorm.com` -) publicó en su blog original en *Blogger* (`http://blogger.com`) y cuya URL es `http://multinationalcorp.blogspot.com/2008/06/por-qu-las-empresas-de-seleccin-han.html`.

Presta especial atención al manual de ética que expone al final del artículo que aunque está orientado hacia lo que debería ser una empresa de selección, también podría ser aplicado al candidato porque éste cada vez más se postula como candidato a todo lo que pasa por delante de su ratón, puesto que es tan fácil como hacer clic el pasar a un proceso de selección ,que ya no se para ni siquiera a mirar si queda directamente excluido por no cumplir ni de lejos ni la mitad de los requisitos de la oferta.

Entiendo que desempleado se hagan intentos desesperados, pero ya hemos descrito en el capítulo 7 que es mejor hacer una lista concreta y corta de empresas objetivo y perseguir esas posibilidades con verdadera dedicación, que sembrar toda la ciudad con octavillas con tu curriculum.

Optimizando el uso de empresas de selección

Vimos en la introducción los pasos que considero necesarios para convertir el escenario descrito de una búsqueda de empleo pasiva a través de una empresa de selección en una búsqueda activa. Vamos a desarrollar un poco cada uno de los pasos.

Esta misma descripción es válida en principio para las empresas de cazatalentos o *headhunters*, aunque le dedicaremos un apartado concreto a ellas porque la forma de aproximarse no es exactamente igual, aunque sí es muy parecida en el fondo.

En realidad lo que te estoy proponiendo es que uses la misma técnica adaptada a cada tipo de empresa.

Lista de empresas de selección

Se trata de que centres tu trabajo en las empresas de selección que suelan trabajar habitualmente con el tipo de perfil en el que tú encajas o bien con las empresas del sector que te has fijado como objetivo.

En la sección de Especiales de Expansión y Empleo que puedes ver en la URL `http://www.expansionyempleo.com/estaticos/especiales/index.html` puedes acceder al especial "Quién es Quién. Recursos Humanos 2010" que en concreto te lleva a la URL `http://ue.tukiosco.es/quien-es-quien-marzo-2010` que puedes ver en la figura 8.1.

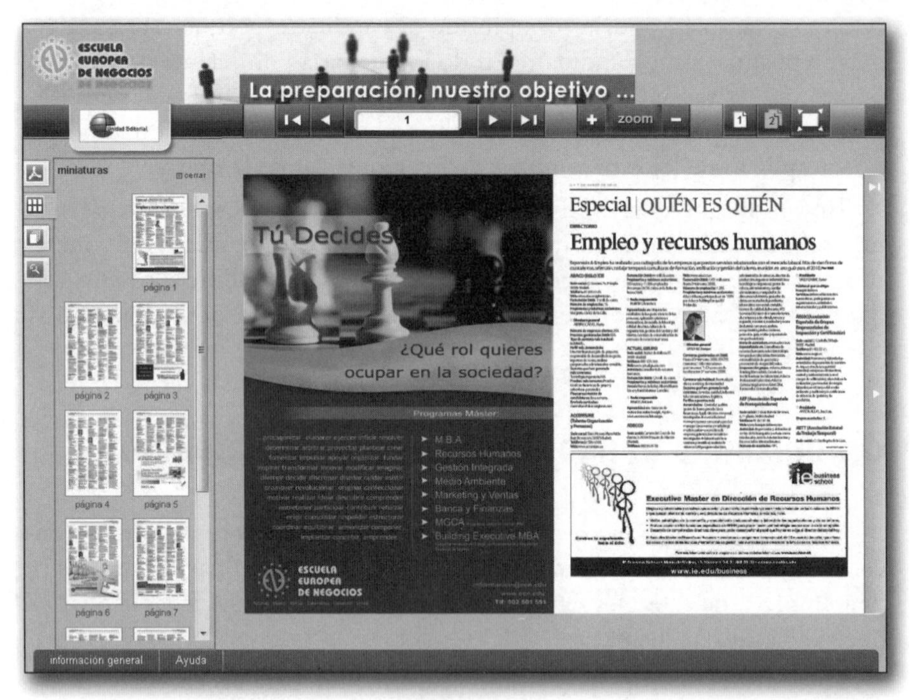

Figura 8.1.
Quién es Quién en RRHH de Expansión y Empleo.

Es un documento de 10 páginas que puedes descargar en formato PDF (para leerlo, por si no lo tienes, te debes instalar Acrobat Reader, disponible en la URL http://get.adobe.com/es/reader) haciendo clic en el icono que ves en la parte superior izquierda de la figura 8.1, justo a la izquierda de miniaturas, que es la opción que aparece desplegada por defecto en el panel izquierdo. Las otras opciones, que tienes debajo de la citada, son Tabla de Contenidos y buscar dentro de documento.

En la parte derecha de la figura 8.1 puedes ver el contenido que se comporta virtualmente como una revista al pasar las hojas haciendo clic en los pequeños triángulos blancos a ambos lados de las hojas del especial.

En la parte superior tienes el menú para ir pasando de página hacia adelante y hacia atrás de una en una (Página anterior y Página siguiente) o las opciones de ir a Primera página o Última página. También se puede hacer zoom para ampliar o disminuir el tamaño de lo que vemos o, finalmente, seleccionar Vista a una página, Libro (Book) y tener el efecto citado de pasar las hojas de una revista en papel, o verlo en Pantalla completa que realmente sólo será útil si nuestro equipo dispone de un monitor generoso en tamaño.

Mi preferencia y, por tanto, mi recomendación, es que te descargues el PDF y así lo podrás consultar en cualquier momento aunque no dispongas de acceso a la red en ese momento.

Analiza bien el apartado correspondiente dentro de la descripción de cada empresa en el que explicita el **perfil más demandado**. Y complementa dicha información con el dato de los **sectores que han generado más contratos**.

Pero sobre todo ten en cuenta que en este especial de Expansión y Empleo, tal y como puedes ver en su cabecera, encontrarás empresas que prestan servicios relacionados con el mercado laboral, por lo que debes quedarte sólo con las empresas de selección (o de cazatalentos más adelante), excluyendo al resto, que son empresas de trabajo temporal, consultoras de formación, retribución y gestión del talento.

Bueno, las de trabajo temporal las puedes también utilizar como un paso intermedio al que tengas que recurrir por imperiosa necesidad económica mientras encuentras el trabajo que realmente deseas.

En Laboris.net, en concreto en la URL http://www.laboris.net/static/guiasempresas.aspx#seccion4 puedes encontrar más empresas que añadir a tu lista para poder finalmente seleccionar las que consideres realmente interesantes. Puedes ver sus logos en la figura 8.2.

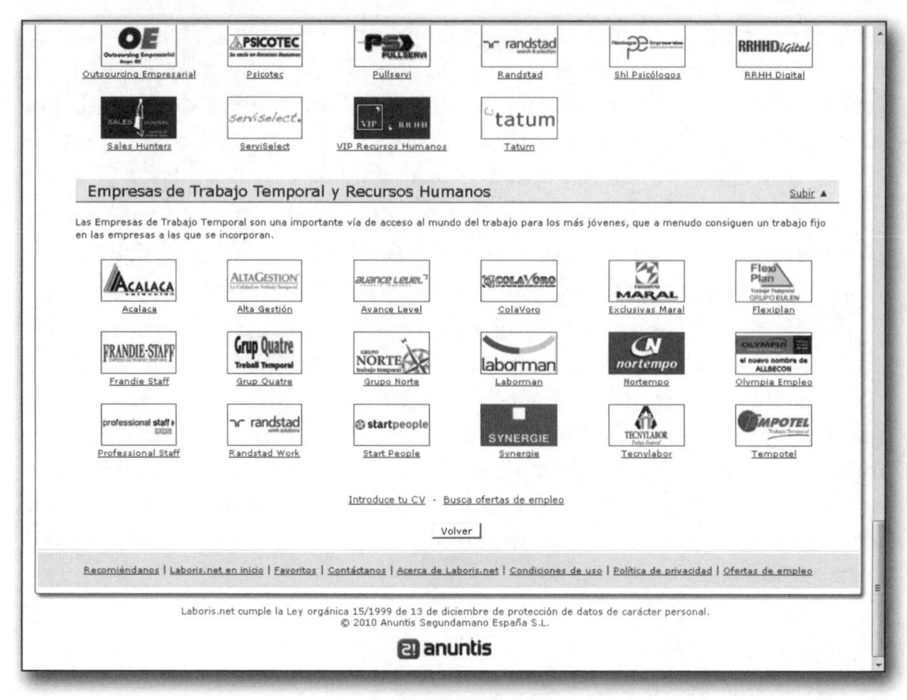

Figura 8.2.
Empresas de Trabajo Temporal y Recursos Humanos de Laboris.net.

Debajo de cada logotipo encontrarás un enlace que al hacer clic sobre él te despliega una ficha descriptiva sobre la empresa en cuestión, en donde podrás decidir si es realmente de tu interés o no.

También te ofrecen el enlace a una dirección de correo de la propia empresa o la URL que deberás escribir tú en el navegador si deseas conocerla más en profundidad. Puedes ver un ejemplo en la figura 8.3.

¿Quién es la persona responsable a la que contactar?

Una vez seleccionadas las consultoras de selección de nuestro interés, deberemos ver si en las bases de datos citadas o si en las propias páginas Web de cada una de ellas podemos localizar a la persona responsable de la selección de personas con nuestro perfil profesional o del sector que sea nuestro objetivo.

Figura 8.3.
Detalle de una empresa de selección ofrecido por Laboris.net.

Reitero la importancia, nuevamente, de la red de contactos para conseguir el dato exacto y preciso que quién es esa persona para acudir a ella directamente.

Nos puede servir para localizarla puesto que lo mismo no hemos podido hacerlo con los recursos citados o nos confirmará que realmente es la persona correcta a la que acudir.

Consigue una cita

¿Recuerdas que ya te has analizado y que sabes bien cuál es tu perfil profesional y tu objetivo laboral? Si no es así, vuelve a ver los capítulos correspondientes de este libro y ponte a trabajar en ello, que ya me estás tardando.

Teniendo claro lo que se busca y porqué hemos seleccionado a esa consultora de selección y al profesional clave correspondiente, usaremos nuestros contactos para que nos presenten por referencia y no acudamos a "puerta fría". De este modo tenemos ganado casi al cien por cien la posibilidad de entrevistarnos con quien queremos.

Si no podemos acudir por medio de referencias, debemos tener preparado un discurso rápido (algunos lo identificarían como *elevator pitch* y te recomiendo leer este artículo para saber de qué te hablo `http://angel-maria.com/2006/12/16/elevator-pitch-o-la-conversacion-del-ascensor/`) para conseguir primeramente la atención de esa persona cuando la contactemos por teléfono y a continuación le mostraremos porqué queremos hablar con él o ella.

Nuestro objetivo es que nos consideren claramente un candidato activo, con las ideas bien definidas y les demos ya el trabajo hecho de valorar en qué puestos concretos somos su candidato idóneo para cubrir la necesidad de su empresa cliente.

He dicho que lo mejor es llamar por teléfono y deberemos tratar de conseguir su teléfono directo para eliminar el filtro de la centralita que es el modo fácil que nos digan que "está reunido o reunida" y no prospere nuestro intento.

Diréis, con razón, que soy pesado, pero este teléfono directo como se consigue es a través de la **red de contactos**.

En todo caso, si no queda más remedio, deberemos comunicarnos por medios alternativos. Este libro trata de buscar empleo usando Internet, por lo que ahora debería aconsejarte enviar un correo electrónico en el que indicaras tus intenciones y porqué le va a resultar a esa persona beneficioso hablar contigo.

Pero creo que dada la proliferación de las comunicaciones por correo electrónico, una manera diferenciada puede ser enviarle una carta por correo ordinario, el del cartero de toda la vida.

En este caso deberías redactar lo que sería una carta que se suele conocer como carta de acompañamiento o carta de presentación de tu curriculum vitae, pero **NO MANDES TU CURRICULUM**.

Se trata de conseguir una entrevista personal y tras ella ya facilitarás tu curriculum para su base de datos o te darás de alta en su Web. Si tu acercamiento es idóneo es posible que no tengas que recurrir a este último paso porque esa persona clave se quede directamente con tus datos, a los que recurrirá antes que a su propia base de datos.

Deja totalmente claro lo que buscas y lo que no buscas

En la entrevista personal que consigas debes, tal como he dicho antes, hacerle fácil a esa persona clave su trabajo y especificar sin ningún género de dudas qué estas buscando, demostrando que lo buscas porque sabes que encajas a la perfección por tu experiencia profesional y por tus preferencias profesionales.

También debe quedar claro lo que NO buscas para que ninguno de los dos pierda el tiempo en un futuro intentando forzar el encaje en un puesto que no sería de nuestro agrado y que en última instancia dejaría descontento a su cliente si ve que no eras el candidato realmente ideal para lo que ellos querían.

Realiza un seguimiento mensual

Se trata de refrescar la memoria de esa persona clave cada cierto tiempo y así comprobar si nuestro acercamiento está siendo realmente tenido en cuenta para posicionar nuestro perfil profesional como primera opción en los procesos que tengan que cubrir o ver si, por el contrario, lo que empezó bien no lleva a ninguna parte.

Exige que borren tus datos

Si finalmente la cosa no da resultado, exige el borrado de tus datos explicando directamente a esa persona clave porqué te has sentido defraudado.

El borrar los datos no es un capricho. Se trata de que no comercien con ellos diciendo que tiene muchos candidatos disponibles a sus clientes cuando luego resulta que, como te ha pasado a ti que has hecho un acercamiento directo a una persona clave, no te hacen ni caso.

Si te ha pasado haciendo todo lo que has hecho, imagina lo que pasa con los curricula que residen en su base de datos.

Cazatalentos o headhunters

Ya hemos comentado que, a grandes rasgos, para aproximarnos a una empresa de caza de talentos debemos proceder de forma parecida a lo ya descrito. Pero como no es lo mismo una empresa de selección que una cazadora de talentos, debemos primero conocer un poco su método de trabajo.

Por cierto, aparte del término inglés *headhunter*, también se usa *executive search* para nombrar a estas empresas cazadoras de talentos que como primera diferencia con las consultoras de selección citadas anteriormente, trabajan preferentemente mediante contacto directo y están específicamente orientadas a ejecutivos de alto nivel, aunque hoy en día te puedes encontrar empresas que se denominan así y son casi una empresa de trabajo temporal, pero eso es otra historia.

Lista de caza talentos

Del mismo modo que hemos hecho antes, deberemos hacernos con un listado actualizado y lo más completo posible de este tipo de empresas para seleccionar, nuevamente, nuestro objetivo preferente.

Puedes remitirte primeramente a la figura 8.1 y a ese especial de Expansión y Empleo. Como segunda opción puedes completar la lista con el directorio que ofrece **CVexplorer** (`http://cvexplorer.com`) en el directorio de *headhunters* que puedes ver en la URL `http://www.cvexplorer.com/DirectorioEmpresas/tabid/83/Default.aspx` y que se muestra parcialmente en la figura 8.4.

Hay empresas de todo tipo e insisto en que filtres las que realmente sean de tu interés.

Como tercera fuente de información puedes recurrir también a la URL `http://directorios.netfirms.com/seleccion` para ampliar esta lista.

Y finalmente completa la lista con **Experteer** en la URL `http://www.experteer.es/headhunter/search` que puedes usar no sólo para ver los puestos que desean cubrir en ese portal, sino para conseguir información de la propia empresa cazatalentos.

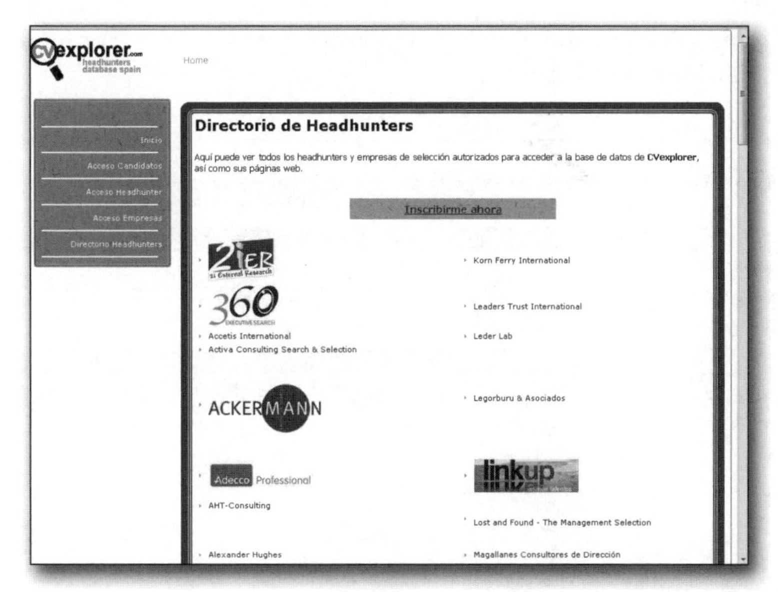

Figura 8.4.
Directorio de cazatalentos de CVexplorer.

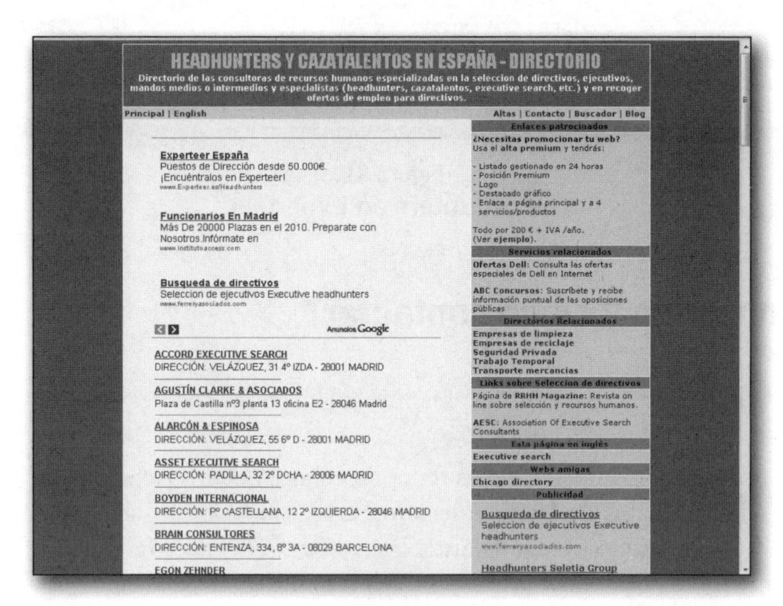

Figura 8.5.
Cazatalentos en España. Netfirms.

Como ves a la izquierda de la figura 8.6, puedes filtrar por Industrias, Área funcional o Ubicación.

Figura 8.6.
Headhunters en Experteer.

¿Con quién y cómo contactar?

Para decidir con quién deberás investigar en las fuentes citadas y confirmar bien el dato de contacto.

Sobre cómo contactar, debes tener en cuenta que los cazadores de cabezas, sobre todo los de las grandes empresas, saben identificar rápidamente el valor de quien tienen delante. Por lo tanto, no hace falta que seas tan preciso como con las consultoras de selección. En este caso debes dejar que el cazador de cabezas haga su trabajo interpretando tu mensaje según los criterios que él habitualmente maneja.

Para reforzar alguna cualidad tuya, mejor que auto halagarte debes citar la referencia de alguien relevante y de lo que esa persona opina de ti. Si el cazatalentos te considera realmente válido es muy posible que pueda contactar directamente con esa persona para refrendar tus palabras y obtener más información.

La cita, nuevamente, la debes conseguir a través de un contacto del más alto nivel posible (quizá esa persona citada antes que puede dar referencias de ti y de tu trabajo) para conseguir hablar en persona con el cazatalentos.

Como he dicho, ahora no hace falta que le dejes claro lo que buscas y lo que no porque será el cazador de talentos quien sepa en dónde encajarás incluso mejor que tú. En esta entrevista personal deberás tener claros los siguientes puntos porque son los que tratará de averiguar el cazador de talentos:

- Conoce perfectamente todos tus logros personales.
- Debes tener claro tu objetivo profesional.
- Debes poder demostrar tus cualidades directivas.
- Necesitas definir claramente tu aportación profesional al puesto que buscas.
- Debes dominar la técnica de la entrevista.
- Necesitas un curriculum vitae perfectamente redactado para facilitarlo posteriormente.

En definitiva, si estás buscando un puesto de alto nivel con un profesional altamente cualificado en identificar estos perfiles, debes poder dejarlo claro en poco más de media hora de entrevista.

Portales de empleo

Finalmente vamos a ver varios portales de empleo y también buscadores que te facilitan ofertas publicadas en varios de ellos.

En este caso estamos pasando de la búsqueda activa, que se ha citado en los casos anteriores de empresas de selección y de cazatalentos, a la búsqueda pasiva. Nos dedicaremos a ir buscando ofertas que más o menos encajen con nuestro perfil y nos apuntaremos a ellas, de la misma manera que lo hacen otros muchos candidatos.

El que haya muchos candidatos no debe desanimarte porque es muy normal que la gente seleccione cualquier cosa que remotamente pueda encajarle, con lo que si tu perfil es realmente acorde a lo que piden sí puedes resultar seleccionado. De todos modos, debe quedarte claro que no debes hacerte demasiadas ilusiones ni esperar que el trabajo de tus sueños esté publicado en un portal de este tipo, aunque también podría pasar.

Infojobs

Resulta obligatorio citar al portal líder en España para buscar empleo, Infojobs, que está en la URL `http://www.infojobs.net` y que puedes ver en la figura 8.7.

Figura 8.7.
Infojobs.net. Portal líder para buscar empleo por Internet.

Debes primero darte de alta haciendo clic en el enlace Alta candidatos gratis que puedes ver en la página principal mostrada en la figura 8.7 y que te lleva al formulario que puedes ver en la figura 8.8.

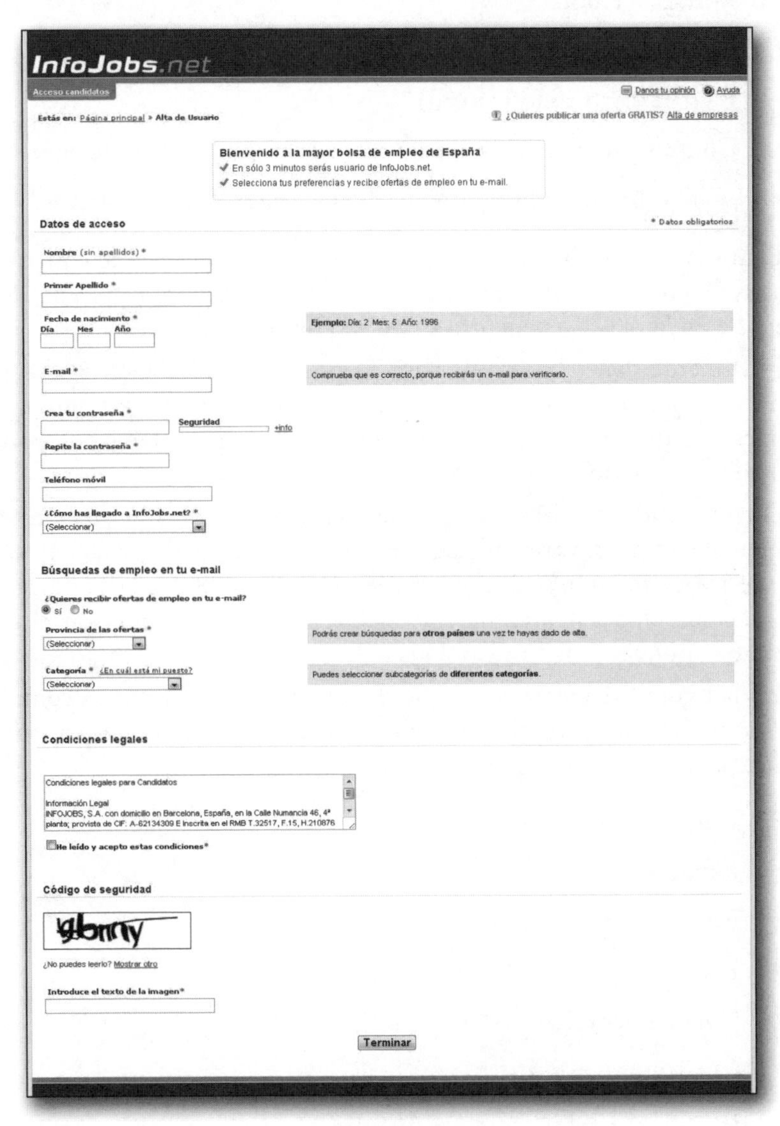

Figura 8.8.
Formulario de alta como candidato en Infojobs.

Los datos obligatorios que debes rellenar son los siguientes:

- Nombre.
- Primer apellido.
- Fecha de nacimiento.
- E-mail (correo electrónico).
- Contraseña, que debes repetir para confirmar que no te equivocas.
- ¿Cómo has llegado a Infojobs? Para sus estadísticas propias.

Después puedes seleccionar si deseas recibir las ofertas en tu correo electrónico, en cuyo caso deberás seleccionar posteriormente tu provincia y la categoría en la que se encuentra tu puesto de trabajo objetivo.

Finalmente debes hacer clic para aceptar las condiciones legales y resolver el "*captcha*", es decir, introducir el texto de la imagen para que se demuestre que eres un ser humano y no un robot que rellene automáticamente el formulario.

Una vez dado de alta, entras en la página de gestión de tus curricula, porque puedes tener varios registrados y seleccionar cual será el que envíes a la oferta que te interese. La puedes ver en la figura 8.9, en donde deberás hacer clic en Empezar a completar el CV » para pasar a rellenar el curriculum que quieres tener en Infojobs.

En la figura 8.10 puedes ver que debes realizar 8 pasos para completar la información de tu curriculum. En concreto esta figura corresponde al primer paso. Estos pasos son:

- Datos personales.
- Estudios.
- Experiencia.
- Futuro empleo.
- Conocimientos.
- Curriculum en texto.
- Foto.
- Recomendaciones.

Figura 8.9.
Panel de control de CVs en Infojobs.

Figura 8.10.
Creación de un curriculum en Infojobs. Datos personales.

En la parte inferior de cada una de las 8 pantallas (no se observa en la figura 8.10) tienes dos botones: Guardar, para ir almacenando lo que hayas rellenado, y Guardar y siguiente, para guardar e ir al siguiente paso.

En cuanto a los estudios, podrás ir añadiendo todos aquellos que quieras porque tras rellenar el formulario de la figura 8.11a y hacer clic sobre Guardar estudios te aparece el enlace de la parte derecha Añadir estudios, que ves en la figura 8.11b, donde también se van mostrando los estudios que hayas ido introduciendo. Para continuar, debes hacer clic ahora en el botón Siguiente.

Figura 8.11a.
Tu curriculum en Infojobs. Añadir nuevo estudio.

En la figura 8.12 tienes el formulario para ir completando todas y cada una de tus experiencias laborales haciendo clic en el botón inferior Guardar experiencia. Como con los estudios, esto te lleva a un listado de las experiencias introducidas y donde puedes decidir añadir experiencias profesionales o seguir completando el curriculum.

Figura 8.11b.
Tu curriculum en Infojobs. Ver estudios añadidos.

Añadir experiencia
* Datos obligatorios
No tengo experiencia laboral
Puesto *
jefe
Empresa *
empre s.a.
Fecha de inicio *
Mes Año
1 1995
Fecha de fin *
Mes Año
1 1999 Actualmente
Nivel *
Mando Intermedio
Categoría* ¿En cuál está mi puesto?
Informática y telecomunicaciones
Subcategoría *
Arquitectura
Calidad
ERP, CRM, Business Intelligence
Gestión de proyectos
Hardware, redes y seguridad
Sector de la empresa
Actividades informáticas
Salario en
Bruto/año
Salario mínimo que percibiste
6.000 €
Salario máximo que percibiste
6.000 €
No quiero que las empresas puedan ver mi salario
Personal a cargo *
6 - 10
Descripción del puesto
jefe de todo lo mandable.

Puedes introducir las experiencias en **el orden que quieras**. En el currículum aparecerán cronológicamente.
Ejemplo: Mes: 5 Año: 1996

Selecciona qué nivel ocupabas en la empresa o **el que más se parezca** a tu cargo.

Selecciona la subcategoría del **departamento** en que trabajabas.
Puedes seleccionar **varias subcategorías** manteniendo pulsada la tecla "Control".

Figura 8.12.
Tu curriculum en Infojobs. Experiencia laboral.

En la figura 8.13 puedes ver parte del formulario para definir tu futuro empleo. Debes indicar si quieres cambiar de trabajo y puedes completar un campo de texto con los motivos para cambiar (no es obligatorio). Sólo debes contestar obligatoriamente los campos marcados con un asterisco de color rojo. Puedes indicar qué puesto prefieres, categoría y subcategoría, tipo de contrato, jornada laboral, disponibilidad de cambio de residencia y para viajar, destinos preferidos, el rango salarial deseado.

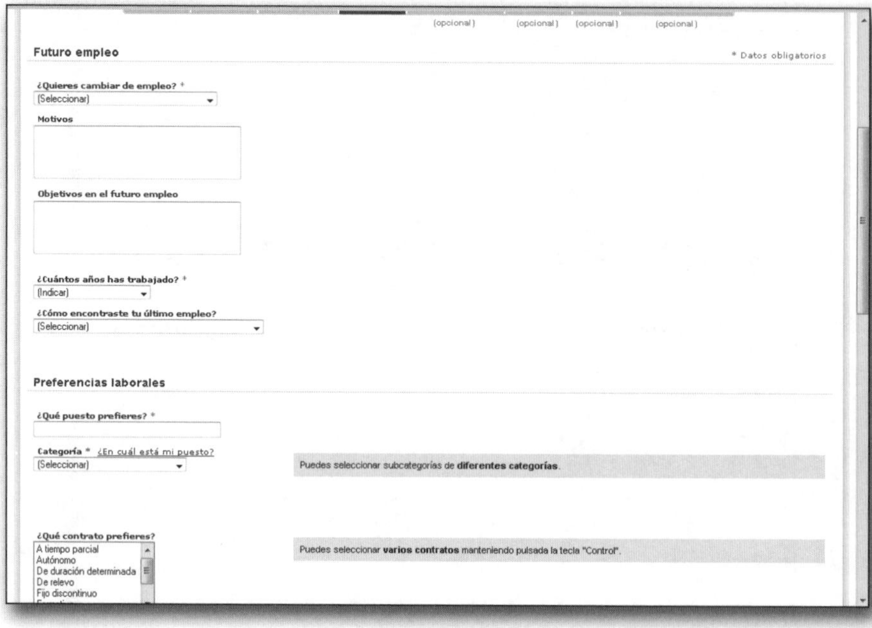

Figura 8.13.
Tu curriculum en Infojobs. Futuro empleo.

El paso siguiente es rellenar el formulario con tus conocimientos, que ves en la figura 8.14 en donde deberás buscar y seleccionar el conocimiento que corresponda. En la parte derecha de la figura 8.14 te aparecerá un formulario para completar el nivel, experiencia y última utilización de ese conocimiento junto con los comentarios que quieras incluir.

En la figura 8.15 puedes ver el paso siguiente, que consiste en poder añadir tu curriculum en texto. Es decir, no en formato habitual de Microsoft Word, sino lo que tendrías si lo creases con el bloc de notas de Windows.

Figura 8.14.
Tu curriculum en Infojobs. Conocimientos.

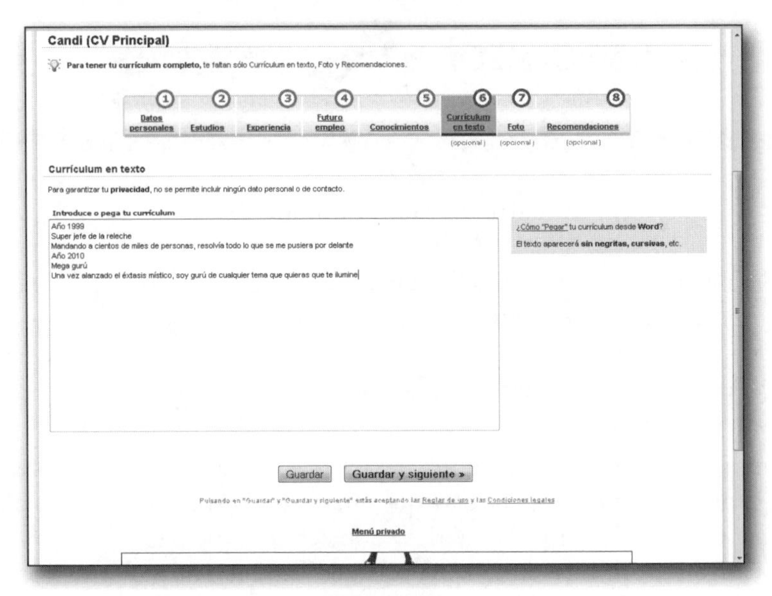

Figura 8.15.
Tu curriculum en Infojobs. Curriculum en texto.

En la figura 8.16 el siguiente paso que ves es añadir o no una foto al curriculum. Te aconsejan el tipo de foto y su formato. Tienes que aceptar su política de privacidad sobre fotos.

Figura 8.16.
Tu curriculum en Infojobs. Foto.

Finalmente, en la figura 8.17 puedes ver el último paso, que es donde pides recomendaciones o referencias sobre los puestos de trabajo que hayas ido ocupando. Debes rellenar los datos de la persona a la que le llegará un correo para redactar su recomendación y aceptar las condiciones de este servicio que fija Infojobs.

Infojobs también te ofrece un servicio de autoevaluación para realizar tests de inglés y psicotécnicos para que quede demostrado tu verdadero nivel de conocimientos y tu personalidad. Son servicios de pago disponibles en la opción Autoevalúate de tu zona privada. También ofrece otros Servicios que debes decidir si te interesa contratar o no para poder destacar como candidato. Esta medida ha sido criticada hasta en la prensa escrita porque parece que hace que predomine el candidato que más paga sobre el que más se corresponde con el puesto solicitado. De todos modos, léete bien la descripción de cada servicio porque puede merecer la pena el coste, que en realidad tampoco es muy elevado.

Figura 8.17.
Tu curriculum en Infojobs. Recomendaciones.

Te recomiendo, finalmente, que visites la sección **Recursos** donde podrás acceder a información y herramientas útiles para sacar mayor rendimiento al portal.

Ahora simplemente debes ir a la URL `https://www.infojobs.net/ofertas-empleo` o al enlace **Ofertas de empleo** que hay en la parte inferior de la página Web, para acceder a las ofertas de empleo que puedes buscar por categorías o por provincias, como ves en la figura 8.18. Tras seleccionar categoría y provincia, o viceversa, te aparecen las ofertas publicadas en el portal y podrás consultarlas haciendo clic en el enlace correspondiente, como ves en la figura 8.19.

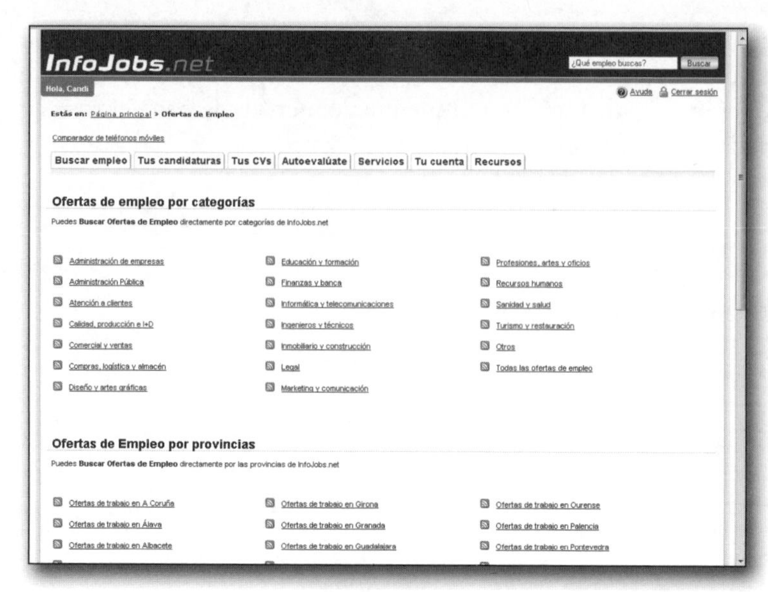

Figura 8.18.
Buscando ofertas de empleo en Infojobs.

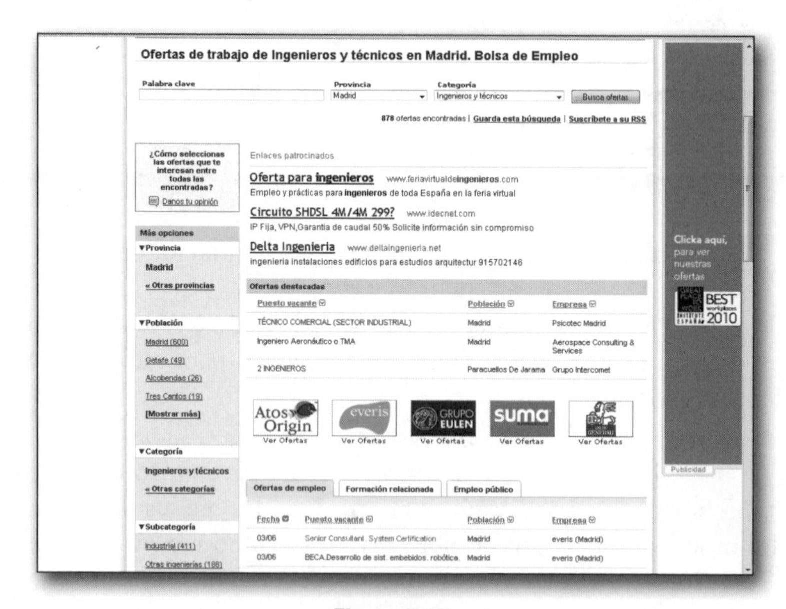

Figura 8.19.
Ofertas de empleo en Infojobs.

Hay dos secciones, la de ofertas destacadas de empresas que han pagado más para aparecer ahí y el resto que están en la zona inferior.

Tras hacer clic en el enlace de la oferta que te parezca interesante, accedes a la descripción detallada del puesto y si te parece interesante te inscribes en dicha oferta haciendo clic en el botón naranja de la parte inferior de la figura 8.20, donde dice Quiero inscribirme en la oferta. También puedes ver debajo de ese botón el número de candidatos ya inscritos en la oferta.

Una vez hecho clic en ese botón es donde decides si te inscribes con el servicio básico o el servicio premium que se ha citado como criticado en diversos medios, al pedir al candidato una compensación económica para realizar seguimiento detallado de la oferta (esto no es lo que se critica) e indicando que eso muestra tu motivación a la empresa que publica el anuncio, que es lo que se ha criticado. Quizá simplemente sea que el mensaje es poco apropiado porque en realidad lo que pagas es el seguimiento en tiempo real mediante mensajes cortos a tu móvil del estado de tu candidatura.

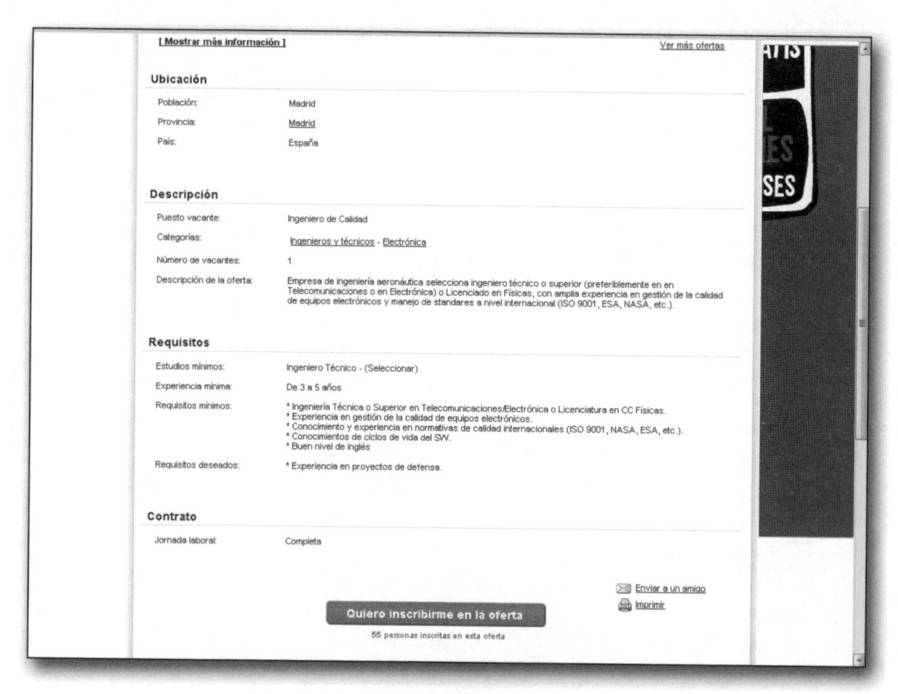

Figura 8.20.
Detalle de una oferta de empleo en Infojobs.

Tras darle a la opción que desees para finalizar la inscripción, pasas a elegir el curriculum que verá la empresa que ha publicado el anuncio.

Éste es el último paso antes de inscribirte definitivamente como candidato a la oferta seleccionada.

En la figura 8.21 puedes ver que la empresa puede incluir un pequeño formulario que le servirá para hacer una selección previa de los candidatos que se inscriban en la oferta.

En Servicios a destacar Infojobs te permite añadir una carta de presentación a tu candidatura. Si es un mensaje bien redactado puede ser determinante para que te seleccionen.

Por tanto, no dejes pasar esa verdadera oportunidad de destacar sobre el resto redactando un mensaje directo que no parezca un texto que pongas siempre para todas las ofertas.

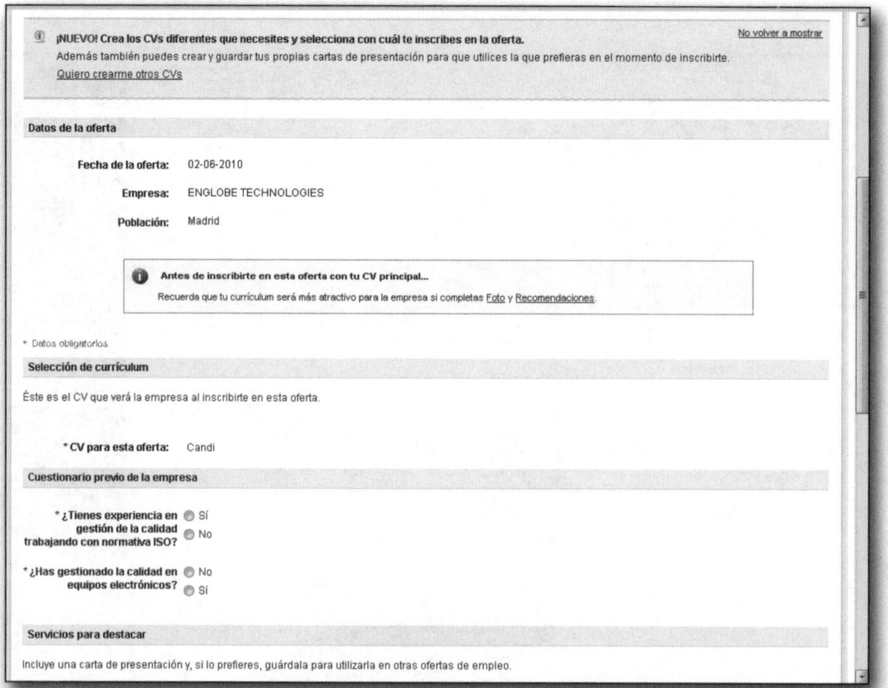

Figura 8.21.
Último paso de inscripción en una oferta de empleo en Infojobs.

Más abajo puedes decidir si contratas los servicios de seguimiento ya mencionados antes y si quieres acceder a informes sobre otros candidatos que opten al mismo puesto.

Abajo del todo tienes un destacado botón naranja, Confirma tu inscripción, para definitivamente inscribirte en el puesto que te ha parecido interesante.

Ahora a esperar a que te llamen. El tiempo para el buscador de empleo transcurre mucho más lento que para el resto de la gente. Por eso, aunque te seleccionen y te digan que contactarán contigo en unos días, pueden ser semanas o no hacerlo nunca. Este pequeño consejo es genérico y no me estoy refiriendo en concreto a cómo funciona Infojobs.

En la opción Tus candidaturas de tu menú privado podrás ver la evolución de las candidaturas a las que te hayas apuntado, tal y como se muestra en la figura 8.22.

Figura 8.22.
Tus candidaturas en Infojobs.

Otros portales de empleo

Hemos visto en detalle el proceso de alta, creación de curriculum e inscripción en Infojobs por ser éste el portal líder en España.

No vamos a desglosar con tanto detalle más portales porque la mecánica que deberemos seguir será similar y por lo tanto no aportaría gran cosa extenderse más de lo necesario.

Vamos, por tanto, a destacar simplemente algunos otros portales de empleo genéricos o específicos para algún sector.

La mejor referencia para poder localizar los más importantes la tenemos en la URL `http://ciberconta.unizar.es/enlaces/mejor/TraPor/INICIO.HTML` que mantiene Sergio Ibáñez Laborda, citado en el capítulo 2 (`http://blogempleo.com`).

Si tenemos en cuenta el número de ofertas que publican, tras Infojobs que es el líder destacado, podríamos reseñar los siguientes portales dentro del extenso listado que nos ofrece Sergio:

- `http://trabajar.com`.
- `http://infoempleo.com`.
- `http://laboris.net`.

Estos tres casos son, como Infojobs, portales generalistas con todo tipo de ofertas de diversos sectores de actividad.

En el caso de Infoempleo, que puedes ver en la figura 4.18, vimos el proceso de alta y de creación de una Web personal que podemos usar como un curriculum visible en Internet en el capítulo 4. Debemos destacar la calidad de las publicaciones que ofrecen para obtener información sobre el mercado de empleo en España, su propia guía sobre búsqueda de empleo, yacimientos de empleo o sus guías "Dices" sobre estudios universitarios, de postgrado o másteres.

Si buscamos con más detalle, podemos localizar portales de empleo específicos para algunas actividades, como por ejemplo **Animajobs** en la URL `http://www.animajobs.es`, que se trata de un portal especializado en ofertas de empleo de animación turística y que puedes observar en la figura 8.23.

Figura 8.23.
Animajobs, portal de empleo de animación turística.

Si lo que quieres es acumular experiencia internacional, entonces el portal de empleo que te puede interesar es **Recruiting Erasmus** que encontrarás en la URL `http://recruitingerasmus.com` y que puedes ver en la figura 8.24.

Si eres o has sido estudiante Erasmus deberías conocer este portal. A destacar la Guía de Empleo y Orientación Laboral 2010 que puedes consultar online en la URL `http://ue.tukiosco.es/recruiting-erasmus-2010` (accesible desde el enlace que se ve en la figura 8.24) o descargarte en PDF, una vez que estés en esa URL y de un modo similar a la, ya citada en este mismo capítulo, guía Quién es Quién en RRHH de Expansión y Empleo. Es una extensa guía de casi 200 páginas. El funcionamiento de este portal es un poco diferente de los citados anteriormente y se describe en la URL `http://recruitingerasmus.com/pages/quees` que es el destino del enlace ¿Qué es REIO? que se observa en la figura 8.24.

Figura 8.24.
Recruiting Erasmus, para buscar experiencia internacional.

Si eres un profesional de la informática, Web y multimedia, entonces el portal específico que te puede interesar es **Worketer**, que podrás encontrar en la URL `http://es.worketer.com` y que añade además características de red social a lo que es un portal clásico de empleo. Véase la figura 8.25.

Turiempleo (`http://www.turiempleo.com`) será tu portal preferido si buscas un trabajo en turismo y hostelería.

Permite además acceder a formación específica para los perfiles habituales requeridos en esos trabajos. Véase la figura 8.26.

Otro portal específico en este caso para el sector de la tecnología de la información y las comunicaciones (TIC) es **TIC-jobs** (`http://www.tic-jobs.com`), que cubre puestos para perfiles similares a los que se suelen necesitar en **Tecnoempleo** (`http://www.tecnoempleo.com`). Véase la figura 8.27.

Figura 8.25.
Worketer. Portal de empleo para informáticos.

Figura 8.26.
Turiempleo, trabajos de turismo y hostelería.

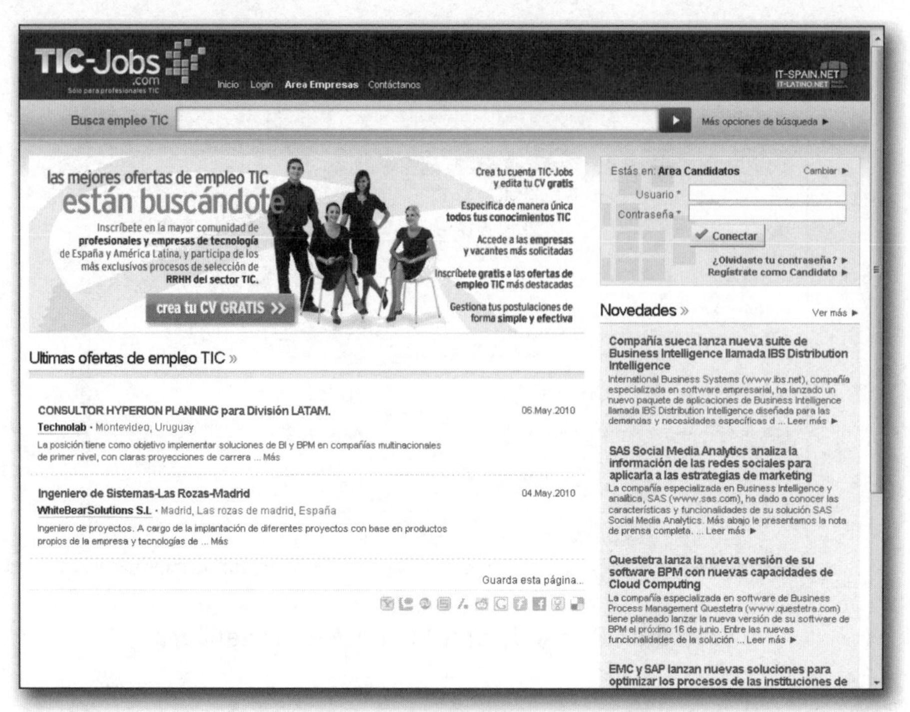

Figura 8.27.
TIC-jobs. Sólo para profesionales TIC.

Si tu idea, puesto que estamos hablando del sector TIC, es trabajar como *freelance*, es decir, como autónomo, debes leer la lista de mejores sitios online que publican en la URL `http://www.tendenciadigital.com.ar/index.php/Internet/marketing/trabajos-freelance-los-mejores-sitios-online.html`.

Otro portal TIC es Tecnoempleo (`http://www.tecnoempleo.com`), que puedes ver en la figura 8.28.

No debemos dejar de citar **Quiero empleo**, que es la red de empleo de las Cámaras de Comercio, y que encontrarás en la URL `http://www.quieroempleo.com` y que puedes ver en la figura 8.29.

Quiero empleo te permite crear una red de empleo, gestionando tu lista de colegas profesionales, o intercambiar opiniones con otros usuarios.

Ya vimos el portal hermano de este para certificar tus competencias profesionales en el capítulo 3 de este libro. Véase la figura 3.4.

Figura 8.28.
Tecnoempleo. Empleo especializado en Informática y Telecomunicaciones.

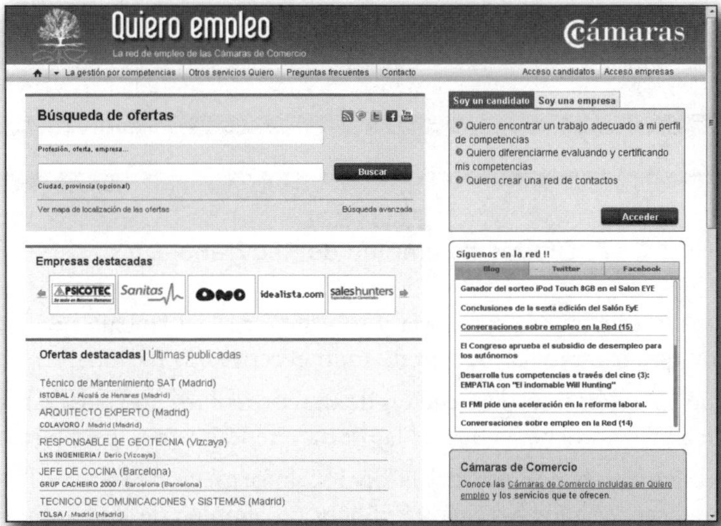

Figura 8.29.
Quiero empleo, la red de ofertas de empleo de las Cámaras de Comercio.

Red trabaja es, nuevamente la referencia final que quiero citar. Puedes buscar ofertas de trabajo en la opción Trabajo>Ofertas de trabajo, tal y como ves en la figura 8.30.

Figura 8.30.
Ofertas de empleo de RedTrabaja.

Podrás seleccionar la categoría y subcategoría del trabajo que buscas y en dónde quieres trabajar dentro de todo el territorio nacional.

Como ya explicamos la creación de un curriculum en Red Trabaja, tras darse de alta, sólo deberás buscar la oferta que te guste e inscribirte.

También nos puede ser útil la opción Información>Servicios de empleo para acceder a los Servicios Públicos de Empleo de las Comunidades Autónomas.

También ofrecen servicios de empleo las Diputaciones provinciales y los ayuntamientos.

Metabuscadores

Los metabuscadores en realidad no son un portal de empleo, sino que nos ofrecen un formulario de búsqueda donde decir qué trabajo buscamos y se nos ofrecen los datos agregados de varios portales de empleo.

Como líder destacado en este tipo de Webs se encuentra **Job Crawler** (`http://jobcrawler.info`). En la figura 8.31 podemos ver el resultado que obtenemos al introducir "teleco" en ¿Qué trabajo buscas? y "Madrid" en ¿Dónde?.

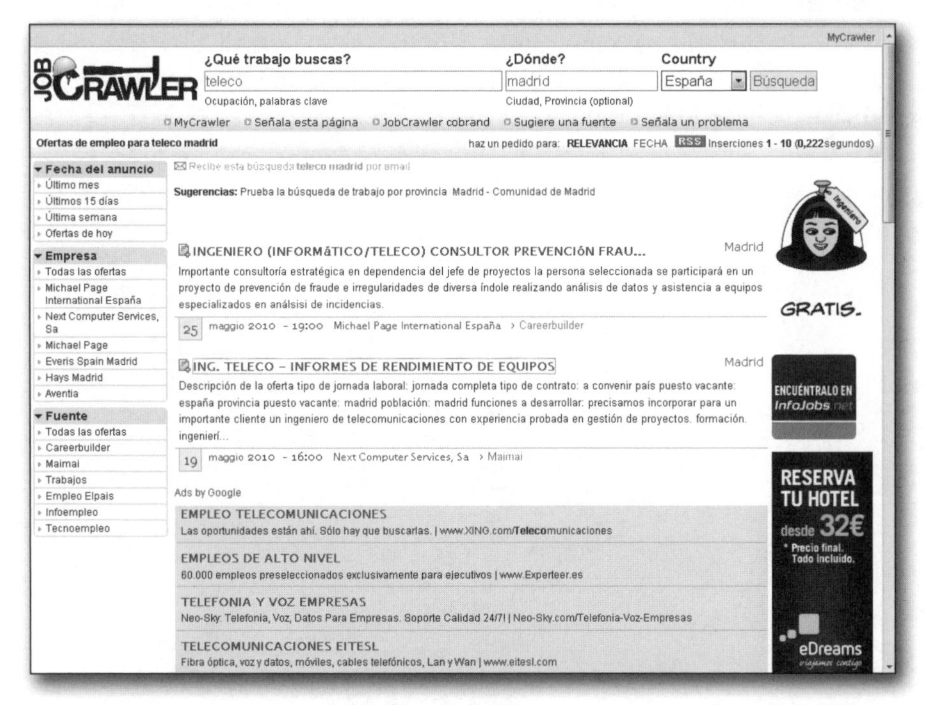

Figura 8.31.
Metabúsqueda con Job Crawler.

El primer trabajo que nos localiza en realidad pertenece al portal **Career Builder España** (`http://www.careerbuilder.es`) y el segundo se trata de un puesto publicado en **Trabajos.com** (`http://www.trabajos.com`).

Otros metabuscadores destacables son:

- `http://opcionempleo.com`.
- `http://indeed.es`.
- `http://empleo.trovit.es`.
- `http://www.empleo.com`.
- `http://es.buscojobs.com`.

Lo que debe quedar claro es que los metabuscadores facilitan el trabajo al no tener que ir por todos y cada uno de los portales buscando ofertas.

Por el contrario, para inscribirse definitivamente a cada oferta, se deberá estar dado de alta en el portal destino correspondiente o, en su defecto, proceder a hacerlo antes de poder inscribirse.

9 Redes sociales profesionales

Las redes sociales han existido desde siempre, yo diría que desde que el ser humano existe, aunque los animales también establecen sus propias redes sociales.

Según la Wikipedia (`http://es.wikipedia.org/wiki/Red_social`), "una red social es una estructura social compuesta de personas (u organizaciones u otras entidades), las cuales están conectadas por uno o varios tipos de relaciones, tales como amistad, parentesco, intereses comunes, intercambios económicos, relaciones sexuales, o que comparten creencias, conocimiento o prestigio".

Lo que está pasando claramente es que entendemos por redes sociales lo que en realidad es un servicio de red social. Es decir, una Web en la que se ofrecen posibilidades para que los usuarios se puedan conectar e interactuar entre ellos.

Ya hemos comentado que algunos portales de empleo están empezando a implementar funcionalidades de red social para facilitar la interacción de los candidatos y, sobre todo, para no perder clientela, al ofrecer información más allá del curriculum del candidato, por las relaciones que este ha establecido y las recomendaciones que ha podido obtener. Los estudios demuestran que cada vez más se buscan candidatos en las redes sociales, antes que en los portales de empleo. De hecho, hay casos extremos que si no se localiza a la persona en una red profesional, se desestima su candidatura. O al menos esta idea de que si no estás en estas redes es como si no existes parece extenderse, aunque suena más a una exageración del marketing de las propias redes. Ante todo somos personas y lo importante es usar estas redes para establecer contactos que primero serán virtuales, a través de la plataforma, pero que debes hacer que se conviertan en contactos en el mundo real. Y para eso tienes las convocatorias de eventos que se publican. Podrás establecer relaciones reales con gente que tenga el mismo interés profesional que tú. Eso es lo importante de estas redes sociales: conectar a las personas más allá de lo meramente digital.

Cada vez más, cuando una empresa necesita un candidato mira primeramente en las redes profesionales para ver si localiza gente con un perfil que sea lo que busca. Es más, utilizan la posibilidad de publicar su oferta en estas redes porque no le cuesta dinero (así lo publican en el blog, en referencia a Xing España, en `http://blog.xing.com/2009/11/publicar-ofertas-de-empleo-es-gratis-en-xing-espana/`, en donde se indica que debes ser usuario Premium -de pago-, residir en España, y solicitarlo a una cuenta de correo específica para que no te cobren la tarifa por clic habitual). En todo caso, aún pagando, les ofrece más información del candidato que en un portal tradicional, dado que estas redes profesionales cada vez integran más servicios, con lo que la información que pueden obtener de un candidato no es sólo su perfil, sino con quién se relaciona, a qué eventos y qué intereses tiene y más información, por la que puede ver directamente si la forma de actuar de esa persona coincide con la cultura de la empresa o con lo que espera de la persona que está buscando. Además puede ver claramente las referencias que tienen los candidatos o incluso no aceptar candidatos sin referencias en aquellas ofertas que publique.

Por contra, en los portales de empleo la empresa debe pagar para publicar la oferta y, con las últimas tendencias que tienen algunos portales de empleo de cobrar al candidato para destacar sobre los demás, les queda la duda de si se les ofrecen los mejores candidatos o los que han pagado por estar encima de la pila de curricula. Esto que se está criticando de los portales de empleo también ocurre en algunas redes profesionales, como por ejemplo en LinkedIn, donde puedes contratar el servicio Job Seeker Premium para destacar del resto de candidatos. Quizá la diferencia, lo que establezca que en los portales de empleo sea criticado y en las redes profesionales no, es que los primeros han sido siempre gratuitos para los candidatos, mientras que las redes sociales profesionales han tenido siempre un servicio básico gratuito y opciones Premium de pago para obtener más información o destacarse del resto.

Otra teoría sobre esta inversión de la tendencia a favor de las redes sociales profesionales es que en tiempos de crisis hay menos gente que se inscribe en portales de empleo para buscar un trabajo mejor por la incertidumbre del mercado. Unido a esto, los reclutadores pueden afinar más la búsqueda de candidatos con las redes sociales profesionales que con los portales de empleo.

En las redes sociales profesionales empezaron primero inscribiéndose gente con perfiles muy cualificados que no se inscribían en los portales de empleo generalistas. Esto ha propiciado que **cada vez más las empresas cazatalentos y de selección se fijen más en estas redes para buscar candidatos** a sus clientes finales.

Ahora se está generalizando su uso, no sólo viéndose una entrada masiva de perfiles directivos en estas redes, sino de todo tipo de perfiles. En el caso de los directivos no es realmente porque lo usen como lanzadera para un nuevo trabajo, sino como **escaparate profesional cualificado** para dar relevancia a su perfil y a su empresa, ya que las empresas también tienen su página profesional en estas redes e incluso crean grupos para promover intercambio de opiniones.

Con este panorama, queda claro que se debe hacer uso de las redes sociales profesionales no sólo para estar en ellas por estar, sino para poder estar posicionados como un profesional destacado que sea atractivo para quien busque un candidato para una vacante. Y esto se consigue **participando y compartiendo**.

Si no rellenas completamente tu perfil, si no respondes a los mensajes que recibas, mejor que no estés. Y si te dedicas simplemente a vender, a decir sólo que lo tuyo, que tu producto o tu empresa es bueno o lo mejor, verás que no vendes ni una escoba. Las cosas han cambiado y quien se dedica a esta actividad y no a compartir experiencias y conocimientos no acaba formándose una buena imagen en este tipo de redes.

Eso sí, debe quedarte claro que no es llegar, poner el perfil y encontrar empleo. Se trata de que vayas tejiendo tu red, enriqueciendo tus contactos (y esto vale igualmente para el mundo real) y tener la red disponible para cuando la necesites para algo. En el caso de la búsqueda de empleo, como ya has hecho el análisis y has decidido lo que quieres buscar, puedes empezar a usar la red de contactos profesional para averiguar las personas clave en tu empresa objetivo.

Tienes un objetivo claro y tienes un mensaje claro que transmitir. Así, si para contactar con una persona lo haces pasando a través de tus contactos, estás dando la oportunidad de que vean que la petición tiene sentido y así vayan pasando esa petición hasta el destinatario final. Sin este mensaje claro podría pasar que un contacto intermedio que no te conoce a ti pero sí al destinatario no vea claro que seas interesante para este y rechace transmitir la petición.

Pero hay otros modos de contactar directamente con la gente, sin necesidad de tener una cuenta de pago. De hecho yo no tengo cuenta de pago en ninguna red profesional y en el caso de LinkedIn tengo más de 500 contactos (es la primera que empecé a usar y a la que presto más atención). Ya lo iremos viendo. Pasemos primero a dar unas pautas más concretas que las generalidades aquí apuntadas sobre cómo usar estas redes profesionales para buscar empleo. Después nos centraremos en describir todas las posibilidades de las dos redes profesionales principales, al menos en España: LinkedIn (`http://linkedin.com`) y Xing (`http://xing.com`). También hay otra red profesional que uso, Viadeo (`http://viadeo.com`) que citaré, aunque más brevemente, para acabar de completar el panorama.

Hay otras redes con muchos más miembros en España que estas que cito. Me refiero a Facebook o a Tuenti, pero no son lo que se conoce habitualmente como redes profesionales.

Aún así, Facebook es un caso especial porque dado el enorme número de usuarios que tiene, es un arma efectiva (usada adecuadamente) para que las empresas hagan marketing y para otras muchas más aplicaciones profesionales y de empresa que, si quieres conocer en detalle, te recomiendo el libro publicado al respecto por esta misma editorial en esta colección.

Buscar empleo en las redes profesionales

En realidad es lo mismo que ya he contado antes. Dijimos que primero te analizas y decides qué trabajo es el que quieres buscar. Después seleccionas las empresas donde puedes encontrar ese trabajo, o las empresas de selección o *headhunters* que cubran esos puestos, y finalmente localizas a la persona que decida sobre el puesto que quieres, lo que implica en la mayoría de los casos evitar el filtro del departamento de "Recursos" Humanos (entrecomillo recursos porque es un término francamente inapropiado ya que somos profesionales y no la silla en la que nos sentamos, que eso sí es un recurso).

Sí, la teoría suena fácil, pero es así de simple. Evidentemente, **conseguir el objetivo es cuestión de planificarse bien y de trabajar**, no de diseminar curricula por todas partes a ver si alguno "germina" en algún sitio. **Todo este proceso requiere tu esfuerzo y dedicación y tener mucho aguante ante la facilidad con que cunde el desánimo cuando se busca trabajo desde el desempleo.**

Veamos a continuación varios puntos importantes que hay que tener en cuenta:

1. En la red de contactos profesional puedes llevar a cabo este proceso localizando empresas ya sea usando el buscador, como veremos en su momento, o buscando profesionales que ocupen el puesto que buscamos o que su perfil sea interesante para ese puesto, de modo que podemos ver en qué empresa está trabajando. No se trata de quitarle el empleo a nadie, sino de buscar patrones similares al que deseamos para obtener información.
2. También puedes analizar a qué nuevas empresas se han ido quienes estuvieran antes en la tuya y así detectar posibles empresas o sectores que no hubieras tenido en cuenta. O mirar los perfiles de quienes acaban de entrar en las empresas de tu lista objetivo y, analizando su trayectoria anterior, determinar qué características podrían ser las que más parecen gustar en esa nueva empresa. Completa la información viendo la página que tenga la empresa en esa red profesional o en su propia página Web. Si tú las reúnes, corrige la redacción de tu perfil para destacar esas características deseables.
3. O incluso mejor, trata de establecer contacto con quienes hayan entrado y así conseguirás información fresca de su forma de seleccionar a los candidatos o de si lo que tú buscas sigue disponible o si podría ya haber quedado cubierto ese puesto, aunque esto no debería ser obstáculo para que lo intentases.

4. Si de este modo consigues una entrevista, aunque sea a sabiendas de que no vas a obtener el trabajo, siempre será una experiencia que ganas en hacer entrevistas y así estarás mejor preparado para cuando tengas una en la que sí haya una verdadera vacante que cubrir. Esto lo veremos más en detalle en el capítulo 10.

5. Lo que nos interesará de las redes sociales profesionales será, sobre todo para acelerar la difusión de nuestro perfil por otras personas, buscar grupos en los que hablen de temas en los que al participar podamos demostrar nuestro conocimiento en ese área. De este modo nos iremos posicionando profesionalmente. Además, compartiendo grupos se puede añadir a tu red a otros miembros del mismo grupo.

6. También podemos acudir a la sección de preguntas y respuestas, o de expertos según la red, para lograr el mismo propósito. Se trata de dar respuestas meditadas, que demuestren capacidad de análisis o verdadero conocimiento del problema que se trate.

7. Para completar la calidad de nuestro perfil deberemos pedir recomendaciones. Esto es, que gente que haya trabajado contigo o te conozca escriba una recomendación sobre ti. Es fácil pensar que esto consiste en peloteo mutuo, que algo de eso hay, pero pide que sea una opinión sincera porque si no, cuando un seleccionador vea tu perfil si sigue investigando puede acabar viendo mucha más información tuya que haya por la red y ver que esa recomendación es falsa y creada por un amigo, lo que te eliminaría de su proceso, del mismo modo que te eliminaría en una entrevista en persona descubrir una mentira en tu curriculum.

8. También debes ver qué eventos sobre tu sector objetivo se celebran y quienes participan. Es la mejor ocasión de establecer contacto directo en persona con tu potencial futuro empleador. En esos eventos puedes conseguir la tarjeta de alguien (el que tú estés desempleado no significa que no tengas tarjeta, por lo que vete pensando en hacerte una) y de ese modo puedes posteriormente agregarle a tu red usando el correo electrónico que te ha facilitado en su tarjeta. Aprovecha ese momento en el que estableces contacto para recordar lo hablado, o agradecer los consejos que pudieras haber recibido de

él o para posteriormente pedirle que te oriente de por dónde podrías redirigir tus pasos de búsqueda, transmitiéndole lo que buscas.

9. Y sobre todo, y lo quiero dejar muy claro, ya que estás haciendo uso activo para que se conozca tu perfil, éste **debe estar completo al máximo posible**. Usa las aplicaciones que ofrecen estas redes sociales para integrar otros contenidos, como presentaciones, videos, artículos de un blog que empieces a escribir para hablar de tu especialidad o experiencia profesional o *tweets* (pero no todos, sólo los interesantes, ya veremos cómo). Harán que tu perfil sea más interesante como fuente de información de calidad (porque se trata de que te ocupes de seleccionar bien lo que aparece en tu perfil).

10. Empieza a crear tu red de contactos con tus contactos habituales de tu correo, tus familiares y tus amigos y conocidos directos. Verás que son más de los que te pensabas al principio. Después, a través de éstos, y con un mensaje claro (tal y como comentamos en la introducción), empieza a hacer crecer tu red de contactos. Verás que pronto puedes llegar a contactar con mucha gente y llegar a donde no pensabas que podrías llegar.

LinkedIn

Vamos a ver ahora en concreto el uso de la red profesional líder en el mundo, con más de 65 millones de usuarios en todo el mundo y más de 1 millón en España, muy cerca ya del líder en España, que es Xing con 1,2 millones de usuarios.

Dándonos de alta

Para darnos de alta en LinkedIn debemos ir a su página principal en `http://linkedin.com`, que se puede ver en la figura 9.1.

Si quieres, puedes ver una breve descripción de lo que es LinkedIn en la opción ¿Qué es LinkedIn? del menú superior que ves en la figura 9.1.

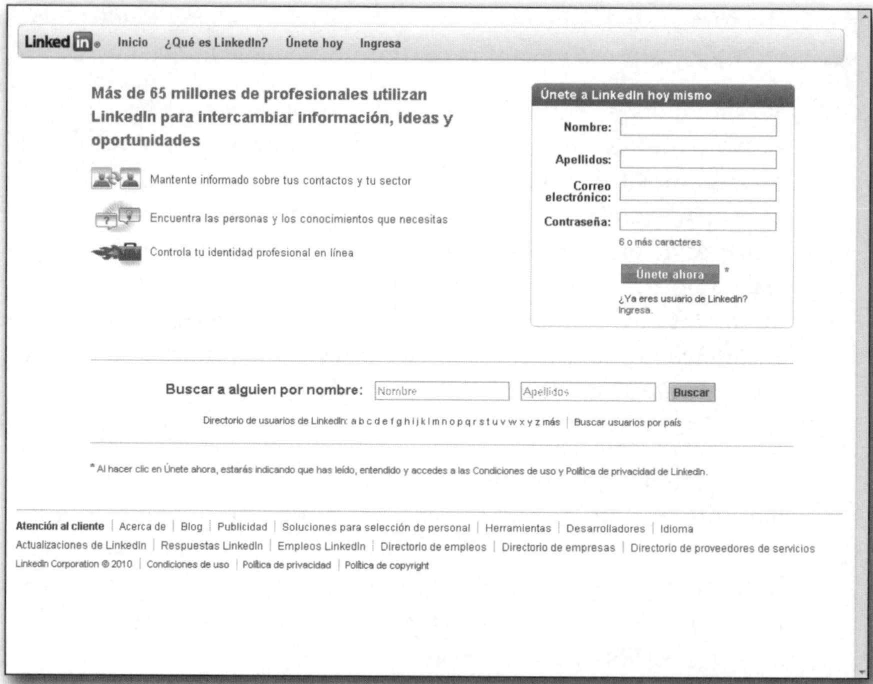

Figura 9.1.
Página de bienvenida de LinkedIn.

Si ya eres usuario, y no has entrado directamente a la red porque tu navegador haya perdido la información necesaria (es lo que se denomina técnicamente *cookie* y es un pequeño fichero que guarda tu navegador para que la Web te reconozca como usuario), deberás usar la opción Ingresa del citado menú superior para pasar a una pantalla donde introducir nuestra dirección de correo electrónico con la que nos hemos registrado y la clave.

También disponemos del enlace ¿Has olvidado tu contraseña? para poder pedir que nos envíen un enlace especial con el que poner una contraseña nueva a nuestra cuenta.

Si quieres darte de alta puedes usar la opción Únete hoy del menú superior, que te lleva a un formulario donde introducir Nombre, Apellidos, Correo electrónico y Contraseña. Si te fijas, es exactamente lo mismo que ves en la parte derecha de la figura 9.1, en el recuadro Únete a LinkedIn hoy mismo.

Como recomendación, no uses el correo electrónico de tu empresa, sino uno tuyo privado. Como será el correo que vean tus contactos, procura que sea de aspecto lo más profesional posible. Me refiero a que si tu cuenta es `pepitin_123456788@correo.com` darás mejor imagen si te creas otra más neutra, como `nombre.apellido@serviciodecorreo.com`. Puedes usar GMail, Yahoo, Hotmail o cualquier otro proveedor.

Mejor opción todavía puede ser comprar tu propio dominio y utilizar tu cuenta personal. O sea, `nombre@apellido.com`, por ejemplo.

Cuando completes el formulario, haz clic en el botón verde Únete ahora o Únete a LinkedIn, según en la pantalla que estés.

Recibirás un correo electrónico en la cuenta indicada con un enlace para verificar dicha cuenta.

Cuando hagas clic sobre ese enlace, te llevará a la página que ves en la figura 9.2, donde debes hacer clic en el botón **Verificar**.

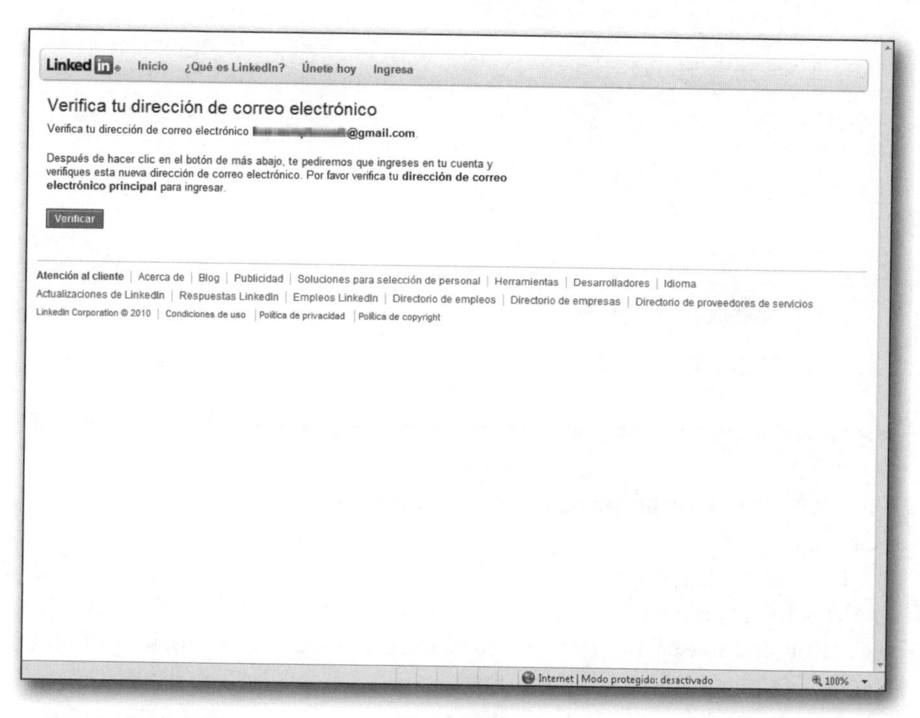

Figura 9.2.
Verificación de correo electrónico principal en LinkedIn.

Tras este paso, nos aparece un formulario donde introducir la clave de la cuenta que hemos creado (la dirección de correo aparece autocompletada), y hacer clic en **Ingresa** para que nos confirme que ha verificado la dirección de correo y nos ofrece la posibilidad de importar los contactos de nuestro correo electrónico para invitarlos a nuestra red. Es el formulario que vemos a la izquierda de la figura 9.3, donde nos está pidiendo la clave de la cuenta de correo y que hagamos clic en **Continuar**. Veremos este proceso posteriormente.

Figura 9.3.
Correo principal confirmado en LinkedIn.

En esta figura 9.3, una vez que ya has confirmado tu correo principal podrías ir a la opción Perfil del panel superior, que cuando sitúas el cursor del ratón encima te muestra un menú desplegable con las opciones Editar perfil, Ver perfil y Recomendaciones.

Sin embargo, cuando hicimos clic en el formulario correspondiente citado de la figura 9.1, y si nos olvidamos de este necesario proceso de verificación del correo electrónico, pasamos a la pantalla que puedes ver en la figura 9.4 y que nos permite empezar a rellenar nuestro perfil profesional.

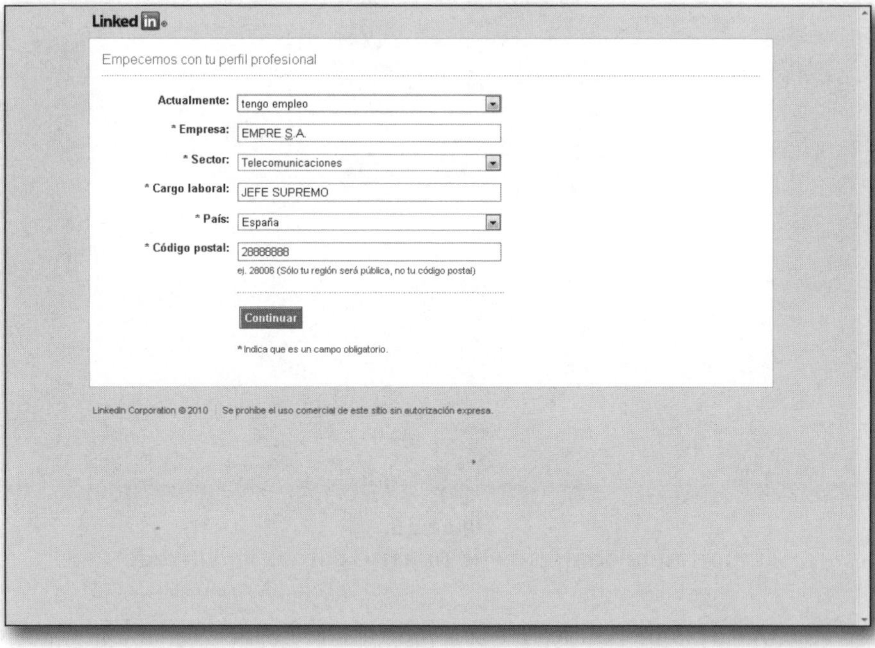

Figura 9.4.
Comenzando a rellenar el perfil tras crear la cuenta de LinkedIn.

Aquí podemos decir si estamos trabajando (opción seleccionada por defecto en el primer campo del formulario), si eres el dueño de la empresa, si buscas trabajo, si eres autónomo o si eres estudiante. Los otros campos permiten indicar el nombre de nuestra empresa (nos servirá para poder ponernos en contacto directo con compañeros), el sector, cargo laboral, país y código postal. Haremos clic en Continuar una vez completada la información.

Respecto a la posibilidad de poner que se busca empleo, puede hacerse, aunque otra opción es decir que se es un profesional independiente, ya sea indicando que eres propietario de empresa o autónomo.

Ahora pasamos a una página en la que nos proponen averiguar a quién conocemos en LinkedIn y que vemos en la figura 9.5.

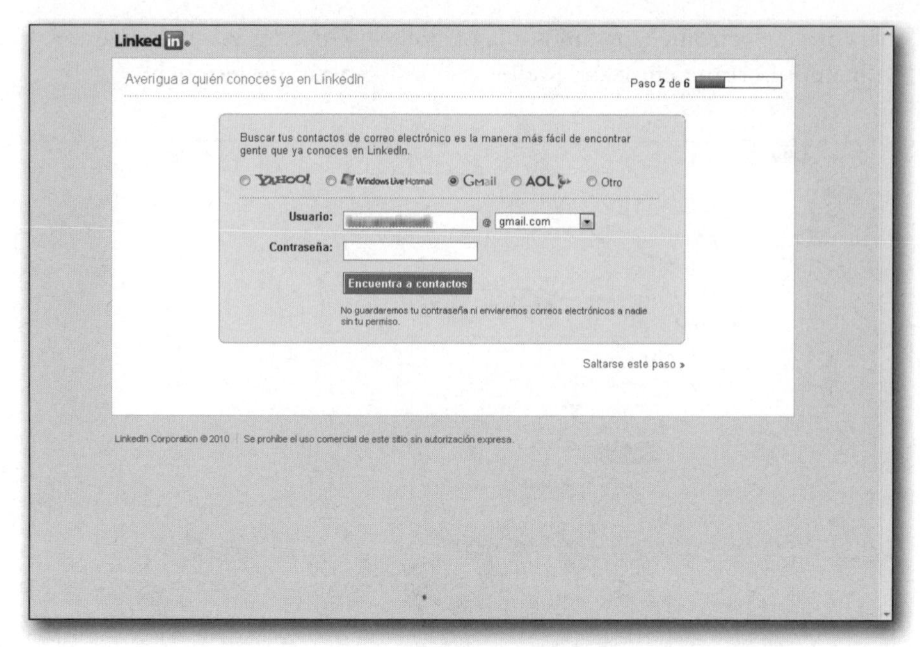

Figura 9.5.
Importando contactos de nuestro correo en LinkedIn.

Podemos ver que por defecto nos pide la clave para acceder a la libreta de direcciones de nuestro correo dado de alta como principal. Los servicios de correo de los que podemos importar contactos son Yahoo!, Hotmail, GMail, AOL u Otro, que nos ofrecerá un menú desplegable de proveedores de correo con los que puede trabajar la importación de contactos de LinkedIn. Cuando hayamos seleccionado el servicio y la cuenta de correo con su clave, haremos clic en Encuentra contactos. Nos saldrán los contactos que ha importado y decidiremos y seleccionaremos a los que queramos invitar a ser contactos nuestros en LinkedIn.

También puedes dejar este paso para más adelante haciendo clic en el enlace inferior de la figura 9.5 Saltarse este paso.

Los contactos que encuentre en tu dirección y que los reconozca como usuarios de LinkedIn te aparecerán, tal y como se ve en la figura 9.6, para que decidas con quién te gustaría conectar. Por defecto te deja seleccionados a todos los contactos identificados. Revisa bien a quién vas a pedir contacto por, si no lo crees interesante, descartarle antes del envío.

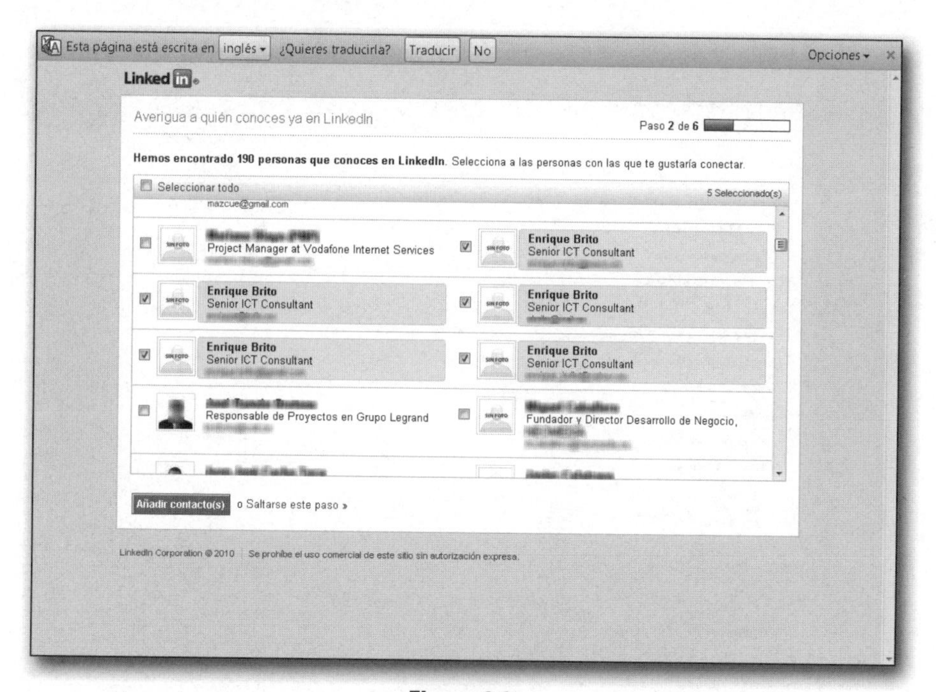

Figura 9.6.
Selección de contactos a conectar en LinkedIn.

Fíjate en la figura 9.6 que yo aparezco 5 veces y es que el sistema ha ido asociando a mi perfil todas las cuentas que tengo, ya sea por haberlas dado yo de alta en la red o porque alguien haya usado cualquiera de ellas para invitarme a conectarme a su red. En este caso, estaríamos cometiendo el error de mandar 5 invitaciones a la misma persona.

Por tanto, deberíamos dejar seleccionada sólo una dirección. Es decir, antes de recurrir a lo fácil de dejar marcado todo y enviar un montón de correos que nos pueden dejar mal por ser repetitivos, selecciona bien la lista de destinatarios.

Finalmente, haces clic en el botón inferior Añadir contacto(s) y el sistema enviará la invitación correspondiente.

Con esto pasamos al paso 3 de 6, tal y como vemos en la figura 9.7, en donde se nos ofrecen el resto de direcciones que ha encontrado en nuestra agenda de contactos del correo electrónico y que todavía no están en LinkedIn.

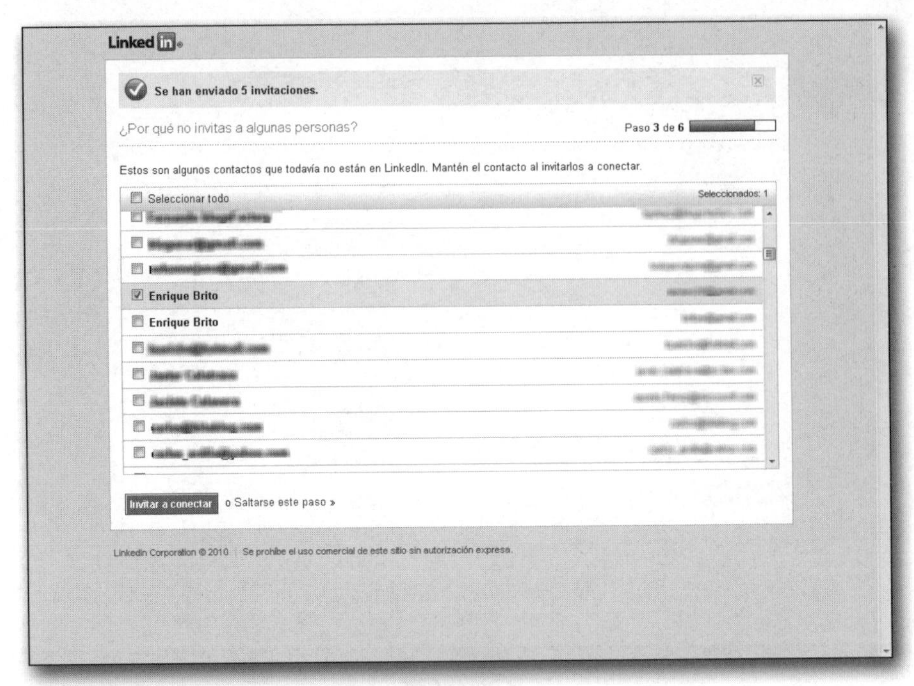

Figura 9.7.
Seleccionar a quién invitar a darse de alta en LinkedIn y ser nuestro contacto.

Seleccionamos a quién queremos que el sistema le envíe invitación y vuelve a fijarte bien. Si es una persona con uso intensivo de la red, puede volver a aparecer. En la figura 9.7 hay otras 2 direcciones de correo que son mías (aunque éstas no las uso habitualmente).

Pasamos a la pantalla del paso 4, donde LinkedIn nos pone unos perfiles por si conocemos a alguno poder invitarlos. En el peor de los casos, aunque no conozcamos a ninguno podemos invitarles indicando que son las sugerencias que nos ha hecho el sistema. Por defecto, salvo que sepas que tu interlocutor habla tu idioma, en LinkedIn se usa el inglés como lengua de comunicación.

Tú puedes decidir tener los menús de LinkedIn en varios idiomas, así como poner también tu perfil en varios idiomas. En mi caso, yo tengo un perfil en español y otro en inglés que reflejan lo mismo, pero podría ser interesante que el perfil inglés sea algo distinto si estás buscando irte al extranjero y quieras destacar algo diferente de lo que te sea útil en el mercado laboral nacional. En el paso 5 se nos ofrece un formulario donde incluir libremente direcciones de correo de gente que conozcamos, separadas por comas, y pasar a invitarles a ser nuestros contactos en LinkedIn.

Finalmente, llegamos al paso 6 que ves en la figura 9.8 donde decides si quieres una cuenta Premium o Básica (gratuita). Yo uso y recomiendo que empieces con la gratuita.

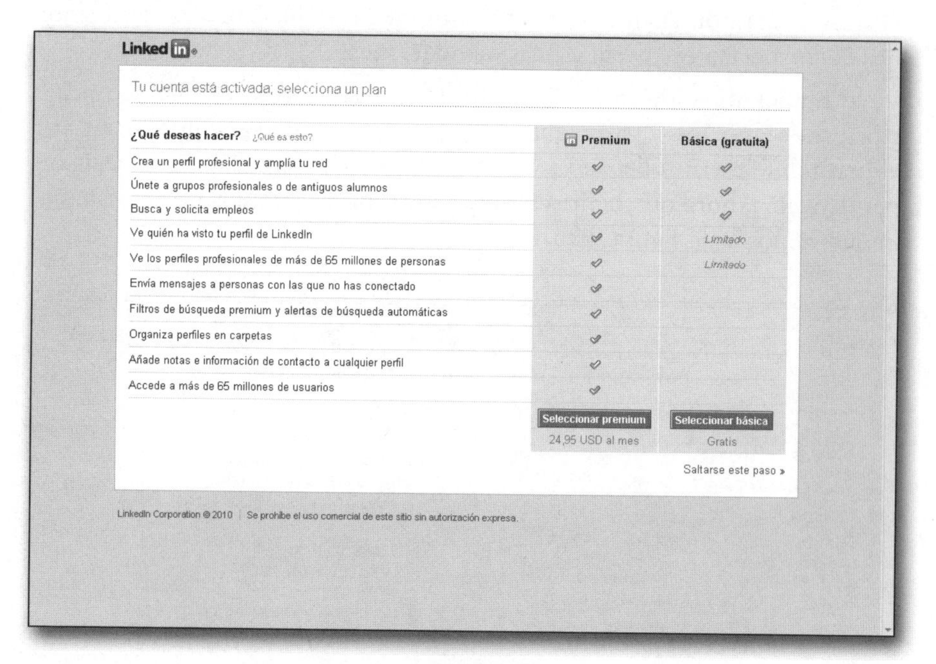

Figura 9.8.
Elección del plan de usuario en LinkedIn.

Ya te has dado de alta y rellenado lo básico de tu perfil. Te aparece una página como la de la figura 9.3, pero esta vez el mensaje de validación del correo ha sido sustituido por un enlace que, aunque no lo parece, es publicidad. Otra pequeña diferencia que notarás es que en la parte inferior ahora te aparecen personas que puedes conocer porque el nombre de su empresa considera el sistema que es el tuyo (en mi caso, he dado de alta un perfil falso indicando que soy de la empresa "EMPRE S.A." y me propone gente desconocida porque la dirección de su correo es `correo@empre.algo`;

es decir, coincide el nombre "EMPRE" con la parte de su dominio "empre". En un caso real, aparecerá gente de tu verdadera empresa).

Completando el perfil

Como vimos antes, en la opción Perfil del panel superior, cuando sitúas el cursor del ratón encima te muestra un menú desplegable con las opciones Editar perfil, Ver perfil y Recomendaciones.

Si hubiéramos ido desde la confirmación del correo electrónico principal, sin seguir los 6 pasos que propone el sistema para empezar a crear el perfil, hubiésemos llegado a lo que vemos en la figura 9.9a, es decir un perfil vacío. Ahora que hemos seguido los 6 pasos guiados por el sistema, lo que vemos es la figura 9.9b.

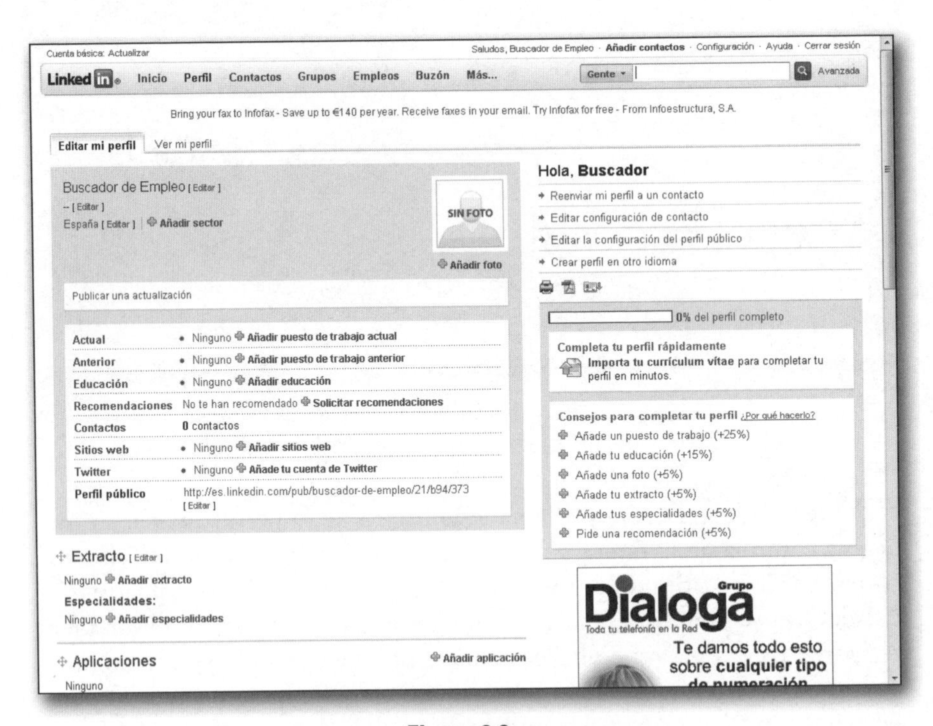

Figura 9.9a.
Editar perfil de LinkedIn (vacío).

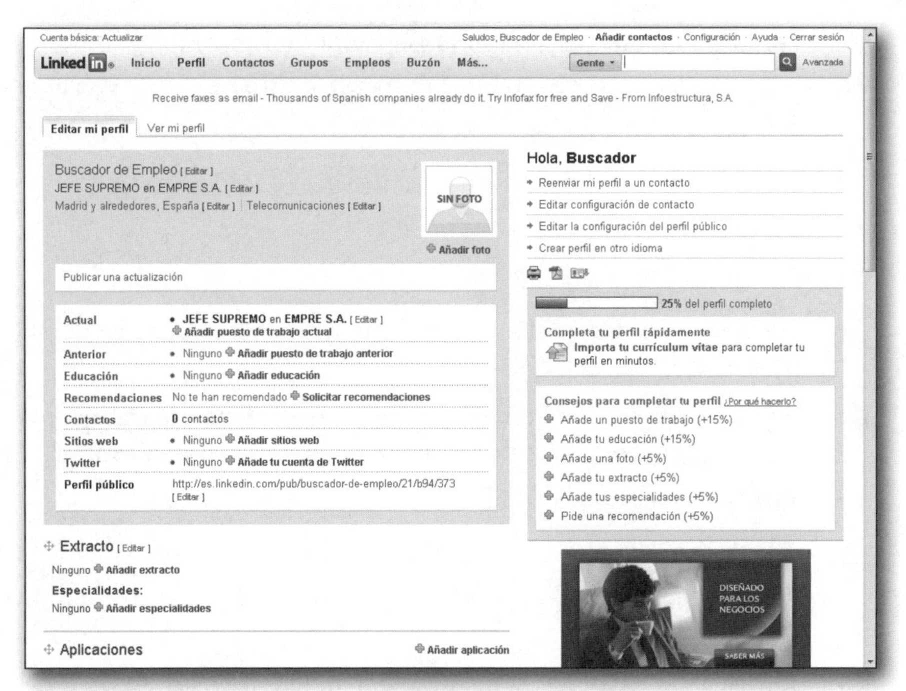

Figura 9.9b.
Editar perfil de LinkedIn (perfil básico inicial).

Lo primero que debemos incluir es la foto. Y debe ser una foto seria. No vale ni un dibujo, ni ninguna foto con efectos sicodélicos (como los que se usan a veces en las cuentas de Twitter), ni una que recortes de un grupo, ni una en la que se te ve a lo lejos y no se te reconoce. Es decir, una foto de traje y corbata, si eres hombre, o con un traje que no pueda considerarse "atrevido" en una mujer (y no me vengáis con machismos o igualdades, porque me refiero a dar una imagen profesional y no una informal, que te vale para otro tipo de redes de contacto, pero no para una profesional) y que se te vea bien. El ejemplo, es una foto hecha para el pasaporte o el DNI.

La opción Ver mi perfil te muestra cómo ve tu perfil una persona que está dentro, es decir que ha hecho *login*, de LinkedIn. Es diferente del perfil público, que configuraremos haciendo clic en el enlace Editar la configuración del perfil público que se puede ver a la derecha de la figura 9.9b.

Para completar todo el perfil o editar todo el perfil, tenemos las siguientes opciones que vemos en la figura 9.9b:

- Nombre (en este perfil falso es Buscador de Empleo).
- Cargo y empresa (en el ejemplo: JEFE SUPREMO en EMPRE S.A.).
- Ubicación.
- Sector.
- Fotografía.
- Publicar una actualización (decir en un mensaje corto lo que se está haciendo).
- Editar y/o añadir un puesto de trabajo actual. (Se puede trabajar por cuenta ajena y ser socio de una empresa, por poner un ejemplo).
- Añadir puesto de trabajo anterior (tantos como quieras).
- Añadir educación.
- Solicitar recomendaciones (ya se ha comentado sobre este punto anteriormente).
- Añadir sitios Web (el de tu empresa y tu blog por ejemplo).
- Añade tu cuenta de Twitter (`http://twitter.com`).
- Personalizar el perfil público (para no tener un enlace codificado como el falso perfil que he creado `http://es.linkedin.com/pub/buscador-de-empleo/21/b94/373`, sino uno personalizado como el mío propio `http://www.linkedin.com/in/ebrito/es`).

En la parte derecha de la figura 9.9b, debajo del saludo Hola Tu Nombre, tienes las siguientes posibilidades:

- Reenviar mi perfil a un contacto: esto te lleva hasta un formulario para introducir la dirección de uno de los contactos que tengas en LinkedIn.
- Editar configuración de contacto: donde primeramente nos volverá a pedir la contraseña de la cuenta, por seguridad, y posteriormente nos muestra las opciones que deseamos configurar para que nos encuentren. Véase la figura 9.10.

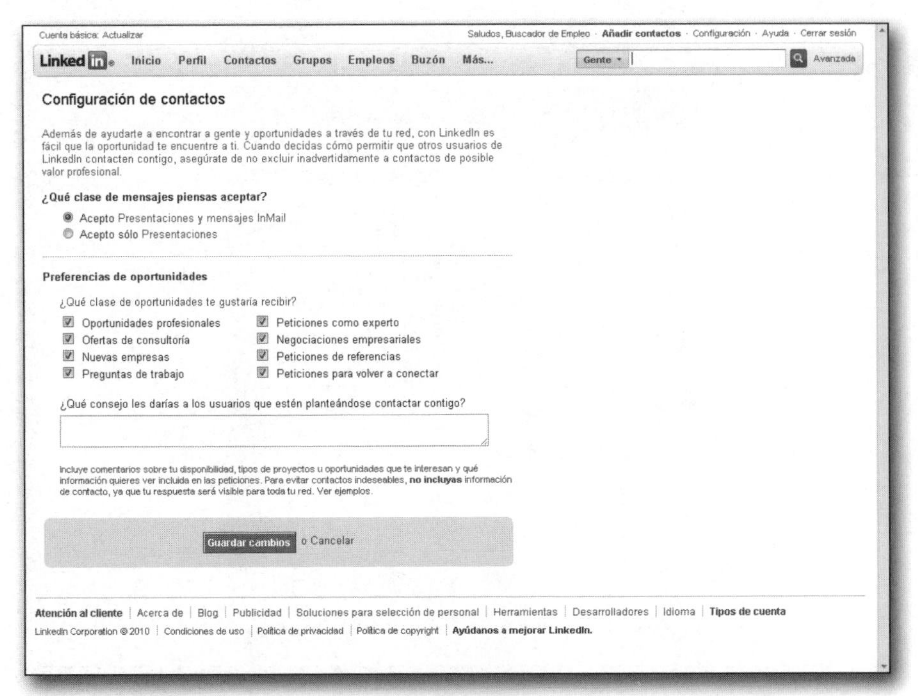

Figura 9.10.
Editar cómo dejamos que nos contacten en LinkedIn.

- Editar la configuración del perfil público: en donde decidiremos lo que se ve desde el perfil visible sin tener que estar identificado en LinkedIn y que será lo que encuentren los buscadores al poner nuestro nombre.

  De ahí la importancia de seleccionar bien lo que queremos dejar visible a todo el mundo. (Véase la figura 9.11.) También puedes crear una URL personalizada o editarla. Es decir, decidimos qué parte de lo que se ve desde dentro de LinkedIn es visible por cualquier persona conectada a Internet.

- Crear perfil en otro idioma: nos permite repetir todo el proceso para crearnos un nuevo perfil en otro idioma diferente. Ahora mismo LinkedIn permite 42 idiomas, aunque los menús de usuario sólo se presentan en 6 idiomas (alemán, español, francés, inglés, italiano y portugués).

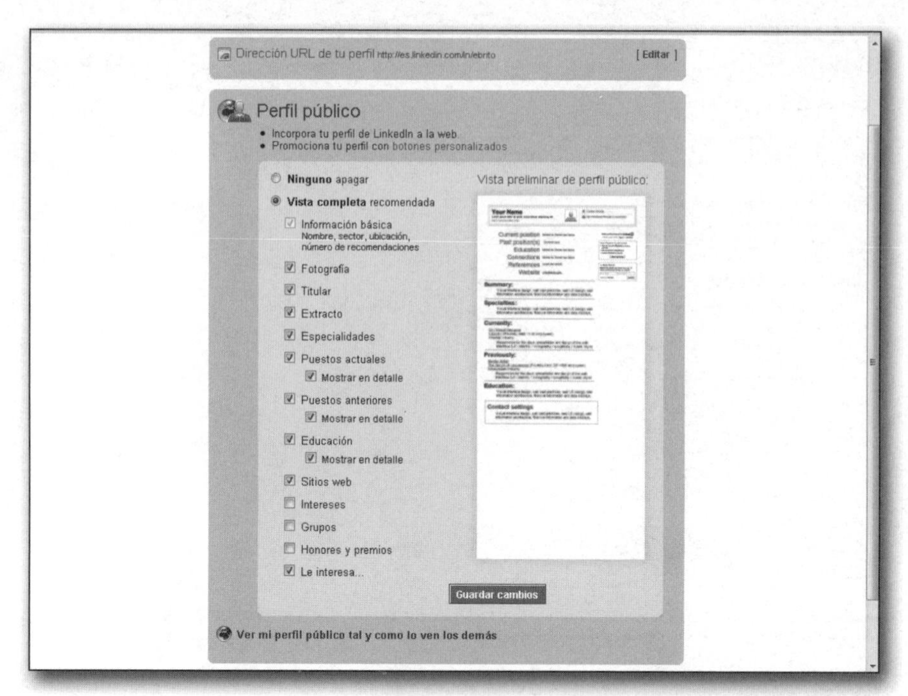

Figura 9.11.
Configurar el perfil público de LinkedIn.

Más abajo, también a la derecha (véase la figura 9.9b), vemos una barra que indica el porcentaje de perfil que hemos completado. En este caso el perfil básico es ya el 25 por ciento.

Después tenemos la opción Importa tu curriculum vítae que nos permite cargar un archivo Microsoft Word, PDF, texto o HTML de hasta 200 kilobytes de tamaño. Esta opción puede funcionarte bien o darte problemas si en el fichero hay una foto o si no reconoce palabras clave. Por tanto, la mejor opción es que vayas rellenando cada sección de LinkedIn desde su enlace y para facilitar el trabajo puedes abrir tu curriculum en Microsoft Word e ir pegando el texto que corresponda en cada sitio. Y recuerda que en el perfil, en Añadir sitios Web, puedes poner un enlace al fichero de tu curriculum de tal modo que se lo puedan descargar directamente desde ahí.

Como ahora tenemos el perfil vacío, también nos recomienda en esa zona derecha de la figura 9.9b, las secciones que podemos ir rellenando y lo que aumentaría el porcentaje de perfil completado en cada caso.

Mi consejo es que **rellenes todo y pidas recomendaciones** para llegar a tener el perfil al cien por cien.

Pero éstas no son todas las opciones disponibles. La figura 9.9b muestra una barra a la derecha de desplazamiento vertical que indica que nos hemos dejado más cosas disponibles en nuestro perfil.

Las figuras 9.12a y 9.12b nos completarían todas las opciones por debajo de lo mostrado en la figura 9.9b.

Figura 9.12a.
Editar perfil de LinkedIn (continuación de figura 9.9b).

En la figura 9.12a vemos las siguientes opciones que podemos editar en nuestro perfil:

- Extracto: aquí pondremos una breve descripción nuestra que resuma o bien nuestra trayectoria o lo que estamos buscando como nuevo trabajo. Tienes que poner lo sea más destacable de ti profesionalmente.

- Especialidades: aquí podemos poner nuestras competencias o incluir palabras clave que sirvan para que encuentren nuestro perfil.
- Aplicaciones: puedes añadir diferentes aplicaciones para enriquecer tu perfil. Las opciones disponibles son:
    - Company Buzz: para publicar lo que se dice de tu empresa.
    - SAP Community Bio: para mostrar tu experiencia y certificación en SAP.
    - SlideShare Presentations: puedes subir tus PowerPoint a SlideShare y publicarlos. Si pones uno con un video de YouTUBE dentro habrás conseguido poner tu videocurriculum en LinkedIn.
    - Eventos: muestra los eventos de tu red.
    - Reading List by Amazon: comparte los libros que estás leyendo en Amazon. Si son referentes a mejoras de tus competencias y habilidades, reforzarás el poder de tu perfil.
    - Polls: para realizar sondeos.
    - My Travel: para saber por dónde viaja tu red. Yo creo que sobra en un perfil profesional, salvo mejor opinión.
    - Google Presentation: similar a SlideShare, pero con una presentación creada o subida a Google Apps.
    - Box.net Files: pones disponible para descarga documentos que muestren tu trabajo, tu curriculum o lo que quieras compartir.
    - Tweets: para usar Twitter sin salir de LinkedIn.
    - Huddle Workspaces: colabora y comparte proyectos con tus contactos.
    - WordPress: da visibilidad a las entradas que publiques en tu blog profesional creado con WordPress.
    - Blog Link: da visibilidad a las entradas que publiques en tu blog profesional creado con TypePad.
- Experiencia: aquí aparecen todas las experiencias profesionales que hayas añadido y te permite añadir más desde el enlace correspondiente.

- Educación: aquí aparece toda la educación que hayas añadido (estudios universitarios, de postgrado o lo que hayas cursado) y te permite añadir más desde el enlace correspondiente.

que tus amigos y antiguos compañeros de estudios puedan encontrarte.

Recomendaciones
Solicitar recomendaciones
Ninguno
Consejo: Los usuarios con recomendaciones en sus perfiles tienen tres veces las posibilidades de ser hallados en búsquedas. Que tus colegas de trabajo hablen por ti — **solicita una recomendación** de vuestro trabajo en conjunto.

Información adicional
Añadir información
Ninguno
Consejo: Añade **tus sitios web, tu cuenta de Twitter, tus intereses, grupos a los que perteneces,** y **honores y premios que hayas ganado** para que los usuarios puedan profundizar un poco en tus cualificaciones profesionales.

Información personal [Editar]

Teléfono:	**Añade un número de teléfono** a tu perfil.
Dirección:	**Añade una dirección** a tu perfil.
Mensajero instantáneo:	**Añade un mensajero instantáneo** a tu perfil.
Fecha de nacimiento:	**Añade tu cumpleaños** a tu perfil.
Estado civil:	**Añade tu estado civil** a tu perfil.

Configuración de contactos [Editar]
Informa a la gente sobre cuál es la mejor manera de contactar contigo.
Te interesa:
- oportunidades profesionales
- nuevas empresas
- peticiones como experto
- peticiones de referencias
- ofertas de consultoría
- preguntas de empleo
- negociaciones empresariales
- volver a estar en contacto

Atención al cliente | Acerca de | Blog | Publicidad | Soluciones para selección de personal | Herramientas | Desarrolladores | Idioma | **Tipos de cuenta**
LinkedIn Corporation © 2010 | Condiciones de uso | Política de privacidad | Política de copyright | **Ayúdanos a mejorar LinkedIn.**

Figura 9.12b.
Editar perfil de LinkedIn (continuación de figura 9.12a y final).

En la figura 9.12b podemos ver la parte final, que completa las opciones editables del perfil. Dichas opciones restantes son:

- Recomendaciones: mostrarás las recomendaciones que te hayan hecho y podrás solicitar nuevas. Recuerda pedir opiniones sinceras y contrastables para que sean realmente efectivas.
- Información adicional: es donde se muestran tus sitios Web, tu cuenta de Twitter, tus intereses, grupos a los que perteneces, y honores y premios que hayas ganado para que los usuarios puedan profundizar un poco en tus cualificaciones profesionales.

- **Información personal**: puedes añadir tu teléfono, dirección, servicio de mensajería instantáneo, fecha de nacimiento y estado civil. Tú decides el nivel de privacidad que quieres dar a estos datos. Si no quieres, no los publiques.
- **Configuración de contactos**: es la misma información que podías configurar en la figura 9.10. Informas a la gente sobre cuál es la mejor manera de contactarte y tus intereses de contacto dentro de la red LinkedIn.

Una vez completado el perfil, podemos comprobar cómo queda visible desde dentro de LinkedIn haciendo clic en **Ver mi perfil**, que está bajó la cinta de opciones o menú superior de la página. Veríamos algo como lo de la figura 9.13.

Figura 9.13.
Comprobando cómo se ve nuestro perfil desde dentro de LinkedIn.

En la figura 9.14 vemos el aspecto del mismo perfil de la figura 9.13, pero en su versión pública. Es decir, esto es lo que ven al buscarnos en Google y hacer clic en el enlace a nuestro perfil. (O en mi caso al hacer clic en el enlace que he puesto desde mi blog.)

Figura 9.14.
Comprobando cómo se ve nuestro perfil público de LinkedIn.

Gestionando las recomendaciones

Ya vimos que la tercera opción disponible desde el menú desplegable que aparece al poner el cursor del ratón encima de la opción Perfil del menú superior es la gestión de Recomendaciones. Podemos ver esta pantalla en las figuras 9.15a y 9.15b. Como puedes ver en la figura 9.15a, puedes ver en qué empresas de las que has trabajado tienes recomendaciones para solicitarlas o gestionar de las recibidas las que quieres que se muestren o no. Esta posibilidad la tienes tras hacer clic en Gestionar en la parte inferior correspondiente a alguna de las empresas. Esta gestión, aparte de mostrar o no la recomendación recibida, te permite solicitar una recomendación nueva o revisada a quien te la hizo en su día.

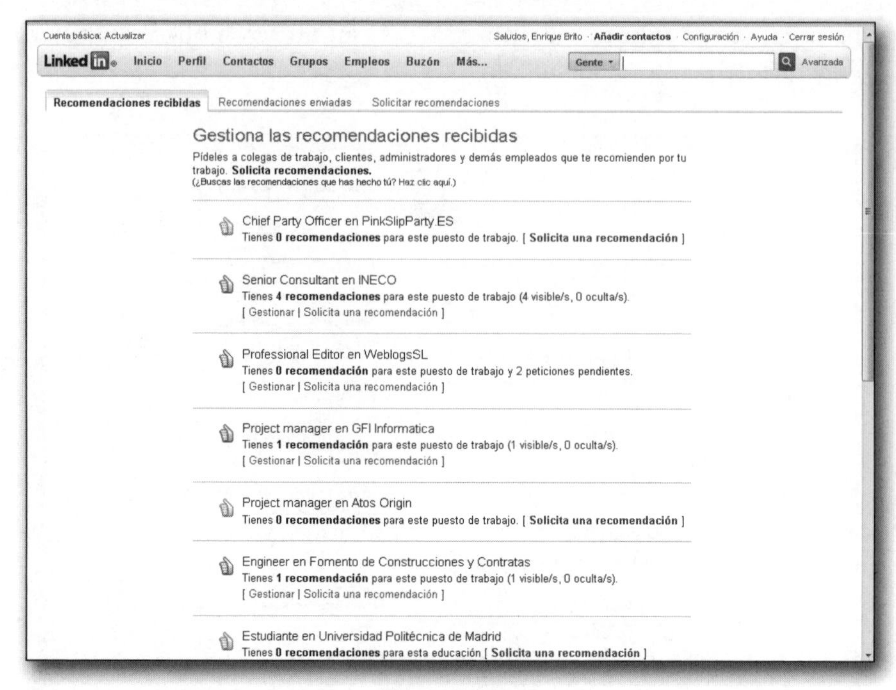

Figura 9.15a.
Gestión de las recomendaciones recibidas en LinkedIn.

En la figura 9.15b puedes ver la parte inferior de la pantalla que no muestra la figura 9.15a y que te permite hacer tú una recomendación a alguien sin que esa persona te haya hecho una petición.

Puedes indicar directamente su nombre, apellidos y correo, o seleccionarlo de tus contactos en LinkedIn. Debes además indicar la relación que había en ese momento: colega de trabajo (en la misma empresa), proveedor de servicio, socio o compañero de estudios.

En la figura 9.16 ves la pantalla de gestión de todas las recomendaciones que tú has enviado. Ves quién has recomendado y cuándo. Puedes decidir si la recomendación (el menú despegable que hay a la izquierda de la fecha es visible para todo el mundo o sólo para tus contacto). También tienes un enlace para editarla, en cuyo caso la persona recomendada recibirá un aviso para comprobarla y aceptar los cambios. Además, también podrás eliminar la recomendación haciendo clic en Retirar esta recomendación. Por último, en la figura 9.17 vemos la pantalla de solicitud de recomendaciones.

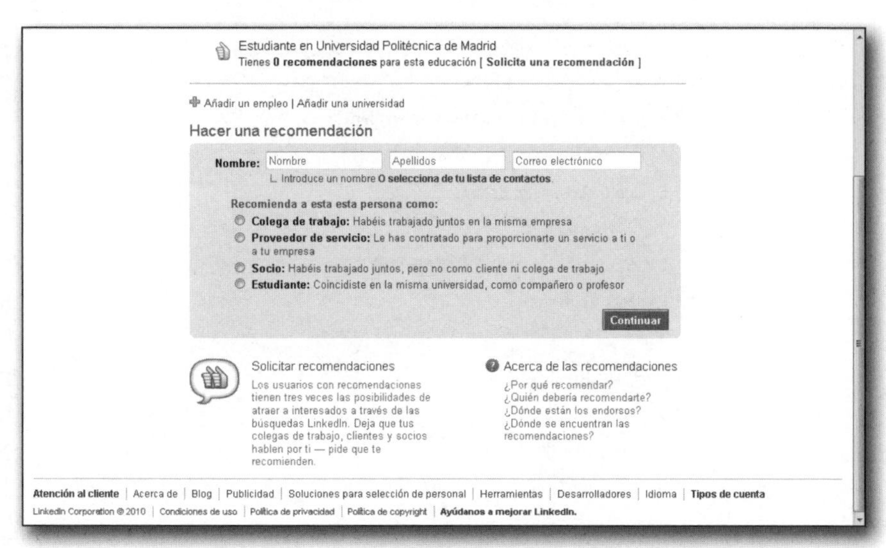

Figura 9.15b.
Hacer una recomendación en LinkedIn.

Recomendaciones recibidas | **Recomendaciones enviadas** | Solicitar recomendaciones

Gestiona las recomendaciones enviadas

Mostrar: **Todos (17)** | Colegas de trabajo (6) | Proveedores de servicios (1) | Socios (9) | Estudiantes (1)

Guardar cambios

Detalles de la recomendación		Mostrar en mi perfil para:	Fecha:
[Editar]	[illegible]	Todos	29/05/2010
[Editar]	[illegible]	Todos	07/05/2010
[Editar]	[illegible]	Todos	24/06/2009
[Editar]	[illegible]	Todos	30/05/2009
[Editar]	[illegible]	Todos	30/04/2009
[Editar]	[illegible]	Todos	12/01/2009
[Editar]	[illegible]	Todos	01/01/2009
[Editar]	[illegible]	Todos	27/10/2008
[Editar]	[illegible]	Todos	29/04/2008
[Editar]	[illegible]	Todos	19/09/2007
[Editar]	[illegible]	Todos	27/06/2007

Figura 9.16.
Gestión de recomendaciones hechas en LinkedIn.

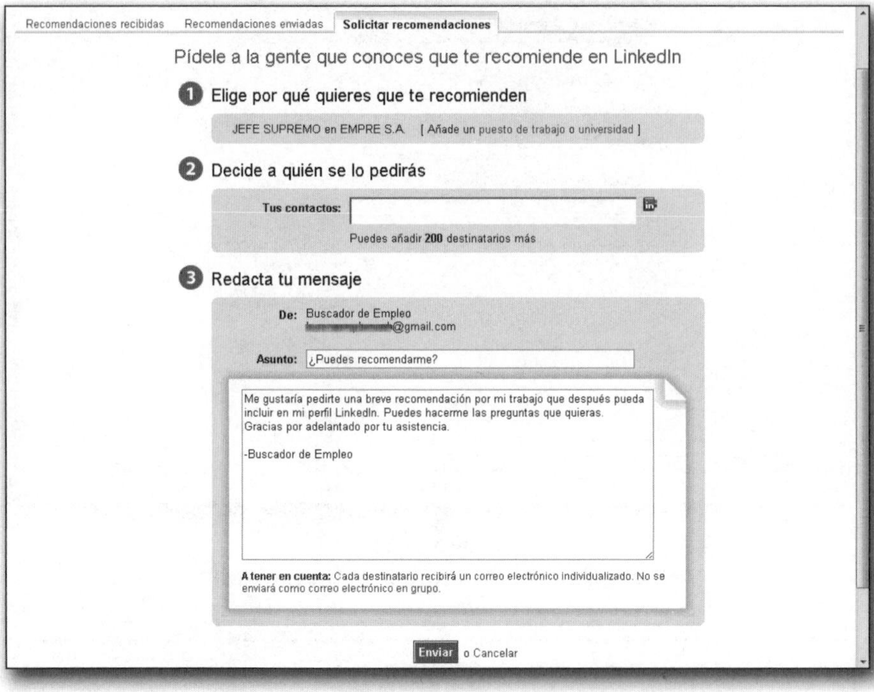

Figura 9.17.
Solicitud de recomendaciones.

Tenemos tres secciones numeradas.

En la sección 1 podremos elegir, en su caso, de qué experiencia profesional anterior o centro de estudios deseamos pedir recomendación. También nos permite añadir directamente nuevas experiencias profesionales o estudios.

En la sección 2 decides a qué contactos tuyos les envías la petición de recomendación.

Finalmente, en la sección 3 compones el remitente del mensaje (en caso de tener varios correos reconocidos en el sistema aparece un menú desplegable para elegir el que quieras que vean). Después tienes, como con un correo electrónico, la composición del asunto y del texto principal del mensaje que se enviará como correo individual a cada destinatario. Es decir, cada uno recibe un correo con tu petición y no sabe ni ve a cuántas personas más se la has pedido.

Contactos en LinkedIn

La opción Contactos del menú superior despliega las opciones que tenemos para gestionar nuestros contactos en LinkedIn: Mis contactos, Contactos importados, Organizador de perfiles y Estadísticas de la red.

Mis contactos

Esta es la pantalla a la que accedemos directamente si en vez de desplegar el menú superior, simplemente hacemos clic en Contactos. Puedes ver su aspecto en la figura 9.18.

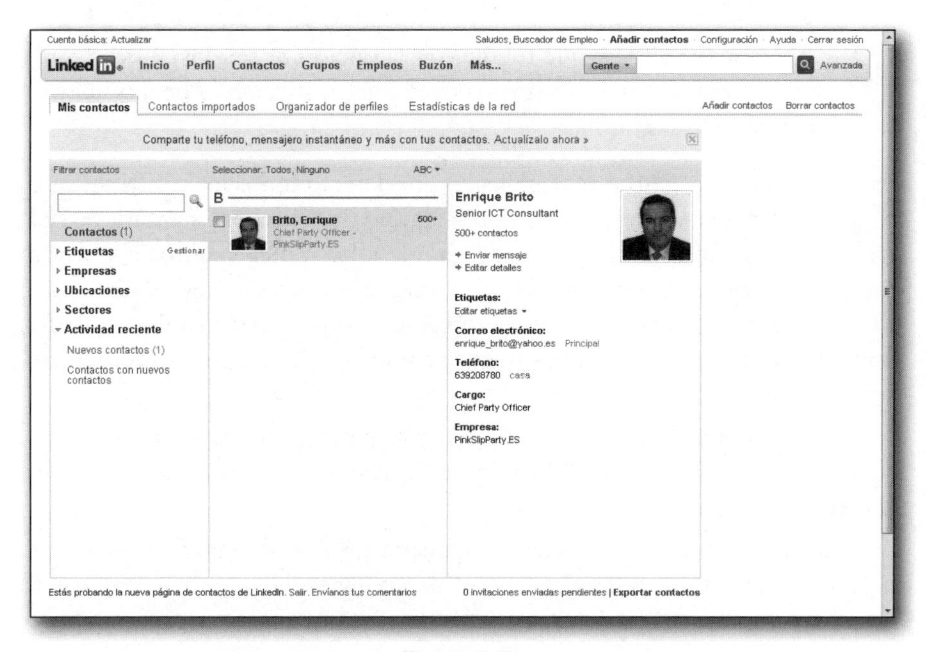

Figura 9.18.
Gestión de Mis contactos en LinkedIn.

Como ves, en la columna izquierda de la figura 9.18 tienes la posibilidad de filtrar contactos usando un buscador o con las secciones que te ofrece LinkedIn:

Estas secciones son:

- Etiquetas: en donde irás viendo un número entre paréntesis que te indica cuántos contactos has clasificado con esa etiqueta al contactar con ellos. También te puedes crear etiquetas, o borrar las existentes, haciendo clic en Gestionar.
- Apellidos: en donde puedes filtrar por la inicial del apellido.
- Empresas: para seleccionar sólo los de la empresa que te interese contactar.
- Ubicaciones: filtro por lugar de residencia de los contactos.
- Sectores: para seleccionar aquellos contactos del sector que quieras investigar.
- Actividad reciente: que te muestra la opción de ver los nuevos contactos que tú hayas hecho o qué contactos tuyos han hecho nuevos contactos.

En la columna central se despliegan por defecto todos los contactos que tengas, o sólo los que hayas filtrado por alguno de los criterios anteriores. El número que aparece al lado de cada uno de ellos indica cuántos contactos tiene. Si ves que está de color naranja, es que ha hecho nuevos contactos. Puedes, por tanto, investigar a un profesional con un perfil similar al de tu objetivo profesional y ver si sus nuevos contactos te dan pistas sobre posibilidades profesionales para ti.

Hay un menú desplegable, ABC, que te permite filtrar en la columna central por la inicial del apellido, tal y como podías hacer desde la opción de la columna izquierda.

Cuando haces clic en un contacto, queda sombreado en azul claro (por defecto se muestran todos con fondo blanco), y en la columna derecha se despliega una breve ficha con los datos de ese contacto.

En esta columna derecha puedes ver el perfil del contacto haciendo clic en su nombre y llegarás a una página similar a la de la figura 9.13, pero que a la derecha te añade un enlace Encontrar referencias en donde LinkedIn te indica el número de personas que te pueden dar referencias de ese contacto. También tienes el enlace que te permite guardar su perfil, pero estas dos opciones son sólo para usuarios Premium.

Contactos importados

En la figura 9.19 vemos la pantalla a la que accedemos seleccionando dicha opción del menú desplegable superior Contactos, o haciendo clic en el enlace de la pestaña Contactos importados.

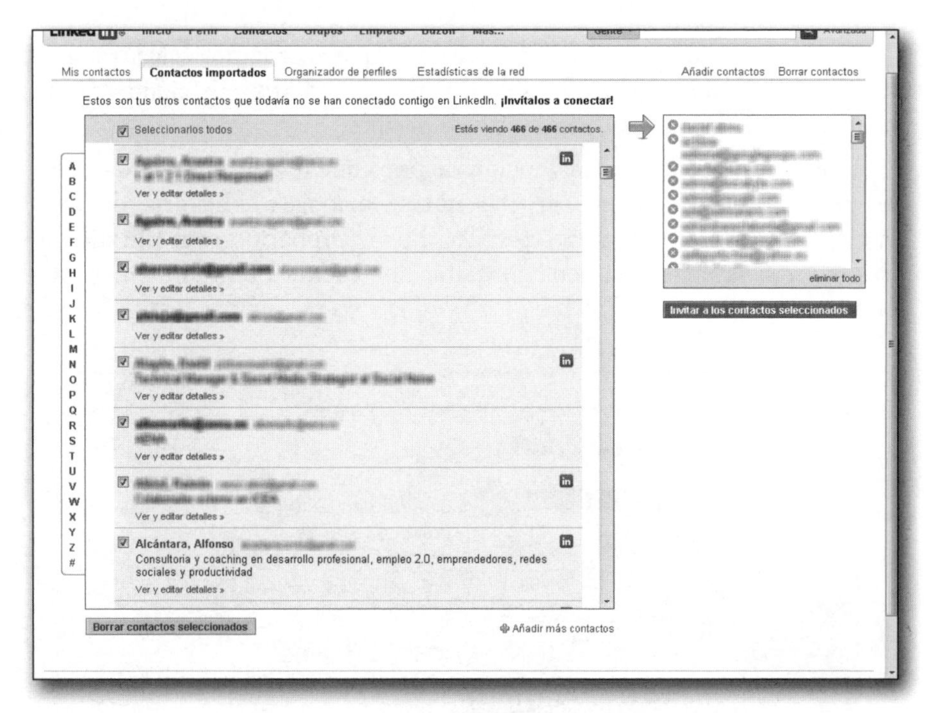

Figura 9.19.
Contactos importados en LinkedIn.

Como ves, por defecto te aparecen seleccionados todos los que importaste anteriormente de tu correo electrónico.

Los contactos que ya tienen perfil en LinkedIn aparecen con el pequeño icono azul que ves a la derecha de su ficha.

Como dije anteriormente, revisa bien antes de fiarte de la opción por defecto de enviar petición de contacto a todos porque seguro que aparece más de una vez la misma persona, pero con diferente dirección de correo electrónico. No causes mala impresión duplicando mensajes.

Los contactos que decidas seleccionar te irán apareciendo en el recuadro de la derecha, donde puedes hacer clic en el botón Invitar a los contactos seleccionados.

Organizador de perfiles

En la figura 9.20 vemos la pantalla a la que accedemos seleccionando dicha opción del menú desplegable superior Contactos, o haciendo clic en el enlace de la pestaña Organizador de perfiles.

Como ves, se trata de una opción de pago que te permite guarda perfiles y organizarlos mediante carpetas, notas y manejare el historial de mensajes intercambiados con esos perfiles. Puede probarlo gratis durante 30 días y ver si te merece la pena contratar una cuenta Premium para poder seguir usándolo.

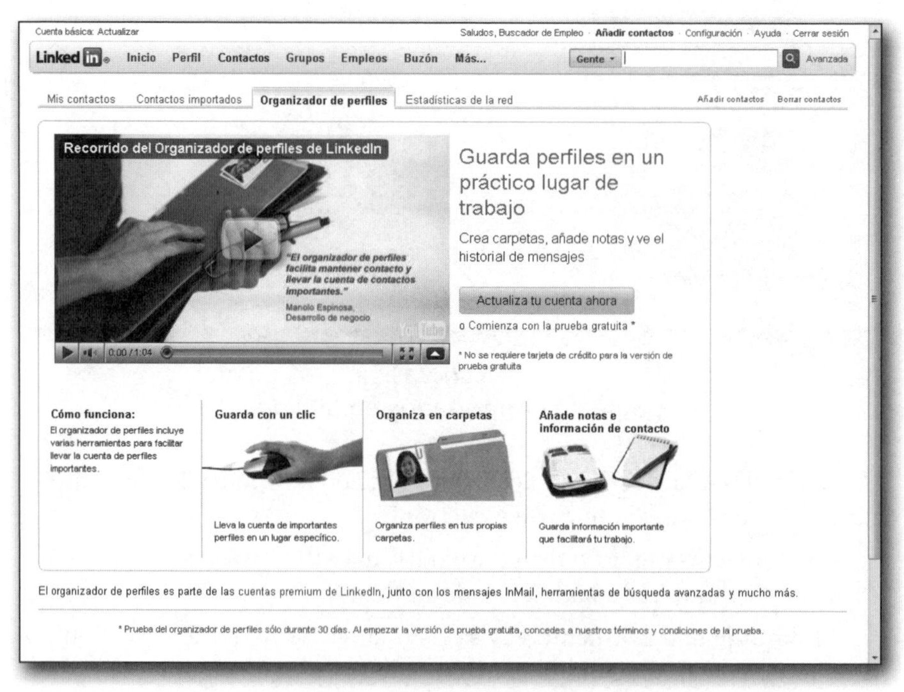

Figura 9.20.
Organizador de perfiles de LinkedIn.

Estadísticas de la red

En las figuras 9.21a y 9.21b vemos la pantalla a la que accedemos seleccionando esa opción del menú desplegable superior Contactos, o haciendo clic en el enlace de la pestaña Estadísticas de la red.

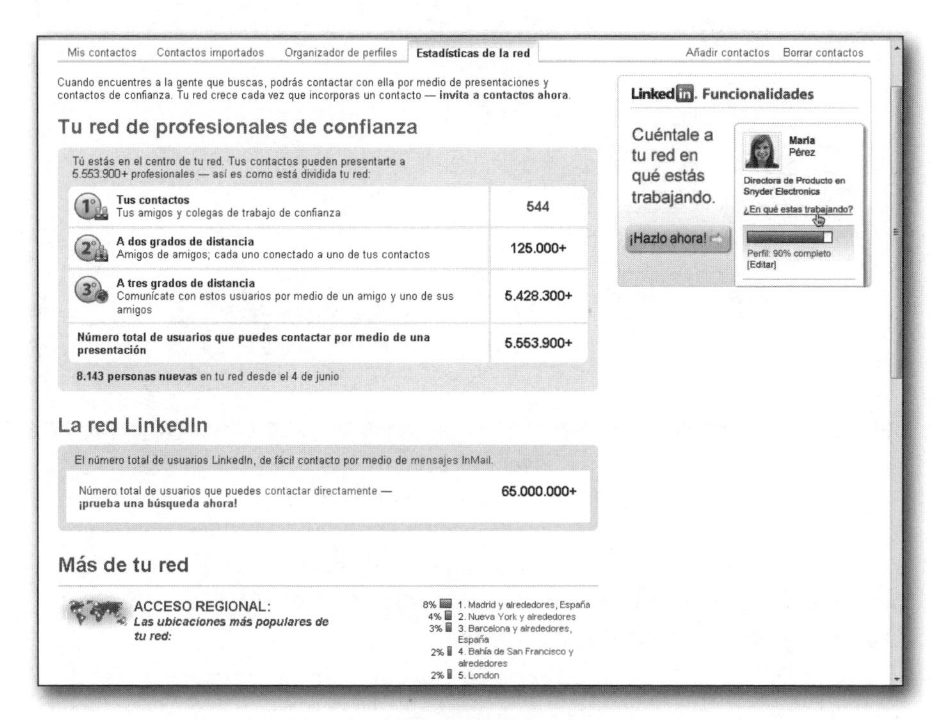

Figura 9.21a.
Estadísticas de tu red LinkedIn (superior).

En esta parte superior puedes ver tu red de contactos de primer grado (los contactos directos que tienes), de segundo grado (contactos de tus contactos) y de tercer grado (conectados por medio de dos contactos intermedios).

Finalmente ves el número total de usuarios a los que puedes llegar por una presentación y el número de nuevos contactos nuevos de tu red desde tu última sesión.

A continuación te informa del número de usuarios totales de LinkedIn a los que puedes acceder siendo usuario Premium.

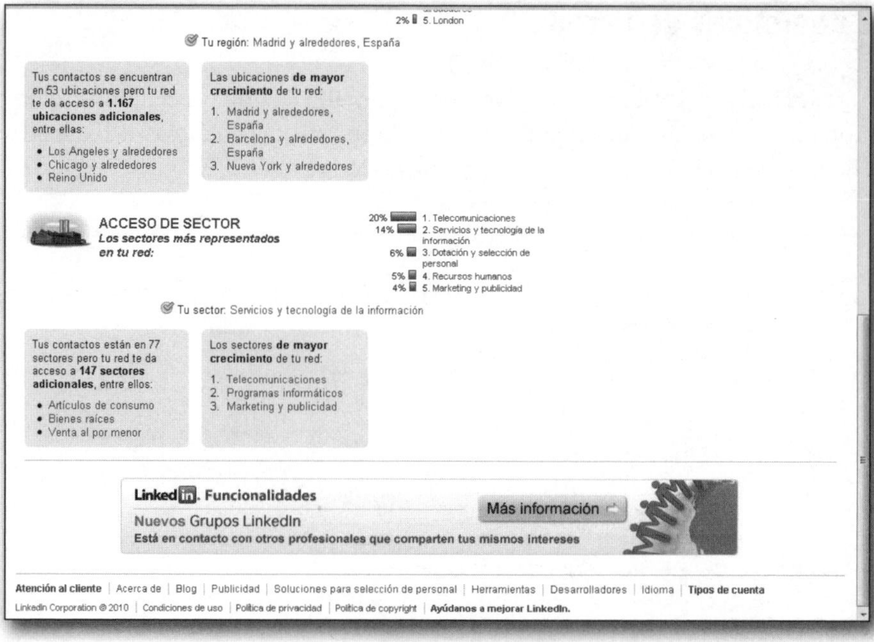

2% 5. London

Tu región: Madrid y alrededores, España

Tus contactos se encuentran en 53 ubicaciones pero tu red te da acceso a **1.167 ubicaciones adicionales**, entre ellas:

- Los Angeles y alrededores
- Chicago y alrededores
- Reino Unido

Las ubicaciones **de mayor crecimiento** de tu red:

1. Madrid y alrededores, España
2. Barcelona y alrededores, España
3. Nueva York y alrededores

ACCESO DE SECTOR
Los sectores más representados en tu red:

20% 1. Telecomunicaciones
14% 2. Servicios y tecnología de la información
6% 3. Dotación y selección de personal
5% 4. Recursos humanos
4% 5. Marketing y publicidad

Tu sector: Servicios y tecnología de la información

Tus contactos están en 77 sectores pero tu red te da acceso a **147 sectores adicionales**, entre ellos:

- Artículos de consumo
- Bienes raíces
- Venta al por menor

Los sectores **de mayor crecimiento** de tu red:

1. Telecomunicaciones
2. Programas informáticos
3. Marketing y publicidad

LinkedIn. Funcionalidades
Nuevos Grupos LinkedIn
Está en contacto con otros profesionales que comparten tus mismos intereses
Más información

Atención al cliente | Acerca de | Blog | Publicidad | Soluciones para selección de personal | Herramientas | Desarrolladores | Idioma | **Tipos de cuenta**
LinkedIn Corporation © 2010 | Condiciones de uso | Política de privacidad | Política de copyright | **Ayúdanos a mejorar LinkedIn.**

Figura 9.21b.
Estadísticas de tu red LinkedIn (inferior).

Después aparece la distribución estadística de tus contactos por ubicaciones y sectores, indicándote en ambos casos en dónde hay más crecimiento. **Otra pista para el buscador de empleo**.

Ampliar tu red de contactos

En la parte superior de la pantalla, a la derecha, verás el enlace Añadir contactos, te ofrece cuatro posibilidades para ampliar tu red de contactos:

Añadir contactos

En la figura 9.22 ves la pantalla en la que puedes importar contactos de la libreta de direcciones de tus cuentas de correo o introducir directamente los correos electrónicos de aquellas personas a quienes quieras invitar a conectar contigo.

Figura 9.22.
Añadir contactos en LinkedIn mediante correo electrónico.

Colegas de trabajo

Haciendo clic en Colegas de trabajo accedes a la pantalla de la figura 9.23, en donde puedes establecer contacto con gente que trabaje o haya trabajado en tu empresa actual a en alguna de las pasadas empresas. Por eso es importante rellenar tu perfil con la mayor información posible, porque LinkedIn te permite contactar directamente con más gente que comparte algo contigo.

Compañeros de clase

Haciendo clic sobre Compañeros de clase accedes a la pantalla de la figura 9.24, en donde puedes establecer contacto con gente que estudie o haya estudiado en tu mismo centro.

Reitero nuevamente la importancia de rellenar tu perfil con la mayor información posible.

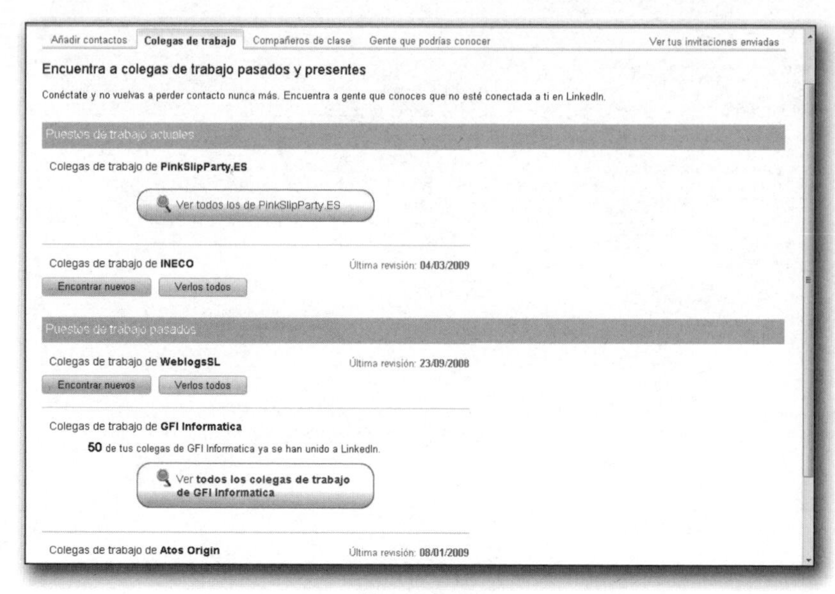

Figura 9.23.
Añadir colegas de trabajo en LinkedIn.

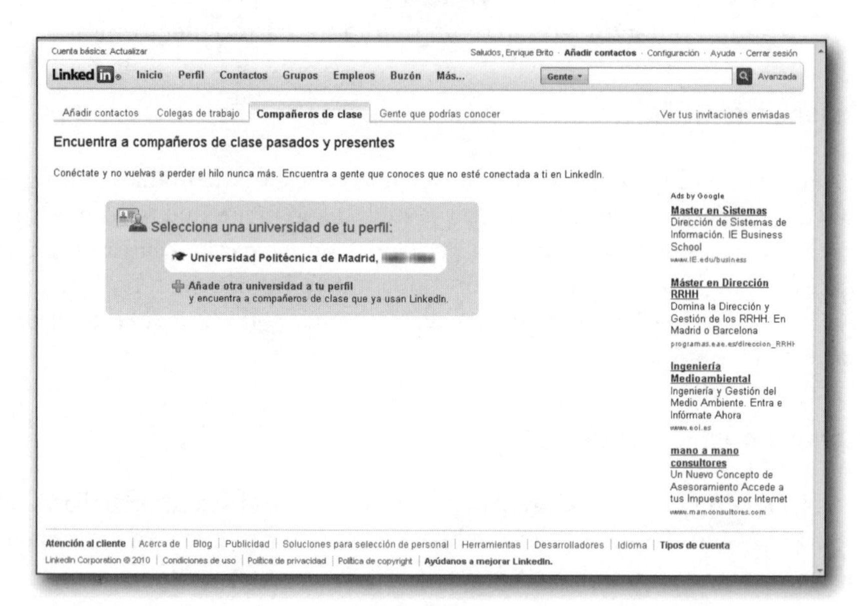

Figura 9.24.
Añadir compañeros de clase en LinkedIn.

Gente que podrías conocer

Haciendo clic en Gente que podrías conocer accedes a la pantalla de la figura 9.25, en donde puedes establecer contacto con gente que LinkedIn te propone como posibles contactos por haber detectado similitudes o coincidencias entre esos perfiles y otros contactos de tu red.

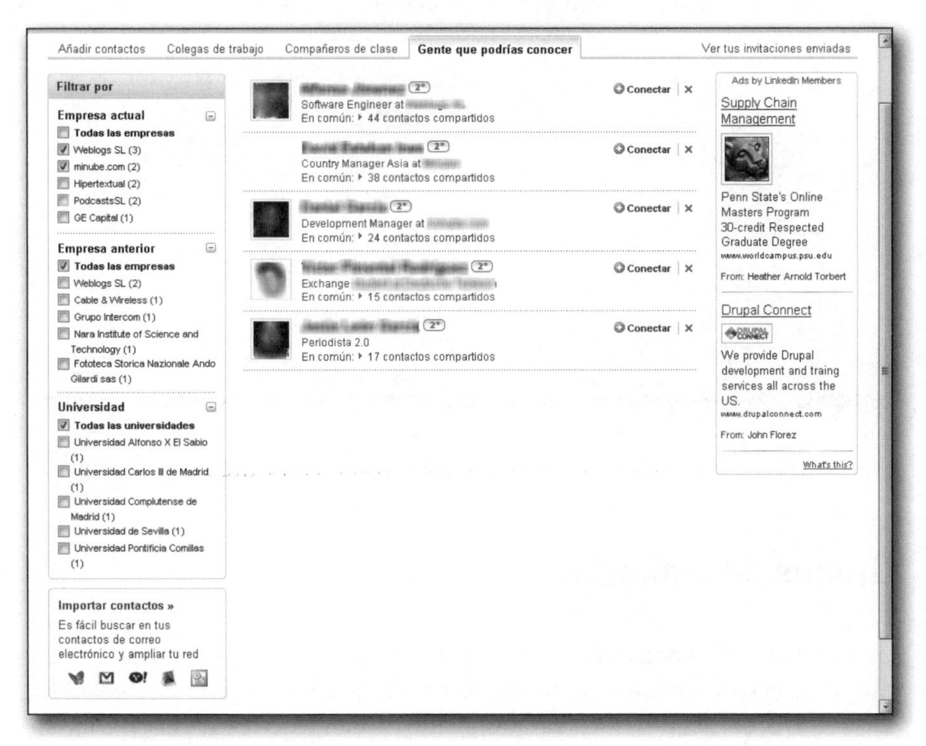

Figura 9.25.
Añadir gente que podrías conocer en LinkedIn.

Eliminar contactos

Si te quieres deshacer de un contacto porque crees que ya no te aporta nada, haz clic en la parte superior derecha en el enlace Borrar contactos que te lleva a la pantalla de la figura 9.26, donde puedes seleccionar los contactos que desees borrar haciendo clic en el botón Borrar contactos.

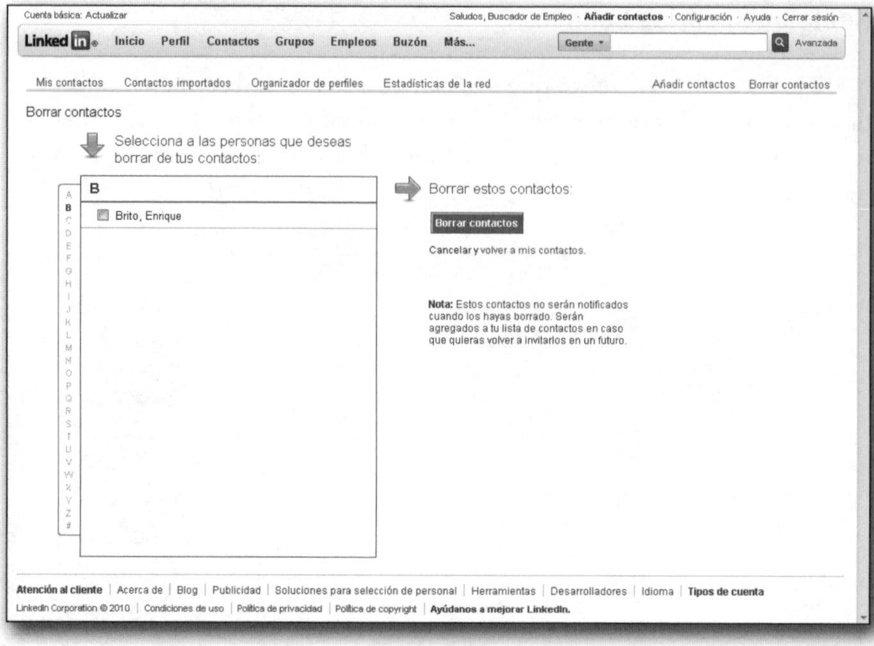

Figura 9.26.
Borrar contactos en LinkedIn.

Grupos en LinkedIn

La opción Grupos del menú superior despliega las opciones que tenemos para gestionar nuestros contactos en LinkedIn: Mis grupos, Siguiendo, Directorio de grupos y Crear un grupo. Cuando estés dado de alta en algún grupo, tras una línea de separación, te aparecen los primeros grupos de tu lista.

Mis grupos

Haciendo clic en Mis grupos accedes a la pantalla de la figura 9.27, en donde puedes ver los grupos en los que estás inscrito. Como ya hemos visto, una posibilidad de establecer contacto con alguien es compartir algo de información, como una empresa en la que se ha trabajado, un centro de estudios o un grupo. Por tanto, para empezar a hacer crecer tu red busca grupos de acceso libre para conectar con gente. Después busca selectivamente grupos del sector profesional que sea tu objetivo. Como en muchos debes esperar que aprueben la petición, completa tu perfil al máximo para que comprueben que tu experiencia, conocimientos y preferencias encajan con los objetivos del grupo.

Figura 9.27.
Grupos a los que te has unido en LinkedIn.

Haciendo clic en el grupo que desees pasas a la zona privada del grupo en la que tienes diversas opciones disponibles:

- Resumen: puedes ver la actividad reciente o los debates recientes o los que tienen más comentarios. Ya hemos dicho que lo importante para formarte una imagen profesional sólida y darte a conocer es participar en las conversaciones y debates.
- Debates: ves todos los debates del grupo, empezando por el más reciente. Puedes crear tú uno haciendo clic en el enlace Comenzar un debate.

- Noticias: te muestra las noticias con más actividad por número de visitas o por el debate que han originado. Puedes enviar una noticia haciendo clic en Enviar un artículo o Enviar noticias, si estás en la pestaña Resumen.
- Empleos: puedes ver los empleos que hayan publicado los miembros de ese grupo. Ni que decir tiene el interés de esta sección para ti que buscas uno.
- Subgrupos: puedes ver los posibles subgrupos que se hayan creado para enfocar más las áreas de debate. Si quieres puedes proponer uno sobre un tema interesante que creas que merezca ese subgrupo propio.
- Miembros: te muestra todos los miembros del grupo, a los que podrás pedir contacto precisamente por compartir grupo. Analiza bien la lista para ver si alguno de ellos te puede ir llevando a tu objetivo laboral.
- Actualizaciones: muestra toda la actividad reciente de los miembros del grupo o de las personas del grupo a las que hayas decidido seguir.
- Mi configuración: te permite decidir si dejas o no que se vea el logotipo del grupo en tu perfil, configurar la forma de recibir las peticiones de contacto desde ese grupo seleccionando el correo electrónico al que llegan (ahora puede que le veas la utilidad a tener varias direcciones para poder clasificar mejor la información), decidir si quieres recibir un extracto de la actividad del grupo y con qué frecuencia y, finalmente, puedes decidir si permites que el administrador o los demás miembros te puedan enviar mensajes. Por defecto está todo seleccionado.

Siguiendo

Haciendo clic sobre Siguiendo accedes a la pantalla de la figura 9.28, en donde puedes ver los debates que sigues en los grupos en los que estás inscrito. También puedes gestionar la lista de personas a las que sigues o la de los que te siguen.

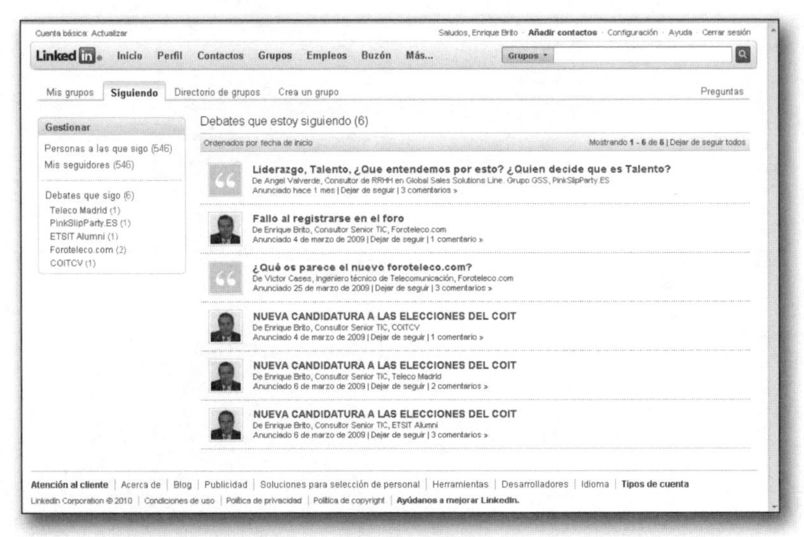

Figura 9.28.
Debates que sigues en los grupos de LinkedIn.

Directorio de grupos

Haciendo clic sobre Directorio de grupos accedes a la pantalla de la figura 9.29, en donde puedes ver los grupos disponibles en LinkedIn. Puedes buscar grupos por palabras clave, categorías o idiomas, tal y como ves en la parte izquierda de la figura 9.29. Busca los que sean de conexión abierta, para empezar a hacer crecer tu red y luego los que encajen con tu objetivo profesional, para empezar a difundir tu perfil por el camino que deseas seguir.

Crea un grupo

Haciendo clic en Crear un grupo accedes a la pantalla de la figura 9.30, en donde puedes ver el formulario que debes completar para crear un grupo. Es una forma muy buena de hacer comunidad alrededor tuyo, pero te exige el esfuerzo de hacer que permanezca activo promoviendo debates. Te convertirás en *community manager* de ese grupo. Por cierto, hay un grupo de estos perfiles, busca "Asociación Española de Responsables de Comunidades Online" en el Directorio de grupos.

Figura 9.29.
Directorio de grupos en LinkedIn.

Mis grupos · Siguiendo · Directorio de grupos · **Crea un grupo** · Preguntas

Logotipo: Tu logotipo aparecerá en el directorio y en las páginas del grupo.
Examinar...
Nota: sólo PNG, JPEG o GIF; tamaño máximo 100 KB
in Grupo
* Reconozco y acepto que el logotipo/imagen que esto cargando no infringe los derechos de autor, marcas o derechos propietarios de terceras partes ni que viola las Condiciones de uso.
*** Nombre del grupo:**
Nota: No está permitido usar "LinkedIn" en el nombre del grupo.
*** Tipo de grupo:** Selecciona...
*** Resumen:** Introduce una breve descripción de tu grupo y su propósito. Tu resumen sobre este grupo aparecerá en el directorio de grupos.
*** Descripción:** La descripción completa de este grupo aparecerá en las páginas de tu grupo.
Sitio Web:
*** Correo electrónico del propietario del grupo:** enrique_brito@yahoo.es
***Acceso:**
Acceso abierto: Cualquier miembro de LinkedIn se puede unir a este grupo sin necesitar aprobación del administrador.
Petición de admisión: Los usuarios deben solicitar la admisión a este grupo y deben ser autorizados por el administrador.
Mostrar este grupo en el directorio de grupos.

Figura 9.30.
Formulario para crear un grupo en LinkedIn.

Empleos en LinkedIn

La opción Empleos del menú superior despliega las opciones que tenemos para gestionar las ofertas de empleo publicadas (cada vez es más frecuente que sólo se publiquen en redes profesionales y no en portales de empleo) en LinkedIn: Encontrar empleos, Job Seeker Premium, Anunciar un empleo, Gestión de empleo y Soluciones para contratar.

Encontrar empleos

Haciendo clic sobre Encontrar empleos accedes a la pantalla de la figura 9.31a, en donde accedes a la Página de empleos.

Página de empleos

En la figura 9.31a puedes ver los empleos que LinkedIn cree que te puede interesar por el análisis que el sistema hace de tu perfil.

También tienes un campo para poner un término para buscar una oferta de empleo concreta.

Te informa del porcentaje de perfil que tienes completo y te ofrece el enlace para completarlo, lo que te dará más oportunidades. También ofrece datos de quién ha visto tu perfil.

Mis empleos

En la figura 9.31b, a la que accedes haciendo clic sobre Mis empleos, puedes ver las ofertas de empleo a las que te hayas apuntado o que simplemente los haya guardado para analizarlos más en detalle.

Búsqueda avanzada

En la figura 9.31c, a la que accedes haciendo clic en Búsqueda avanzada, puedes ver el formulario de búsqueda avanzada de empleo, donde puedes filtrar por:

- Palabras clave.
- Cargo.
- Ubicación.
- Empresa.
- Funciones.
- Sectores.
- Experiencia requerida.
- Cuándo se publicó la oferta.
- Criterio de ordenación de resultados.

Figura 9.31a.
Página de búsqueda de empleos en LinkedIn.

Figura 9.31b.
Página de mis empleos en LinkedIn.

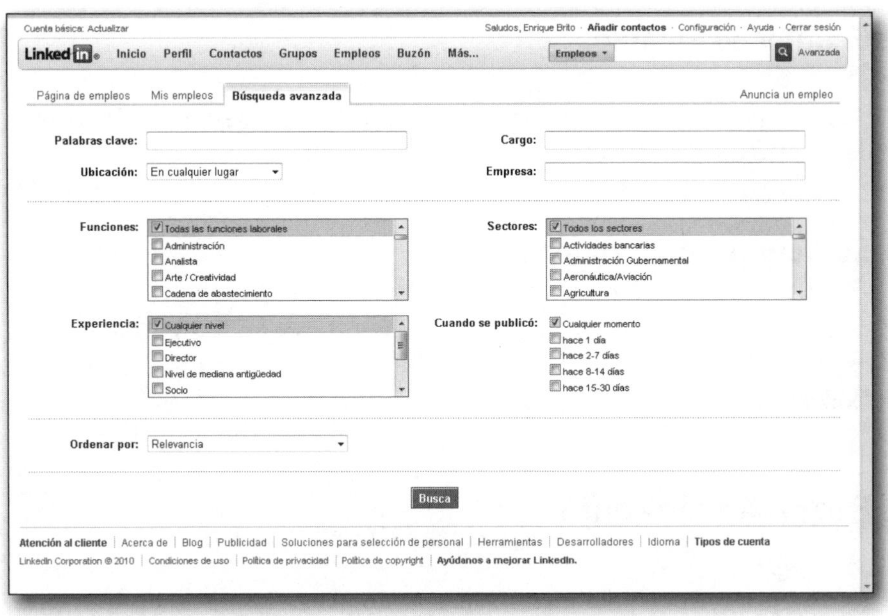

Figura 9.31c.
Búsqueda avanzada de empleos en LinkedIn.

Job Seeker Premium

Haciendo clic sobre Job Seeker Premium accedes a un servicio disponible para usuarios Premium que te ofrece darte más visibilidad al buscar empleo.

Como ya dije, en las redes profesionales esto no se critica porque se sabe desde su origen que hay opciones de pago, pero a algún portal de empleo que está ofreciendo este tipo de servicios le están empezando a llover las críticas porque hasta ahora siempre eran gratuitos para los buscadores de empleo.

Anunciar un empleo

Haciendo clic en Anunciar un empleo accedes al formulario para crear un anuncio de empleo, de pago, en LinkedIn.

Gestión de empleo

Haciendo clic en Gestión de empleo accedes a la gestión de las ofertas de empleo que hayas publicado.

Soluciones para contratar

Haciendo clic sobre Soluciones para contratar podrás entonces acceder a la portada de la sección de publicación de anuncios de empleo en LinkedIn.

Buzón en LinkedIn

La opción Buzón del menú superior despliega las opciones que tenemos para gestionar nuestros mensajes en LinkedIn: Ver mensajes recibidos, Enviados, Archivados y Enviar mensaje.

Ver mensajes recibidos

En la figura 9.32a, a la que accedes haciendo clic en Ver mensajes recibidos, puedes ver tu buzón de entrada y gestionarlos por el tipo de mensaje con el menú de la izquierda.

También te permite enviar un mensaje haciendo clic en Redactar mensaje o bien seleccionando previamente lo que quieres enviar desde su menú desplegable.

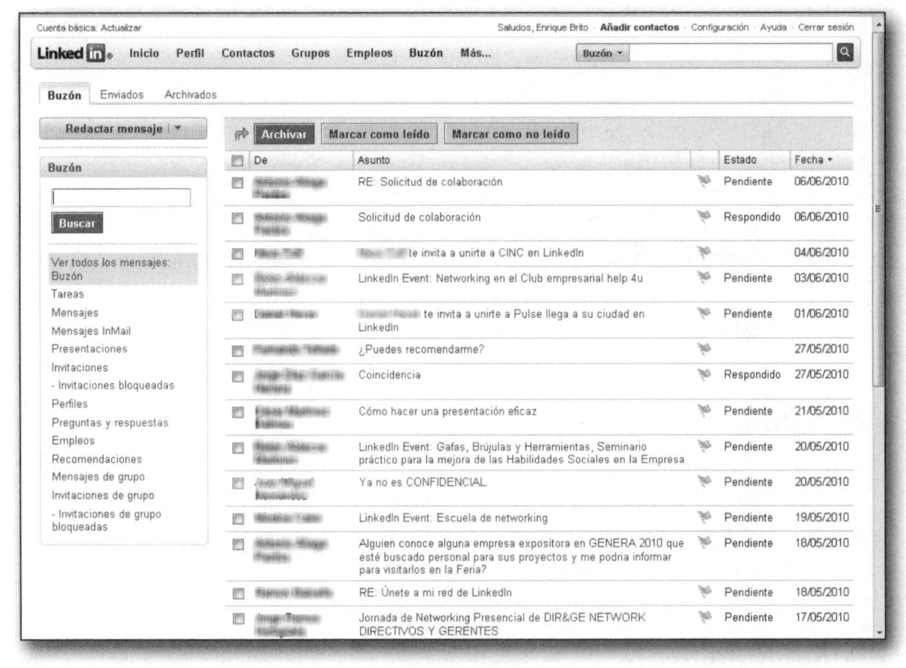

Figura 9.32a.
Gestión de buzón de entrada de mensajes en LinkedIn.

Enviados

En la figura 9.32b, a la que accedes haciendo clic en Enviados, puedes gestionar los mensajes enviados, buscando el que te interesa y marcándolo como leído o no leído.

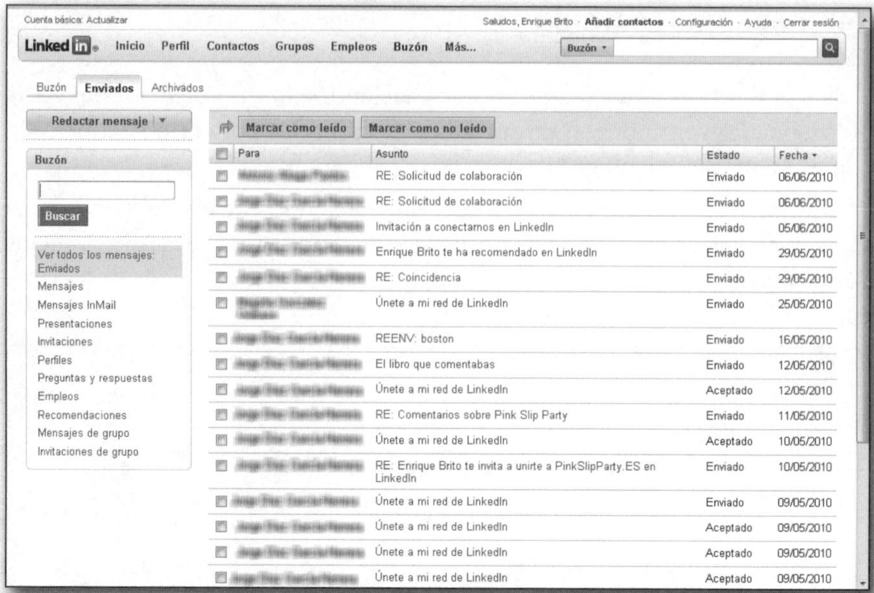

Figura 9.32b.
Gestión de buzón de salida de mensajes en LinkedIn.

Archivados

En la figura 9.32c, a la que accedes haciendo clic en Archivados, puedes gestionar los mensajes que hubieras decidido archivar y no verlos ni en la carpeta de entrada ni en la de salida.

Redactar mensaje

En la figura 9.33, a la que accedes haciendo clic en Redactar mensaje, puedes redactar mensajes al resto de usuarios de LinkedIn. Los tipos de mensajes que puedes redactar son:

- Enviar un mensaje a un contacto.
- Enviar un mensaje InMail (de pago) o una presentación (puedes tener 5 enviadas a la vez gratuitamente).

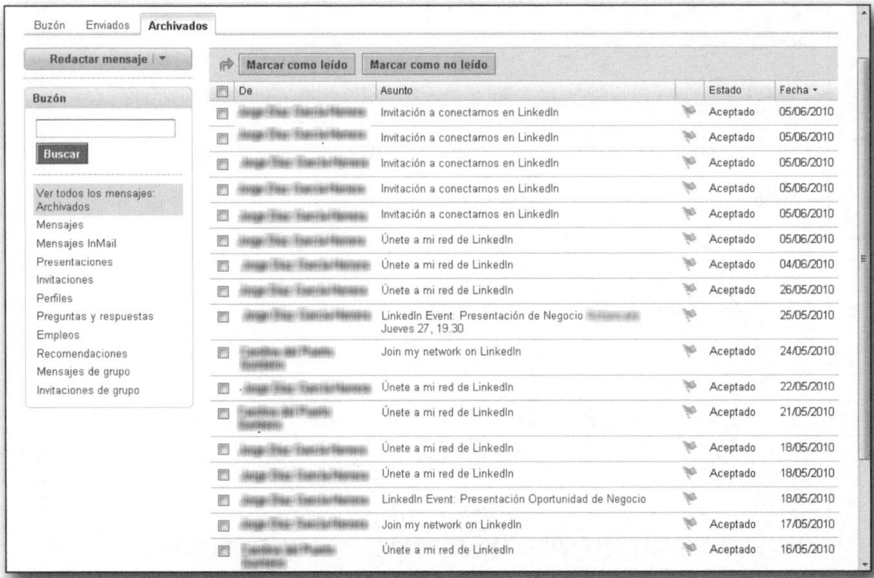

Figura 9.32c.
Gestión de mensajes archivados en LinkedIn.

- Enviar invitación a una persona, para convertirla en contacto directo. La forma de acceder a ella es compartiendo algo: empresa, centro de estudios, grupos. O conociendo directamente su correo electrónico.
- Enviar una recomendación, que te lleva a la gestión de recomendaciones enviadas ya descrita anteriormente.
- Pedir una recomendación, que te lleva a la solicitud de recomendaciones ya descrita anteriormente.
- Enviar aviso de empleo, para pagar por publicar un empleo y luego difundirlo a toda tu red.

Empresas

La opción Empresas se despliega en la opción Más... del menú superior y, como puedes ver en la figura 9.34, te permite buscar empresas o gestionar las empresas que has decidido seguir.

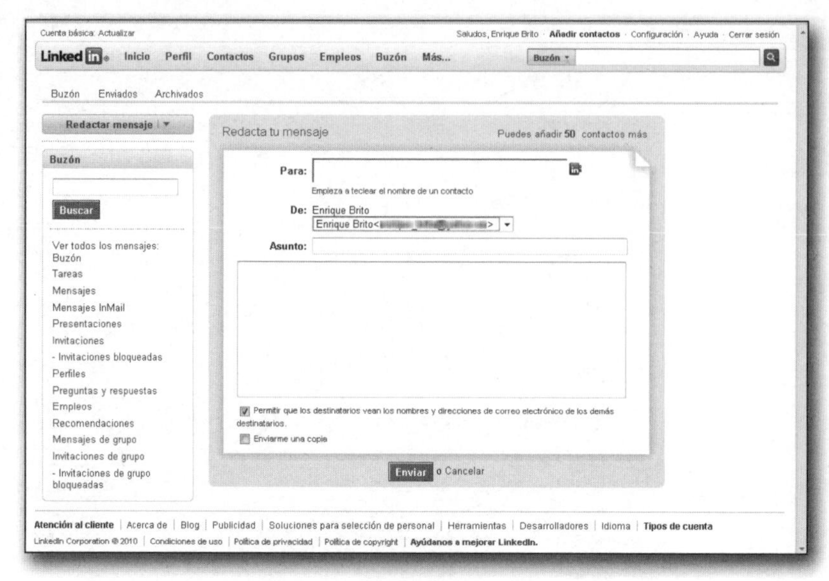

Figura 9.33.
Redactar un mensaje en LinkedIn.

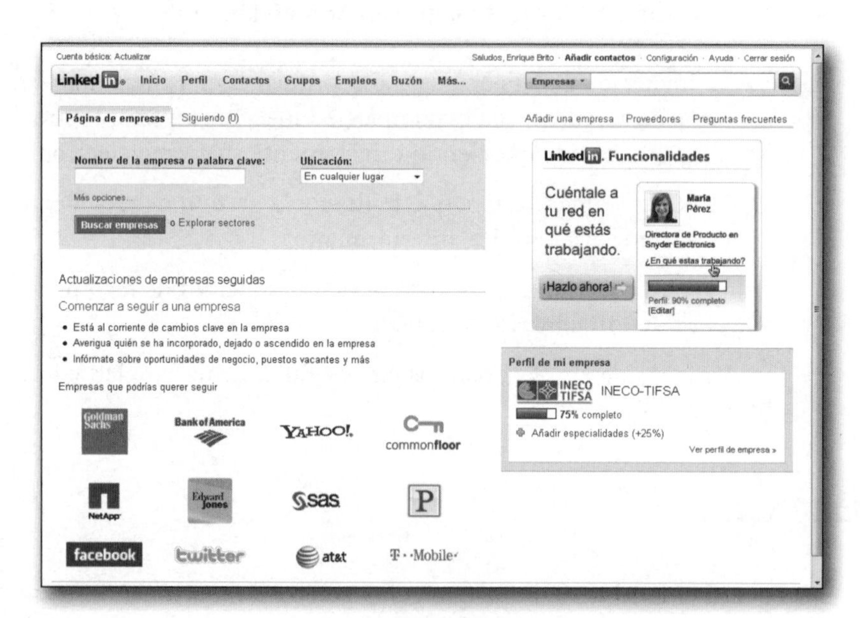

Figura 9.34.
Buscar páginas de empresas en LinkedIn.

Respuestas

La opción Respuestas se despliega en la opción Más... del menú superior y, como puedes ver en la figura 9.35, te permite hacer una pregunta o responder a alguna planteada. En la opción Búsqueda avanzada de respuestas accedes a un filtro para buscar respuestas indicado palabras clave y seleccionando categorías. En Mis preguntas y respuestas gestionas tu participación en esta sección, que cuanto más activa sea más rápido hará que seas conocido. En la opción Hacer una pregunta accedes al formulario para plantear una pregunta, donde puedes categorizarla e indicar si se relaciona a una ubicación específica o a uno de los fines concretos que propone el formulario.

Finalmente, en la opción Responder puedes ver las preguntas que han planteado y decidirte a contestar para poder posicionarte profesionalmente.

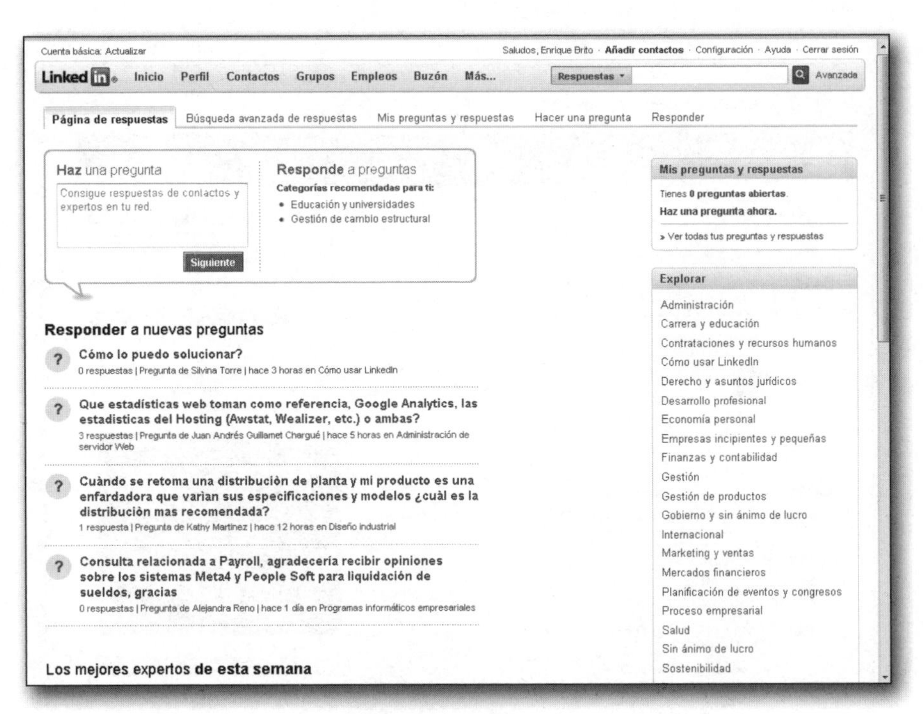

Figura 9.35.
Sección de preguntas y respuestas en LinkedIn.

Centro de aprendizaje

La opción Centro de aprendizaje se despliega en la opción Más... del menú superior y te permite acceder a la sección (exclusivamente redactada en inglés) con recursos para aprender a usar LinkedIn. Puedes consultar aquello que no haya quedado recogido en este libro.

Eventos

La opción Eventos se despliega en la opción Más... del menú superior y te permite acceder a la sección de eventos, que de momento sólo está disponible en inglés. Como puedes ver en la figura 9.36 primero accedes a los eventos que se celebran en fechas próximas y que han convocado tus contactos.

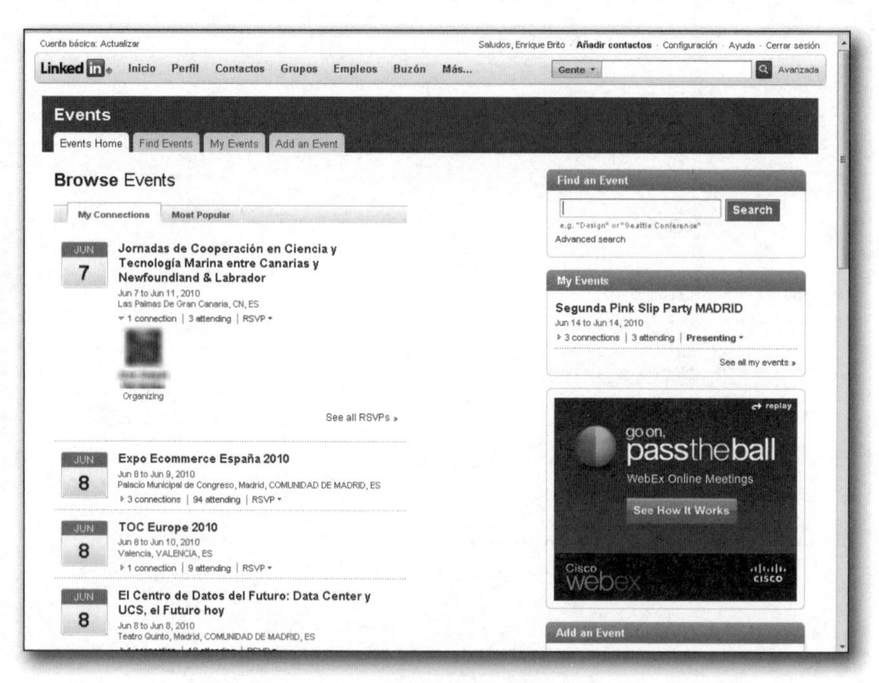

Figura 9.36.
Sección de eventos en LinkedIn.

También puedes buscar eventos con la caja de búsqueda de la parte derecha que ves en dicha figura o con la opción Find events.

La parte derecha también muestra los eventos que tú hayas convocado y tienes una zona donde gestionarlos en la opción My events.

Finalmente la opción Add an event te muestra el formulario que debes rellenar para crear un evento. Toda tu red recibirá un mensaje.

Aparte de esto, puedes enviar mensajes a contactos concretos para que les llegue tu recordatorio.

Directorio de aplicaciones

La opción Directorio de aplicaciones se despliega en la opción Más... del menú superior y te permite acceder a la sección de aplicaciones disponibles para enriquecer tu perfil, tal y como se vio en el apartado anterior "Completando el perfil".

Xing

La red profesional Xing (`http://xing.com`) es, por el momento, la líder en España con aproximadamente 1,2 millones de usuarios.

Dado el crecimiento de LinkedIn desde que ofrece interfaz en español es posible que a finales de 2010 hayan cambiado de orden.

Sea como sea, Xing es una red social muy consolidada en España y que promueve muchos eventos de *networking* gracias a los usuarios *Ambassador* (embajadores) que son usuarios que en cada provincia los organizan muy regularmente. Localiza al *Ambassador* de tu provincia y él te podrá orientar sobre qué grupos o eventos te pueden interesar.

El funcionamiento de esta red profesional es similar a LinkedIn y dado que recientemente han publicado una guía oficial bastante extensa, y que prometen mejorar, haremos un recorrido menos detallado de sus posibilidades pero sí nos detendremos más en las que sean de interés para el buscador de empleo.

La guía oficial de Xing se encuentra anunciada en su blog en la URL `http://blog.xing.com/2010/03/publicamos-la-primera-guia-basica-de-xing` en donde encontrarás el enlace para descargar el archivo PDF de 29 páginas. Aunque si quieres, la URL directa de descarga es `http://blog.xing.com/wp-content/uploads/2010/03/Gu%C3%ADa-bas%C3%ADca-de-XING-marzo-20101.pdf`.

El archivo tiene enlaces a artículos de su propio blog oficial para ir completando información sobre lo contenido en la guía. Abarca desde cómo crear el perfil, cómo hacer contactos, participar en grupos, asistir a eventos, hasta una breve descripción de la sección de empleo.

Vamos a centrarnos, como dije, en lo que le puede interesar al buscador de empleo. Como vemos, en la página de inicio (que podemos personalizar arrastrando cada recuadro a la zona que desees) en la parte superior que se muestra en la figura 9.37a vemos tres secciones:

Figura 9.37a.
Página de inicio personal de Xing.

- Novedades en la red: te muestra la actividad reciente de tus contactos directos, ya sea que han cambiado su foto o si asiste o convoca él mismo un evento, entre otras posibilidades.
- Nuevos usuarios: permite saber quién acaba de darse de alta en la red. Por eso es importante completar todo el perfil en el mismo momento que te das de alta, porque puedes recibir muchas visitas al aparecer en esa sección. Cuanta más información pongas, serás más atractivo para que te soliciten contacto o te envíen mensajes.
- Gente que tal vez conozcas: en función de las empresas en las que hayas trabajado, principalmente, o de alguna otra coincidencia en el perfil, Xing te propone gente que quizá conozcas y quieras unir a tu red de contactos. Nuevamente vemos la importancia de un perfil completo.

En la figura 9.37b vemos la sección inferior de la página de inicio en Xing. Observamos las siguientes secciones:

- Contactos de mis contactos: podemos llegar a ellos a través de un contacto directo. Analiza si alguno trabaja en el sector o incluso la empresa de tu interés para obtener información de primera mano. Al tener un contacto común, éste sirve de conector entre los dos. Recuerda que ya has analizado tus capacidades y que sabes lo que buscas, por tanto es una oportunidad inmejorable para establecer contacto enviando una petición con un mensaje claro, preciso y bien dirigido.
- Mensajes recientes de todos los grupos: te muestra mensajes de los foros de los grupos. Te permite ver sobre qué se discute habitualmente y así averiguas si es el indicado para tu promoción profesional. Recuerda que como mejor te promocionas es siendo miembro activo de los grupos y de sus foros. Y eso no significa vender tus productos, sino ayudar a quien pida consejo con respuestas bien enfocadas que te sitúen como una fuente fiable de conocimiento en ese campo.
- Ofertas de empleo para mi perfil: nuevamente, cuanta más información hay en tu perfil (todas tus experiencias profesionales y con descripciones amplias), más acertadas serán las recomendaciones que la red te hace sobre ofertas de empleo publicadas que te puedan

interesar. También puedes ir observando qué empresas y sectores están generando empleo para ver cómo puedes aplicar tus "activos transferibles", es decir lo que sabes hacer sea la empresa y el sector que sea, y plantearte incluso un cambio de sector de actividad (si es que no lo habías planificado ya).

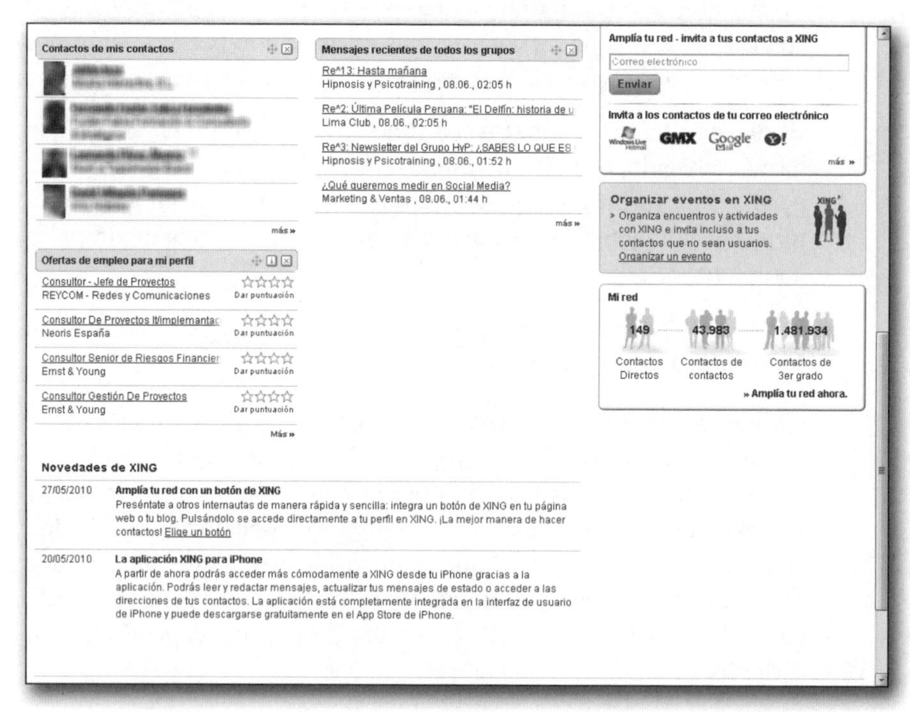

Figura 9.37b.
Página de inicio personal de Xing (continuación).

En la parte inferior Xing te va anunciando las novedades que ofrece en su red, como por ejemplo pueden ser aplicaciones o bien nuevas y mejoradas posibilidades.

Tal y como dijimos, al haber Xing publicado esa guía básica que permite ponerse en marcha fácilmente en la red, nos vamos a centrar solamente en explicar las posibilidades principales para el buscador de empleo de las opciones del menú superior de la figura 9.37a siguientes: Búsqueda, Grupos, Eventos, Empleos y Empresas.

Buscar contactos

La opción Búsqueda del menú superior nos ofrece tres posibilidades: búsqueda avanzada de usuarios, búsquedas predefinidas por Xing y un servicio de alerta sobre las búsquedas que hayamos creado.

Búsqueda avanzada

La figura 9.38 nos muestra en detalle el formulario de búsqueda avanzada de usuarios y todas las posibilidades que nos ofrece. Como ves, puedes buscar su empresa presente o pasada, o por sector.

Una vez más, si sabes a dónde vas, podrás ir buscando usuarios que te aproximen al sector y a las empresas de tu lista objetivo.

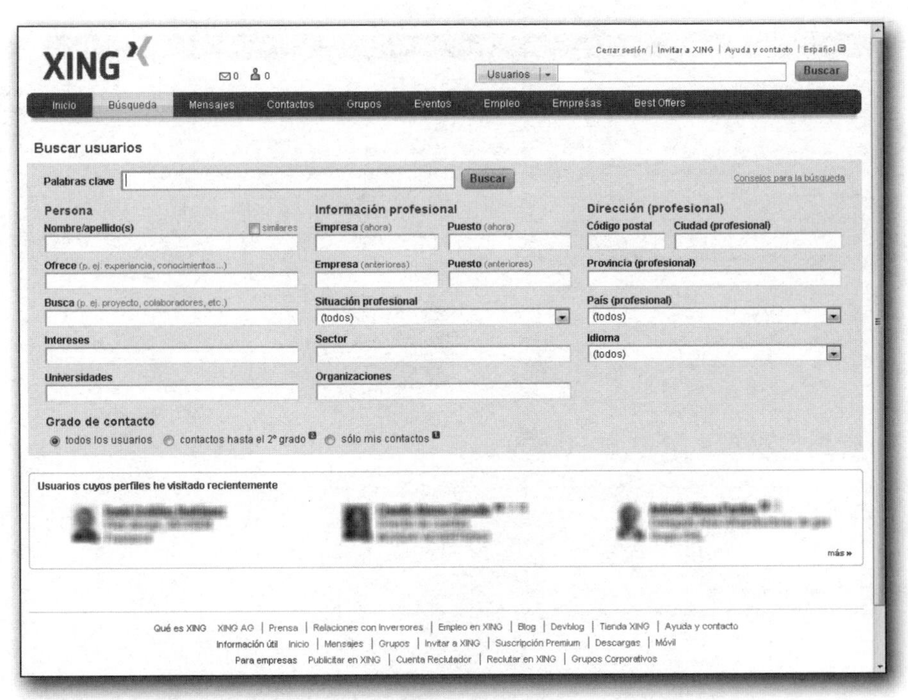

Figura 9.38.
Búsqueda avanzada de usuarios en Xing.

Es mejor, insisto, usar una lista corta de empresas y trabajar la red de contactos para llegar a las personas clave, que andar dando palos de ciego difundiendo el curriculum a los cuatro vientos.

Puedes realizar la búsqueda y tras ver los resultados, si los consideras interesantes, hacer un seguimiento de esa búsqueda con una alerta.

En la página de resultados a la derecha verás el botón Crear alerta de búsqueda que te permite asignarle un nombre y guardarla.

Búsquedas predefinidas

En la figura 9.39 podemos ver todas las opciones de búsqueda que nos ofrece ya programadas Xing.

Los cinco grupos de búsquedas que ofrece son:

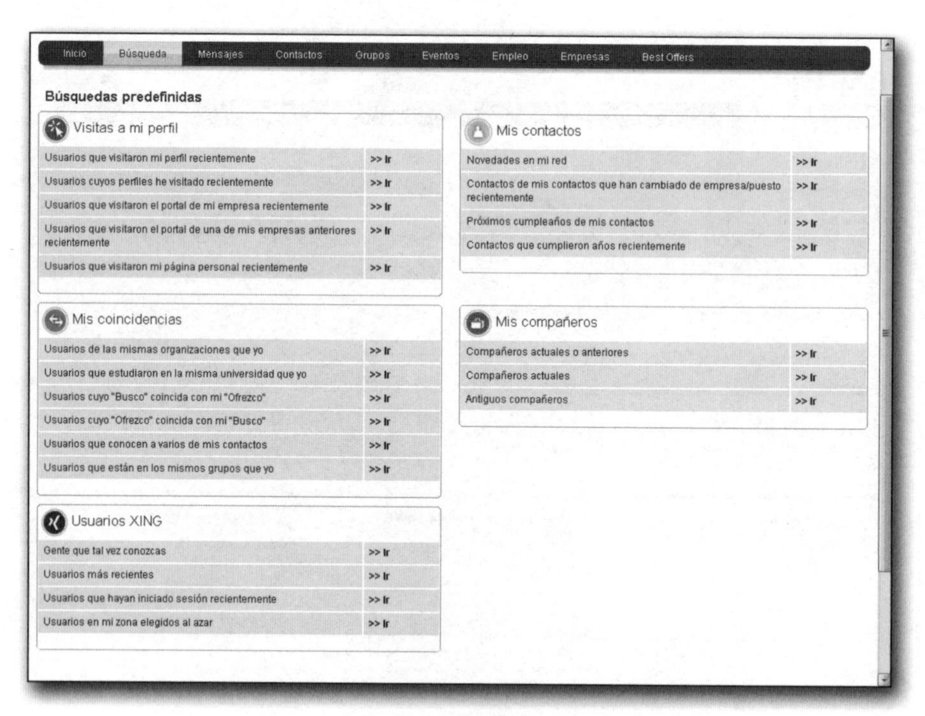

Figura 9.39.
Búsquedas predefinidas en Xing.

- Visitas a mi perfil, ya sea el personal o a las empresas en las que has trabajado.
- Mis contactos, para centrarte en ellos y cuidarlos convenientemente.
- Mis coincidencias, que te muestra todos los nexos con otros usuarios y a más información que pongas, más podrás extender tu red con estos nexos de unión.
- Mis compañeros, de la empresa presente o de pasadas experiencias.
- Usuarios XING, sugerencias que te hace la red.

Alertas de búsqueda

La figura 9.40 nos muestra las búsquedas avanzadas que nos hayamos guardado, tal como vimos, mostrando el nombre que le asignamos y la frecuencia con que se actualiza su información.

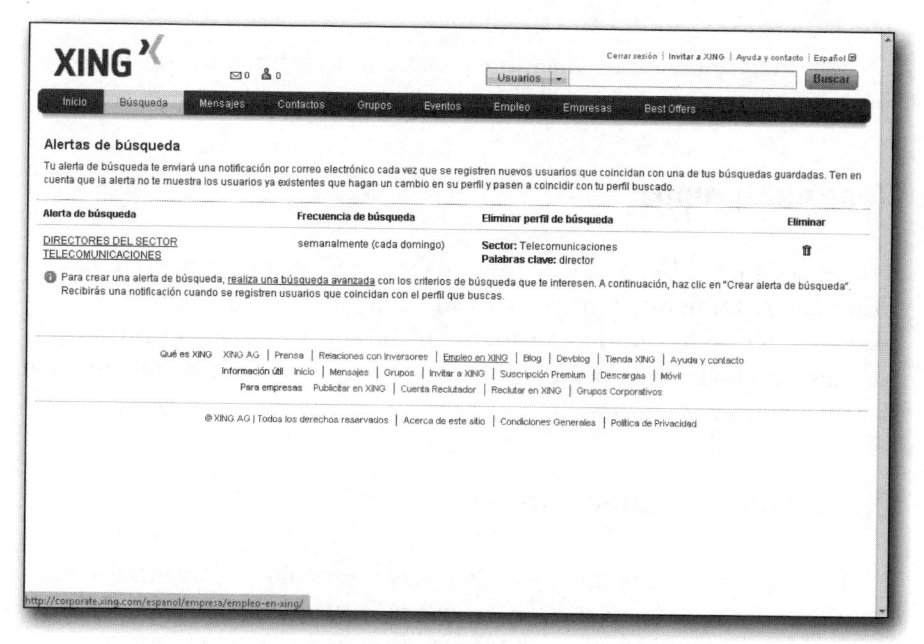

Figura 9.40.
Alertas de búsqueda en Xing.

Prepárate media docena de búsquedas bien seleccionadas y podrás diseccionar la actividad de un sector o de un perfil tipo de usuarios. Recibirás una notificación cuando se registren usuarios que coincidan con el perfil que buscas.

Grupos

La opción Grupos del menú superior nos ofrece estas posibilidades: información de mis grupos de interés, información de todos los grupos disponibles, notificaciones de grupos y la posibilidad de invitar a tus contactos a algún grupo.

Mis grupos

En la figura 9.41 ves la lista de los grupos a los que te has inscrito o los que has creado y administras tú mismo.

Muestra el número de miembros, número de mensajes total del grupo y número de los mensajes tuyos.

Todos los grupos

En la figura 9.42 ves la lista general de categorías de grupos que hay en Xing con el número de grupos en cada una de ellas. En la parte inferior de esa figura (se ha omitido mostrar el menú superior intencionadamente) puedes ver que se destacan los grupos con mayor número de miembros y los nuevos grupos creados.

Notificaciones de los grupos

En esta opción se te mostrarán los nuevos artículos o comentarios nuevos de los foros de los grupos en los que te hayas inscrito.

Servirán para monitorizar tu propia actividad o la de las conversaciones de interés.

XING

Cerrar sesión | Invitar a XING | Ayuda y contacto | Español

Grupos | Buscar

Inicio | Búsqueda | Mensajes | Contactos | Grupos | Eventos | Empleo | Empresas | Best Offers

Mis grupos

Buscar por: Grupos | Mensajes | Mis mensajes | p. ej. internet y tecnologías | Buscar | Consejos de búsqueda

Eres moderador de los siguientes grupos

Grupo	Mensajes	Mis mensajes	Miembros
PinkSlipParty.ES	0	0	2

Participas en los siguientes grupos

Grupo	Mensajes	Mis mensajes	Miembros
B & B Madrid	7	0	91
ClubIT: La Comunidad de expertos en Tecnología de España	260	0	1.886
Directores y Gerentes	5.607	0	2.647
El blog de Enrique Dans	7	0	557
Empleo y Personas	1.335	0	1.248
Emprendedores & Autonomos	1.746	0	4.152
Emprendedores / Creación de empresas	10.015	0	24.681
Gestión de la Carrera Profesional	785	0	4.518
Gestión Integral de Recursos Humanos	4.550	0	2.348
Grupo XING	2.049	0	3.080
IE Business School Alumnos Interesados	12	0	115

Figura 9.41.
Mis grupos de interés en Xing.

Figura 9.42.
Todos los grupos de Xing.

Invitaciones de grupos

Nos ofrece el formulario, mostrado en la figura 9.43, en el que seleccionar uno de los grupos a los que estamos inscritos y mandarle un mensaje, que conviene personalizar para lograr mejores resultados, a tus contactos o a las direcciones de correo que pongas, por lo que atraes a nuevos usuarios a la red.

Recomienda tus grupos - ¡invita a tus contactos!
Invita a tus contactos a los grupos de los que eres moderador o miembro.
Elige el grupo para el quieres enviar la invitación:
--- Seleccionar ---
Tus contactos confirmados
Direcciones de correo electrónico de otros contactos (0 más)
p.ej., nombre.apellido@empresa.com
Puedes escribir mensajes a varios destinatarios intercalando comas entre las direcciones.
Para unirse a un grupo, las personas que no sean usuarios de XING se tienen que registrar primero.
Asunto
Saludo
Hola,
Tu mensaje (obligatoriamente entre 3 y 500)
Te invito a un grupo de debate muy interesante en XING, donde te esperan mentes afines que están deseando conocerte.
Saludos,
Enrique Brito Alvaro
El enlace hacia el grupo se adjuntará automáticamente a la invitación.
Enviar

Figura 9.43.
Invitación a grupos de Xing.

Eventos

La opción Eventos del menú superior nos ofrece tres posibilidades: ver todos los eventos disponibles, crear nuestro propio evento y gestionar nuestra agenda de eventos.

Todos los eventos

La figura 9.44 nos muestra todos los eventos que nos ofrece Xing. Primero nos propone los que considera interesantes por nuestro perfil, y en la parte inferior nos dice los eventos a los que van a asistir nuestros contactos (una ocasión inmejorable para estrechar lazos de unión con el contacto personal que es el que de verdad nos interesa) o los eventos oficiales de Xing.

Figura 9.44.
Eventos que nos ofrece la red Xing.

Crear evento

La mejor manera de construir tu red es creando un evento para reunir a gente en torno a un tema específico. Es la mejor manera de darte a conocer y posicionarte. Requiere su tiempo de preparación y paciencia para ir logrando que al repetir el evento aumente el número de asistentes y tu prestigio, pero se pueden acabar consiguiendo grandes cosas. El ejemplo son los eventos Iniciador (`http://iniciador.com`) que empezaron tres personas y ahora se realizan por toda la geografía nacional.

En la figura 9.45 puedes ver parte del formulario. Deberás decidir el tipo de evento, la visibilidad que le quieres dar, asignarle una categoría, describirlo adecuadamente e indicar las fechas y el lugar de celebración del evento.

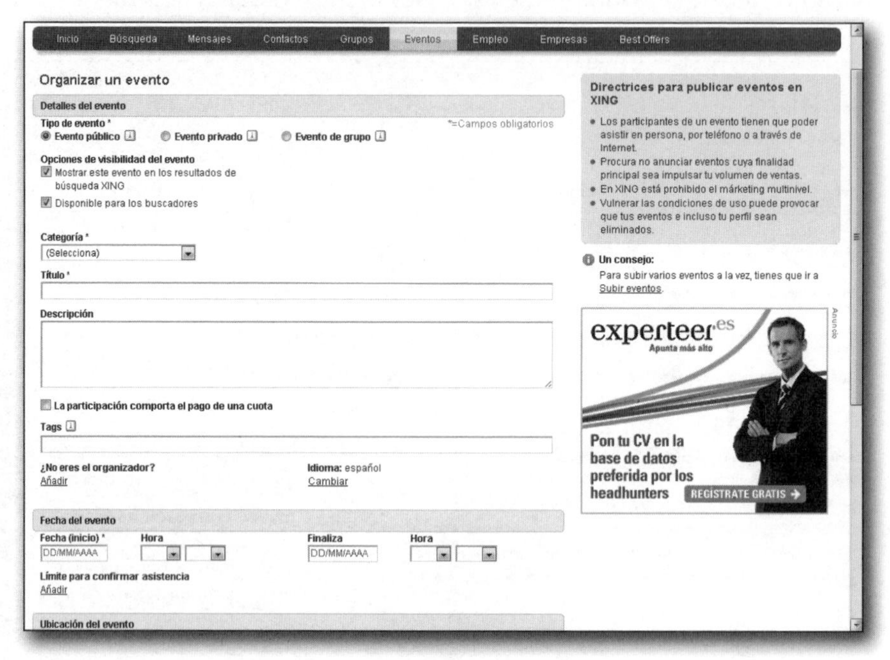

Figura 9.45.
Crear un evento en Xing.

Mi agenda

Tu agenda de eventos te permite ver los eventos creados por tus contactos directos y ver si quedan plazas disponibles para apuntarse. Se te ofrece la posibilidad en la opción Sincronizar mis eventos de integrar los eventos a los que te apuntes en Xing con tu aplicación habitual de calendario. Puedes usar el calendario de Google, ya que hemos visto cómo crearnos una cuenta y usar Google docs.

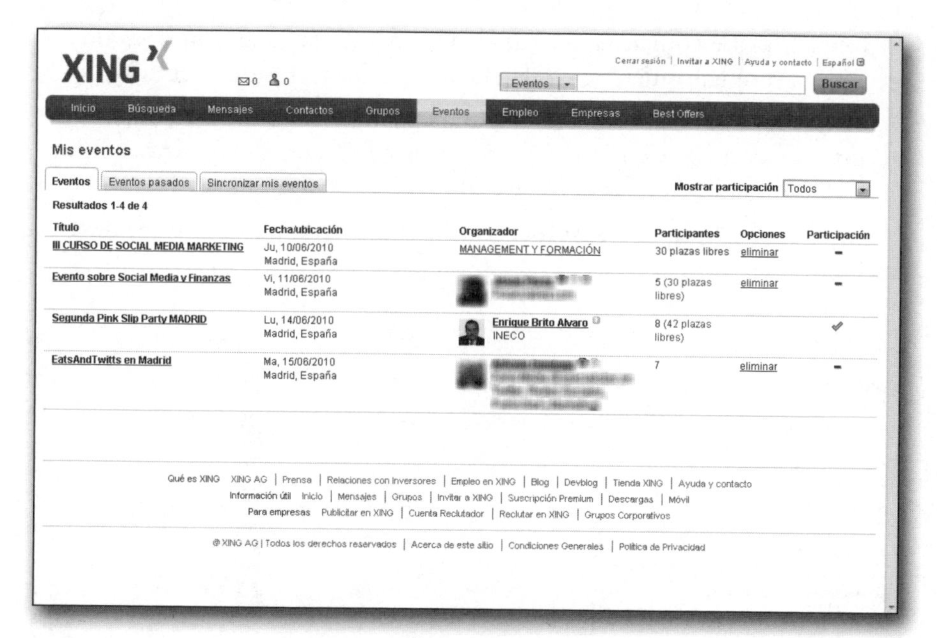

Figura 9.46.
Mi agenda de eventos en Xing.

Empleos

La opción Empleos del menú superior nos ofrece la posibilidad de acceder a todas las ofertas de empleo que se publiquen en Xing, según lo que la red considera adaptado a tu perfil, o buscar ofertas concretas, o publicar nuestras propias ofertas de empleo y gestionarlas (si somos reclutadores). También podemos evaluar las ofertas que el sistema nos recomienda y así le ayudamos a irse aproximando a las ofertas que realmente queremos.

Ofertas de empleo

Primero se nos muestra una extensa lista de las ofertas que nos ofrece la red por nuestro perfil y en la parte inferior nos muestra las ofertas de empleo en nuestra red, las ofertas más recientes o las empresas más activas publicando ofertas, que en este caso son empresas de selección.

Recuerda que comentamos que debías investigar estas empresas de selección y averiguar quién gestiona las ofertas del sector de tu interés.

Si consigue contacto directo con esa persona y ves una oferta interesante, antes de contestar en la red profesional habla con tu contacto e infórmate de primera mano.

En la figura 9.47 puedes observar el detalle de la parte inferior de esta opción.

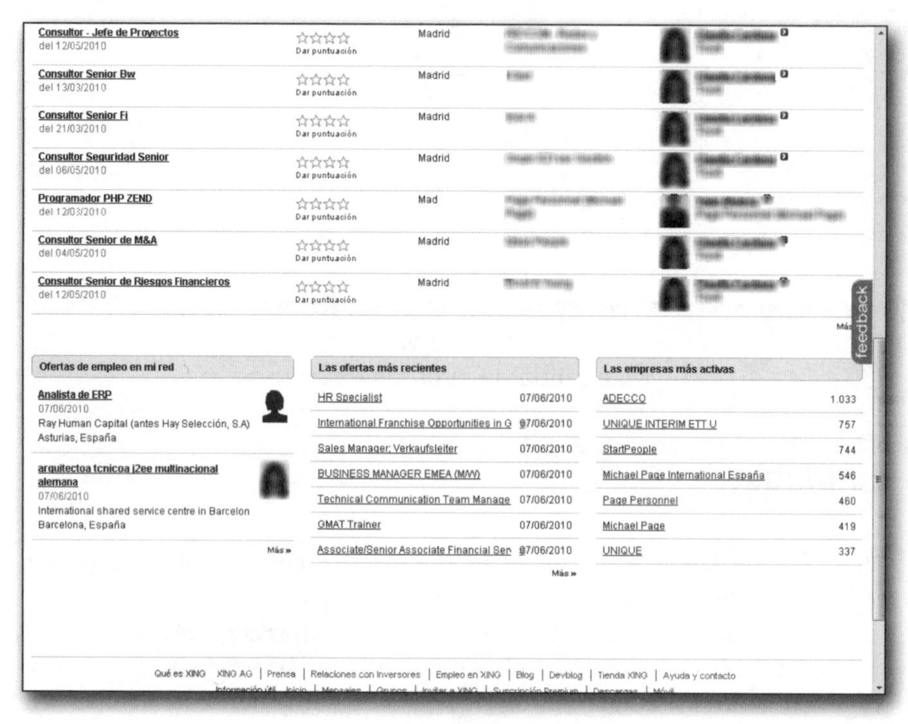

Figura 9.47.
Ofertas de empleo en Xing.

Buscar ofertas de empleo

En la figura 9.48 puedes ver el formulario para buscar ofertas de empleo en Xing según el criterio que le marques. Sigue los consejos que dan en la parte inferior para obtener mejores resultados.

Figura 9.48.
Buscador de ofertas de empleo en Xing.

Empresas

La opción Empresas del menú superior nos ofrece tres posibilidades: buscar información de todas las empresas presentes en Xing, o todos los compañeros de mi empresa presentes en Xing o descubrir las posibilidades que ofrecen los diferentes perfiles de empresa que ofrece Xing.

Todas las empresas

Xing nos muestra todas las empresas presentes en su red profesional clasificadas por sectores.

Nos destaca los perfiles nuevos de empresa creados o podemos acceder a modelos de perfiles de empresa.

También tenemos una caja de búsqueda para informarnos sobre nuestra empresa objetivo. Podemos abrir un formulario más extenso haciendo clic en Búsqueda avanzada para poder filtrar la búsqueda por tamaño, sector o país, entre otras opciones, tal como vemos en la figura 9.49.

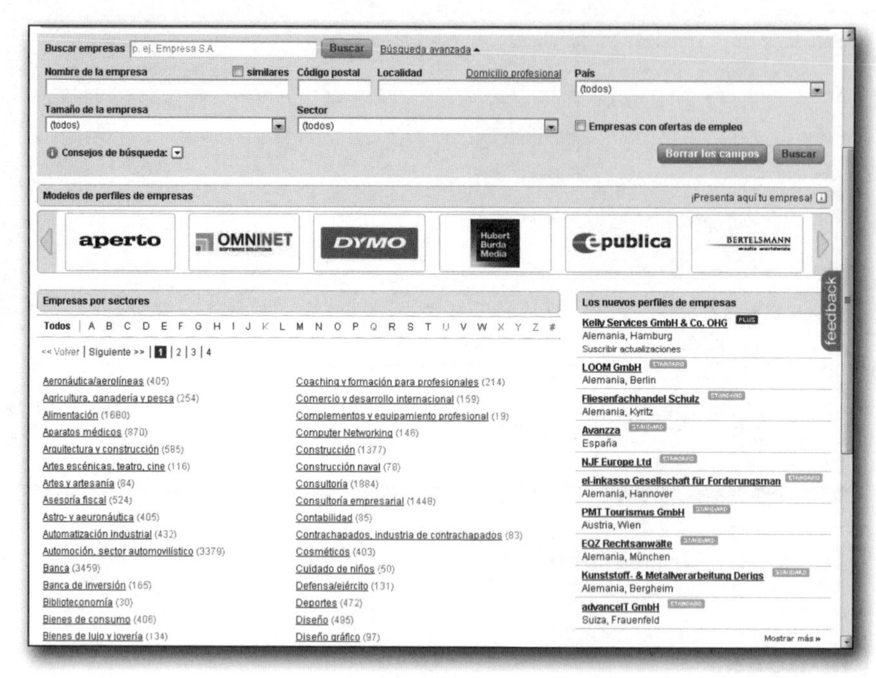

Figura 9.49.
Buscador de empresas en Xing.

Mi empresa

Finalmente, para acabar de ver nuestro recorrido por las zonas interesantes para el buscador de empleo en la red profesional Xing, vemos en la figura 9.50 cómo Xing nos muestra información de qué otros miembros de nuestra empresa están en Xing. Este libro trata de buscar empleo y normalmente se hace para irse a otra empresa, pero bien podrías estar pensando en cambiar de actividad en tu propia empresa y aquí ves la posibilidad de mejorar el conocimiento de otras áreas de tu empresa estableciendo contacto con otros compañeros.

Figura 9.50.
Compañeros de mi empresa en Xing.

Viadeo

La última red profesional que vamos a tratar muy brevemente es Viadeo (`http://viadeo.com`).

Al igual que LinkedIn o Xing te permite tener las opciones de menú en distintos idiomas. También puedes tener varios perfiles en varios idiomas, funcionalidad que también tienes en LinkedIn pero, a día de hoy, no está disponible en Xing. Véase la figura 9.51.

El número de usuarios es menor a las anteriores. Tuvo un crecimiento al entrar en España y aunque ahora se ha estancado, no debes dejar de tenerla en cuenta porque el origen de esta red fue un grupo de emprendedores franceses que buscaron la manera de conectarse entre ellos. Tienen muy claro cómo funciona el negocio de las redes profesionales y volverá a alcanzar buen ritmo de crecimiento, por eso no debes descartar esta tercera posibilidad de establecer buenos contactos.

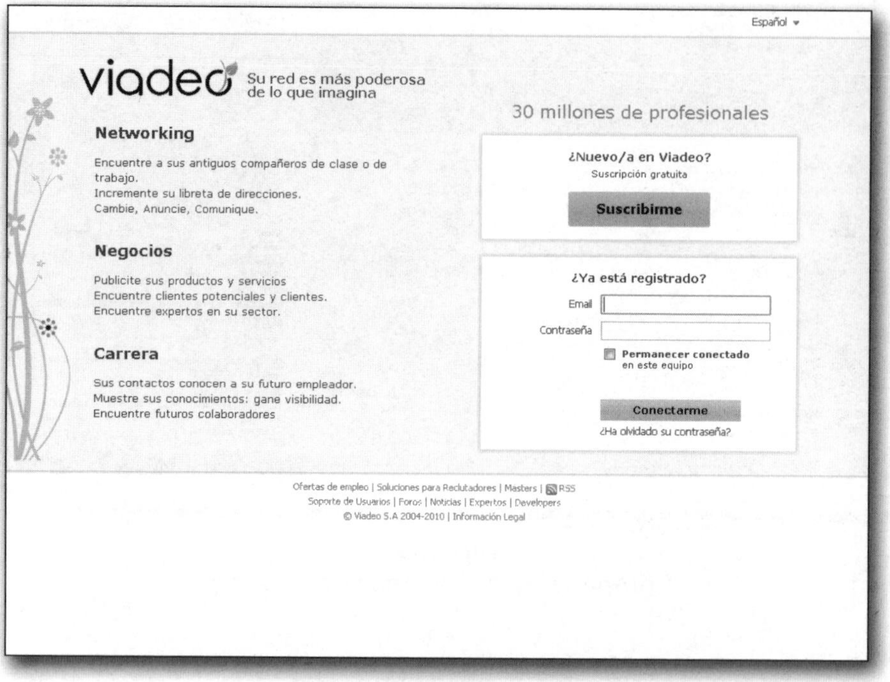

Figura 9.51.
Pantalla de entrada a Viadeo.

Otra opción destacable de Viadeo es que también tiene la posibilidad de hacer preguntas o responder las de otros usuarios, que en Viadeo se llama Expertos. Véase la figura 9.52.

También puedes crear eventos y grupos, o apuntarte a los que sean de tu interés.

Como en Xing, según vayas invitando a la red a usuarios que tengan que darse de alta, obtienes meses gratis de acceso Premium que te dan más posibilidades para investigar perfiles y empresas.

Por último, la sección de empleo está accesible desde Empleo y Masters> Espacio Empleo tal y como puedes ver en la figura 9.53.

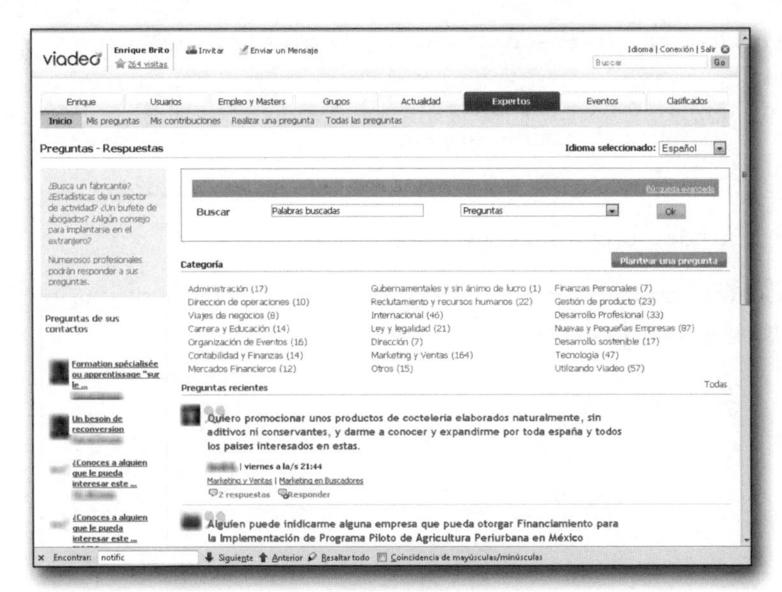

Figura 9.52.
Posiciónate como experto en Viadeo.

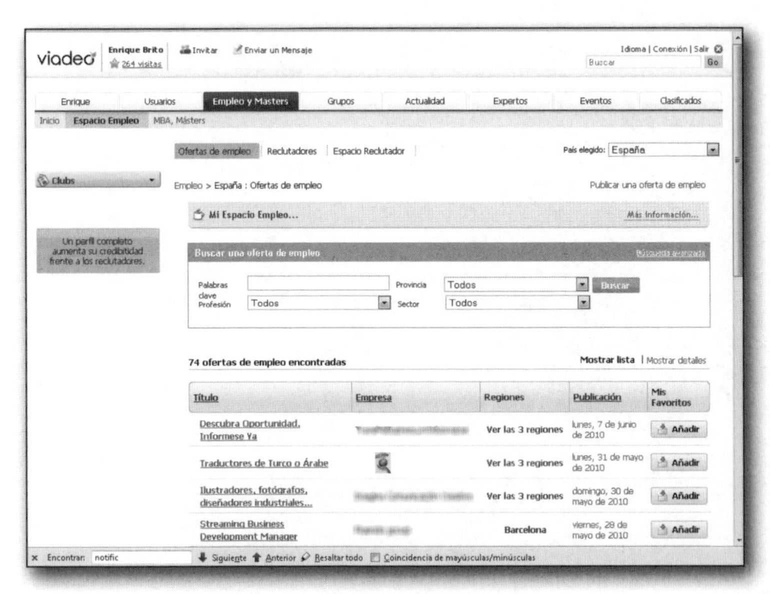

Figura 9.53.
Espacio empleo en Viadeo.

Por lo demás, las pautas de uso de esta red son las mismas que aplican a todas:

- Completa al máximo tu perfil.
- Selecciona y participa activamente en grupos de interés.
- Acude a eventos o convócalos.

Cuanto más activo te muestres, más crecerá tu red y tus posibilidades de llegar al trabajo deseado.

10 Entrevistas de selección

Si has hecho bien los deberes seguro que obtienes entrevistas de trabajo. Te has analizado, has decidido qué querías hacer, has averiguado dónde se puede hacer y quién es la persona con decisión sobre ese puesto y finalmente le has contactado a través de tu red. Lo normal es obtener entrevistas y en este capítulo vamos a ver qué tipos de entrevistas te puedes encontrar habitualmente. También daremos pautas para prepararte para las entrevistas, para realizarlas adecuadamente y para reforzar su efecto una vez pasada la entrevista. También veremos páginas que nos permiten entrenarnos para esta fase final de nuestra búsqueda de trabajo.

Y como he dicho antes, las entrevistas llegarán. Así que debes estar preparado para superar el penúltimo obstáculo entre tú y tu nuevo trabajo.

Y sobre todo, no pienses que la entrevista de trabajo es unidireccional. No se trata solamente de que la otra parte, el entrevistador, vea si tú eres el candidato idóneo. Tú también debes saber ver si esa empresa, a la que has llegado tras estudiarla y ver que podrías encontrar tu puesto de trabajo idóneo, es realmente tal como creías. Es decir, el entrevistador también es en cierto modo entrevistado porque una de las cosas que debe hacer es dejar claro lo que se va a encontrar el entrevistado si entra en la empresa.

Evidentemente, cuando la entrevista es a través de una empresa de selección esto no es tan inmediato, porque lo que primero hace la empresa de selección es filtrar candidatos y tratar de dar la información justa sobre la empresa final. Recuerda que les han contratado para esa selección previa y no verse desbordados por una oleada de candidatos y porque como las empresas de selección conocen mejor el mercado, o debería ser así, obtendrán un mejor grupo de candidatos que pasarán a la fase final con la empresa.

Para defendernos bien en las entrevistas veremos cómo dejar bien preparado el inventario de autoventa y, finalmente, hablaremos brevemente sobre los estilos de comunicación.

Tipos de entrevistas

Para hablar de los tipos de entrevistas que nos podemos encontrar podemos tener en cuenta varios factores: estructura del cuestionario, número de intervinientes y duración del proceso, principalmente. También podríamos hablar de la graduación emocional de la entrevista.

Estructura del cuestionario

Nos estamos refiriendo aquí a cómo se plantean las preguntas y, en este caso, podemos tener entrevistas de estos tipos:

- **Directa**: Nos realizan preguntas muy precisas que requerirán que nuestras respuestas sean concretas. El entrevistador es el que lleva el control durante toda la entrevista y lo que pretende es conseguir información objetiva, dejando de lado el análisis emocional del candidato.
- **Abierta**: En este caso no son todas preguntas directas, sino que se nos realizan preguntas de carácter general. Lo que tratan en este caso es ver nuestra personalidad y carácter, más que averiguar nuestros conocimientos concretos. Su objetivo puede ser detectar si encajarías con la filosofía general de la empresa y, en ese caso, pasar a otra entrevista posterior de tipo directo.
- **Combinada**: Se hacen preguntas de los dos tipos. Es la habitual que se suele hacer, empezando por preguntas generales que, aparte de

servir para detectar el perfil emocional del candidato, le ayudan a relajarse y ganar confianza. También nos realizan preguntas directas para analizar nuestro grado de conocimiento en los requisitos claves del puesto. Lo importante será relacionar nuestras respuestas con el puesto.

Número de intervinientes

Ahora nos estamos refiriendo al número de gente que hay durante la realización de la entrevista. Podremos tener estos tipos de entrevista:

- **Individual**: Es la habitual, sobre todo cuando primero es una empresa de selección la que filtra a los mejores candidatos. Un entrevistador y un candidato.
- **Tribunal**: En este caso tenemos a varios entrevistadores que realizan preguntas al candidato indistintamente. Cada entrevistador evaluará un aspecto del candidato, ya sea emocional o de conocimientos concretos, y puede observar el comportamiento del candidato ante las preguntas de los otros entrevistadores.
- **En grupo**: Puede haber uno o más entrevistadores y varios candidatos. Sirven a los entrevistadores para acelerar la selección al comparar directamente a varios candidatos. Lo normal es contestar al entrevistador que hace la pregunta, pero nos podrían pedir que le contestáramos al resto de candidatos para ver cómo hablamos en público.

Duración del proceso

Ahora consideramos la cantidad de entrevistas que podemos tener. En este caso, las entrevistas podrían ser:

- **Preliminares**: Son para filtrar candidatos cuando hay muchos. Ya no suelen ser muy habituales porque precisamente el uso de portales de empleo, ya sea directamente por la empresa o por los seleccionadores contratados, permite hacer este filtrado previo.

- **Filtro**: Es la entrevista en la que se deciden los candidatos de la fase final. Puede ser sólo una o ser varias. (Como dato curioso puedo dar fe de un proceso en el que yo estuve y que duró casi nueve meses en los que pasé otras nueve entrevistas. No entré en la empresa, pero es que realmente no debería ni haber ido a la primera. Pero eso es otra historia.)
- **Entrevista final**: Es en la que se plantean aspectos concretos del puesto a desempeñar y se negocian las condiciones salariales y el periodo de incorporación a la empresa. Es posible que quien vaya a ser tu futuro superior participe.

Graduación emocional

Finalmente, podemos distinguir los siguientes dos grados emocionales en las entrevistas:

- **Normal**: Es la entrevista habitual, con un clima agradable y para que el candidato esté relajado.
- **En tensión**: Es una entrevista en la que se pone a prueba la resistencia emocional del candidato ante diversos factores como puede ser el cansancio, si se alarga mucho, la falta de tiempo no dejando extenderse en las respuestas o cortando con nuevas preguntas o incluso hacer preguntas agresivas para ver la respuesta emocional del candidato.

Fases de una entrevista de selección

En toda entrevista podemos distinguir tres fases claramente:

- **Inicio**: Es el saludo y presentación. El entrevistador nos suele explicar el puesto que se pretende cubrir y las características de la empresa. Como ya hemos comentado, si es una consultora de selección, lo normal es que no nos den datos concretos de la empresa.

- **Desarrollo**: Es la entrevista en si, en la que el entrevistador trata de averiguar nuestros conocimientos y si nos adecuamos o no a los requisitos del puesto, o a los requisitos que le han marcado para establecer filtros de candidatos que puedan pasar a la siguiente fase del proceso.
- **Cierre**: Es el momento en el que el entrevistador deja la iniciativa al candidato dándole la posibilidad de hacer alguna pregunta sobre el puesto o la empresa.

Preparación para las entrevistas

Lo cierto es que si has ido haciendo las cosas tal y como hemos ido aconsejando tendrás casi preparada la entrevista.

Deberás prepararte para tres periodos claros: antes de la entrevista, durante la entrevista y tras la entrevista.

Antes de la entrevista

Debes obtener información de la empresa, del puesto y también de la persona que te va a entrevistar. Si has ido siguiendo las pautas marcadas, ya lo tienes hecho.

Revisa tu curriculum antes de acudir. Aunque parezca mentira, puedes olvidarte de algún dato concreto y eso puede hacer que le entren dudas al entrevistador al ver que no encaja lo que respondes con lo escrito.

Con la costumbre habitual, errónea, de tener un curriculum para todo, este paso es más fácil de cumplir.

Pero si has adaptado el curriculum a la empresa y puesto, debes repasar ése en concreto y no otro. Esto implica que debes llevar un registro de las comunicaciones y de la información que has intercambiado con cada empresa. Como seleccionaste tu lista de empresas objetivo, no debería suponerte mucho problema hacerlo así, lo que además habrá facilitado llegar al objetivo: la entrevista.

Viste de modo formal o neutro, a no ser que tengas claro que nadie viste formalmente en esa empresa y ni el entrevistador te va a recibir vestido formalmente. Aún en ese caso, vistiendo formalmente evitas ser eliminado en la primera impresión que el entrevistador se hace de ti nada más verte.

¿Seguro que sabes llegar al sitio de la entrevista? Ni se te ocurra llegar tarde. Y no te fíes de un mapa. Si no lo tienes claro, un día o dos antes de la entrevista procura hacer el trayecto a la misma hora para comprobar que realmente sabes llegar y que no lo harás tarde.

Si vieras que te vas a retrasar, llama para avisar. Pero tampoco llegues demasiado pronto. Unos cinco o diez minutos antes es lo correcto.

Relájate y deja los nervios en casa. Usa la técnica que mejor te vaya, ya sea yoga, ejercicios de estiramiento muscular, hablar ante el espejo o hacer el pino.

Si tienes claro cuál es el momento del día en que estás más lúcido, procura poner la cita ahí, si es que el entrevistador te permite esa posibilidad.

Durante la entrevista

No te tomes confianzas, aunque parezca que te las dan. Recuerda que es una entrevista y no una charla de amiguetes.

Por norma general, deja llevar las riendas al entrevistador y trata de escuchar más que hablar. Hay autores que recomiendan una técnica más agresiva y que seas tú el que vaya planteando las preguntas, lo que sería hacer una entrevista a la inversa.

Si eres tú el que ha investigado la empresa y el que ha visto que puedes resolverles un problema que tengan, puede que esta técnica sea efectiva porque te permite obtener la información necesaria para convencer al "entrevistador" de que realmente encajas y eres su pieza en el puzzle. Pero es una técnica arriesgada. Valora si te quieres salir de los esquemas tradicionales o no.

Por tanto, como estás escuchando atentamente, sé claro en tus respuestas y observa al entrevistador. Del mismo modo que él puede analizar tus gestos, tú puedes deducir de los suyos si estás dirigiendo bien las respuestas o no.

Como te analizaste y sabes tus competencias y habilidades, has analizado la empresa y el puesto (de hecho, lo has buscado tú) tienes completo lo que se conoce como tu inventario de autoventa. Es decir, con la información con la que preparaste la entrevista debes tener capacidad para encontrar entre tus habilidades y competencias la requerida para la situación que se te plantea en la entrevista.

Ante la eterna pregunta de por qué has cambiado de trabajo en cada caso, plantéalo siempre de forma positiva y nunca critiques a tus antiguos jefes o compañeros.

Tu posición debe ser relajada y desde estar correctamente sentado, ni demasiado inclinado hacia adelante ni demasiado inclinado hacia atrás. En el primer caso, muestras demasiada ansia por el puesto y puede indicar tu desesperación por el empleo, lo que usarán para ofrecerte menos sueldo. En el segundo, da imagen de desinterés por el puesto, lo que significa que no pasarás la entrevista.

El tema del salario déjalo para la negociación final, pero si te fuerzan, da una respuesta coherente al puesto y experiencia que aportas.

Y nunca, nunca mientas. Recuerda que se atrapa antes a un mentiroso que a un cojo.

Tras la entrevista

Nada más terminar busca un lugar tranquilo cerca de donde has hecho la entrevista y dedica un tiempo a repasar la entrevista que has hecho. En caso de que hubieras tomado alguna nota durante la entrevista, repasa lo escrito.

Como tienes fresco lo que ha pasado, trata de resumirlo y dejar claro dónde crees que te ha ido mal para estudiar cómo corregir ese fallo en la siguiente entrevista. Si algo crees que destacó, también lo debes apuntar.

Finalmente, manda una nota de agradecimiento, que ahora se hace habitualmente por correo electrónico, porque tendrás la tarjeta del entrevistador que te habrá dado al presentarse o que tú se la habrás pedido al acabar.

Acabas de anotar en los puntos que has destacado. Úsalos en la nota de agradecimiento para recordárselos, sin transcribir lo dicho.

Y del mismo modo, lo que creas que ha sido negativo o poco claro aprovecha para tratar de darle la vuelta.

Webs sobre entrevistas de selección

Vamos a ver ahora una serie de Webs en las que puedes ampliar la información sobre las entrevistas de selección y con consejos sobre cómo superarlas para completar lo que se ha descrito anteriormente.

Quierounbuentrabajo.com

Ya hablamos de `http://quierounbuentrabajo.com` en los capítulos 4 y 6. Ahora veremos cómo su contenido nos puede ayudar a prepararnos para las entrevistas de trabajo. En concreto, en la URL `http://www.quierounbuentrabajo.com/recursos/cap01pag08a.asp` tienes toda la información disponible. Otro método alternativo de llegar al mismo sitio es, desde la página principal, seguir las opciones RECURSOS> La entrevista del menú de la columna izquierda de la página. Puedes ver la portada de esta sección en la figura 10.1. Aunque no se ve completamente, en la parte inferior de la figura 10.1 hay un recuadro con el menú de navegación por las subsecciones que tratan sobre la entrevista de trabajo:

- La entrevista de trabajo.
- Tipos de entrevistas.
- El desarrollo de la entrevista.
- La preparación de tu entrevista.
- Las 50 preguntas más habituales.
- Las preguntas que puedes hacer.
- Recuerda que...

Podrás completar la información de este libro. Es muy recomendable adquirir la **Guía de las Empresas que Ofrecen Empleo** en papel porque incluye un CD-ROM en el que aparte de tener una base de datos de empresas, tienes todo el contenido del portal en formato PDF. En concreto te puedes editar un PDF en el que respondas a las 50 preguntas más habituales que te pueden plantear para así ir mejor preparado.

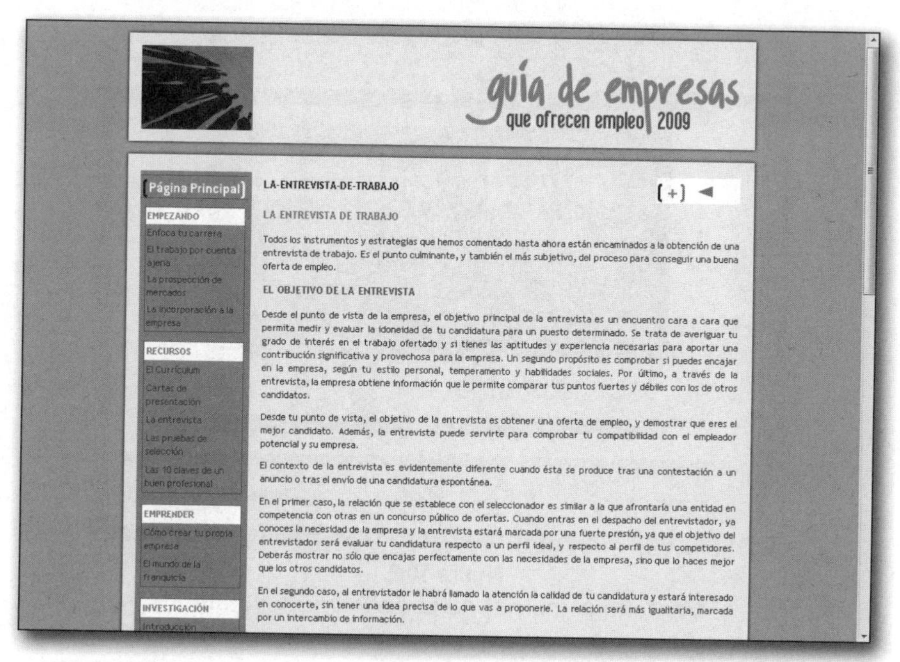

Figura 10.1.
Prepara tus entrevistas de trabajo con http://quierounbuentrabajo.com.

En la figura 10.2 verás la pantalla principal de la aplicación `Guíate` que te puedes instalar en tu ordenador (sólo para Windows) y consultarla siempre que quieras, incluso sin conexión a Internet.

orientacionprofesional.org

Esta Web es también obra de Alfonso Alcántara, conocido como Yoriento y al que cité como referencia en el capítulo 2 de este libro. La encontrarás en la URL `http://oreintacionprofesional.org`. Alfonso tiene publicada en esta Web su versión on-line de su guía "**Tu empleo en 40 pasos**". En concreto, la guía está en la URL `http://www.orientacionprofesional.org/tu-empleo-en-40-pasos` donde tienes el índice de todos los pasos, que ves en la figura 10.3. Los pasos 35 y 36 están dedicados a la entrevista. No dejes de consultarlos.

Figura 10.2.
Pantalla principal de la aplicación Guíate.

Figura 10.3.
Tu empleo en 40 pasos. http://orientacionprofesional.org.

Entrevista en inglés

Hasta ahora no habíamos hablado del inglés en este libro y quiero aprovechar la oportunidad para hablarte de un blog muy útil para aprender inglés.

Se trata de "El blog para aprender inglés" y que se encuentra en la URL `http://elblogdelingles.blogspot.com`, donde entre muchas cosas encontrarás un artículo específico con consejos para superar con éxito una entrevista de trabajo en inglés, que ves en la figura 10.4 y que encontrarás en la URL `http://elblogdelingles.blogspot.com/2010/04/consejos-superar-con-exito-una.html`.

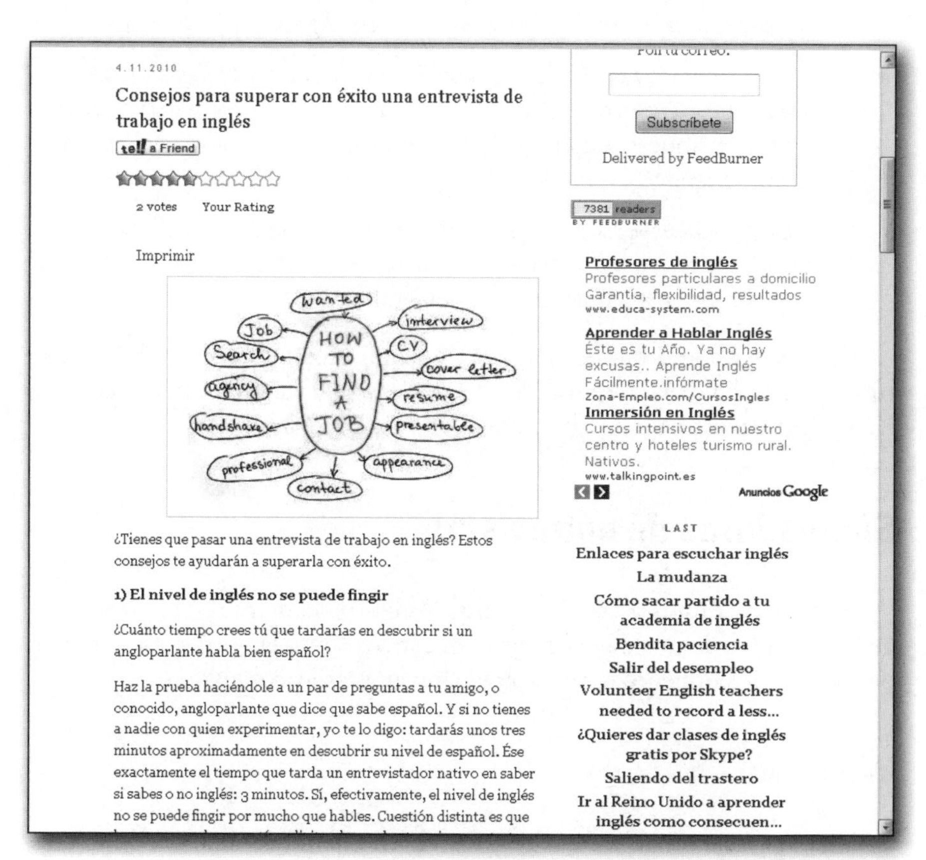

Figura 10.4.
Aprende a superar una entrevista en inglés.

SlideShare

SlideShare (http://www.slideshare.net) es una Web que te permite almacenar presentaciones hechas con Microsoft PowerPoint y ponerlas disponibles para que todo el mundo las vea y, si quieres, se las puedan descargar. Es, en cierto modo, el YouTUBE de los PowerPoint. Si utilizas su caja de búsqueda encontrarás material sobre casi cualquier tema. Vamos a ver unas pocas presentaciones sobre la entrevista de selección.

- http://www.slideshare.net/JohnnyBerg/standard-job-interview-behavioral-questions muestra preguntas centradas en tu comportamiento, en inglés.
- http://www.slideshare.net/anisuki/gestos-a-evitar-en-una-entrevista-de-trabajo-presentation muestra consejos para evitar actitudes negativas durante la entrevista.
- http://www.slideshare.net/cristellp/10-claves-para-tu-entrevista-de-trabajo del portal Laboris.net que vimos en el capítulo 8.

Puedes ver cómo buscar más presentaciones con consejos sobre la entrevista de trabajo en la figura 10.5. O ver las que Encarna Batet selecciona en este artículo: http://t-orienta.info/?p=1767.

Simuladores de entrevistas

Ahora nos vamos a centrar en tres Webs francamente bien elaboradas en las que no sólo nos dan consejos fantásticos sobre la entrevista, sino que podremos virtualmente entrenarnos para superarlas con éxito.

Educastur

Una vez más traigo a estas páginas el fenomenal recurso de Educastur H.O.L.A. (Herramienta de Orientación Laboral de Asturias) que es una verdadera joya.

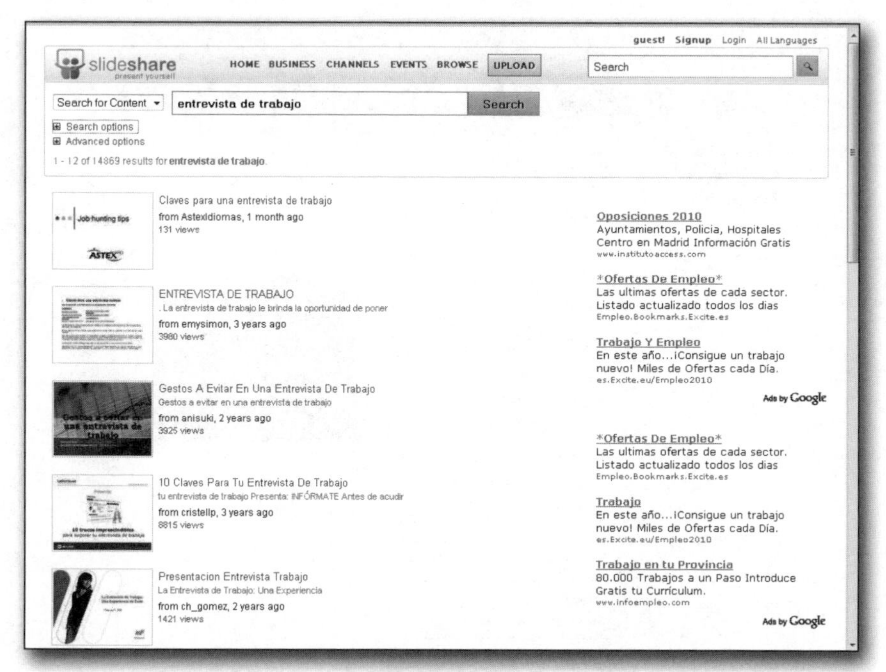

Figura 10.5.
Aprende sobre la entrevista de selección con SlideShare.

Recuerda que se accede desde `http://www.educastur.es/hola` que puedes ver en la figura 2.16.

La información concreta que buscamos en este caso es su simulador de entrevistas que, desplazándote un poco hacia abajo en esa página principal, encuentras en el enlace **Simulador de entrevistas de trabajo**. Al hacer clic sobre ese enlace irás a la página que se muestra en la figura 10.6.

Debes hace clic en el enlace **Accede al simulador >>** que aparece en la página de la figura 10.6 que te mostrará el simulador en una nueva ventana emergente. Es decir, se te abre una ventana nueva del navegador, salvo que lo tengas bloqueado.

Tras la presentación, te aparecen cinco personas con diferentes perfiles para que elijas uno. Si encaja con el tuyo, evidentemente el entrenamiento será mejor, pero sea cual sea el que elijas, todos te llevarán a una simulación de entrevista que te irá enseñando en cada momento la mejor opción de respuesta posible.

Figura 10.6.
Acceso al simulador de entrevistas de Educastur.

Los perfiles disponibles son (corresponden de izquierda a derecha a las personas de la foto de la figura 10.6):

- Mujer, 22 años. Ciclo Superior de Formación Profesional.
- Varón, 18 años. Programa de Garantía Social.
- Mujer, 30 años. Licenciada y curso de postgrado.
- Mujer, 25 años. Con estudios secundarios completados.
- Varón, 42 años. Estudios primarios completados.

Primero te muestra un breve curriculum de cada uno para que elijas el que quieres y para que conozcas su experiencia para poder aplicarlo en el proceso simulado de la entrevista.

Ahora accedes a la mesa de trabajo del candidato, que puedes ver en la figura 10.7.

Tienes disponible el curriculum de la persona en la carpeta que hay sobre la mesa, para volverlo a consultar cuando quieras. Además el simulador te ofrece tres ofertas de trabajo para que elijas qué entrevista empiezas. La primera está en papel, al lado de la carpeta del curriculum. La segunda es un anuncio del periódico. Y la tercera es de un supuesto servicio de empleo online que está consultando el candidato con su ordenador.

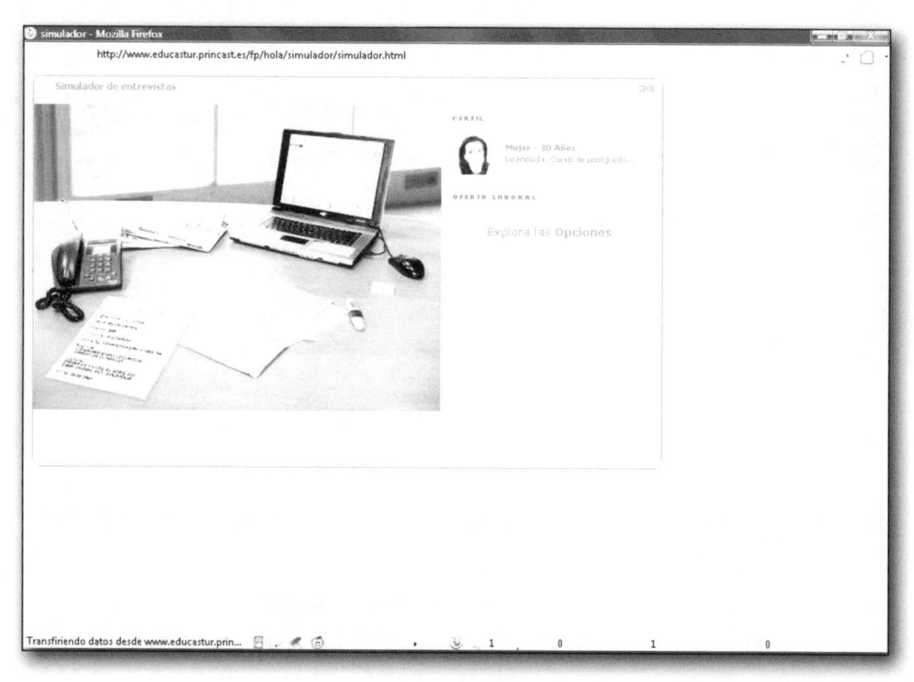

Figura 10.7.
Mesa virtual de trabajo del candidato.

Selecciona la oferta que quieras en función del perfil del candidato. Es un buen momento para pensar que no se puede optar a todo y que debemos centrarnos en ofertas en las que el perfil nuestro encaje para aumentar las posibilidades.

Puedes ahora, antes de empezar la entrevista, acceder a consejos para preparar la entrevista o sobre cómo realizar seguimiento de las entrevistas.

En cada respuesta que elijas, el simulador te indica lo acertado de tu elección y así vas aprendiendo paso a paso sobre todo el proceso.

Finalmente, podrás elegir una nueva oferta para el mismo perfil o cambiar de perfil, tal y como ves en la figura 10.8.

Figura 10.8.
Entrevista superada en Educastur.

Ayuntamiento de Gijón

En la URL `http://orientaempleo.gijon.es` encontrarás el Espacio Integral de Orientación para el Empleo del Ayuntamiento de Gijón. Puedes verlo en la figura 10.9.

Como ves, a la izquierda tienes accesibles las diferentes opciones de orientación de este portal. Deberás seguir las opciones Gijón Orienta>Entrevista de selección>Simulador de entrevistas (el enlace inferior) para acceder al simulador de entrevistas de selección que se abrirá en una nueva ventana del navegador. Deberás elegir el nivel de formación entre las siguientes opciones:

Figura 10.9.
Espacio Integral de Orientación para el Empleo del Ayuntamiento de Gijón.

- Sin estudios.
- Graduado escolar.
- FP - ciclos.
- Bachillerato.
- Diplomatura / Ingeniería Técnica.
- Licenciatura / Ingeniería Superior.

Después debes seleccionar tu rango de edad, o bien el que quieres entrenar, entre:

- Menor de 25 años.
- 25 - 34.

- 35 - 44.
- 45 - 54.
- Mayor de 55.

Finalmente, selecciona el sexo entre hombre o mujer.

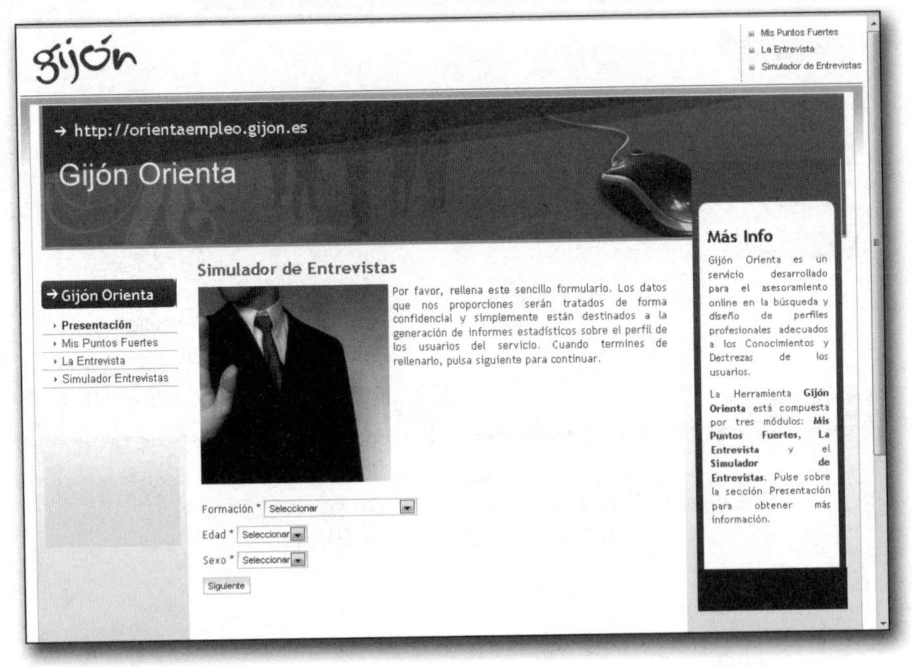

Figura 10.10.
Simulador de entrevistas del Ayuntamiento de Gijón.

Como puedes ver, una ventaja es que cubre grupos de edad muy variados, incluso mayores de 55 años.

Ahora te ofrece cuatro posibles entrevistas:

- Entrevista Auxiliar Administrativo.
- Entrevista Encargado.
- Entrevista Diplomado.
- Entrevista Licenciada.

En la figura 10.11 ves toda la pantalla de control de tu simulación de la entrevista, que te muestra primeramente la bienvenida.

Figura 10.11.
Panel de control de la entrevista simulada.

El menú de la izquierda te dará acceso a las tres primeras preguntas del inicio de la entrevista, a las veintidós siguientes durante el desarrollo de la entrevista y a la pregunta final.

Puedes elegir la pregunta que quieras, pero lo lógico es ir progresando en orden. Se te ofrece un video con una simulación de un entrevistador que te hace la pregunta y un enlace para leer la transcripción. Debajo del vídeo están las posibles respuestas que te ofrecen y que puedes decidirte por cualquiera. Puedes visualizar virtualmente la respuesta en otro video. En la parte de la derecha te indica si la respuesta es correcta o no y te indica la razón, para que vayas aprendiendo en el proceso. Cuanto más juegues con el simulador, más aprenderás y más fácil tendrás responder con tus propios conocimientos en tus propias entrevistas, que es de lo que se trata.

Como complemento, esta herramienta te permite trabajar sobre tus puntos fuertes y sobre el funcionamiento de la entrevista a través de los enlaces Mis Puntos Fuertes y La Entrevista que se encuentran en la esquina superior derecha. Por cierto, aprovecha otras muchas opciones de este portal, como puede ser la posibilidad de autoanalizar tus competencias, autorregulación, motivación, empatía y habilidades sociales, para complementar lo visto en el capítulo 5 de este libro.

Unique

La empresa Unique Recursos Humanos España (en `http://www.unique.es`) te ofrece información muy interesante en su blog o en sus guías a las que accedes navegando por las opciones Unique 2.0>Guías Unique. A destacar su Plan de Empleo en 20 pasos. Debes rellenar un formulario para acceder a ellas.

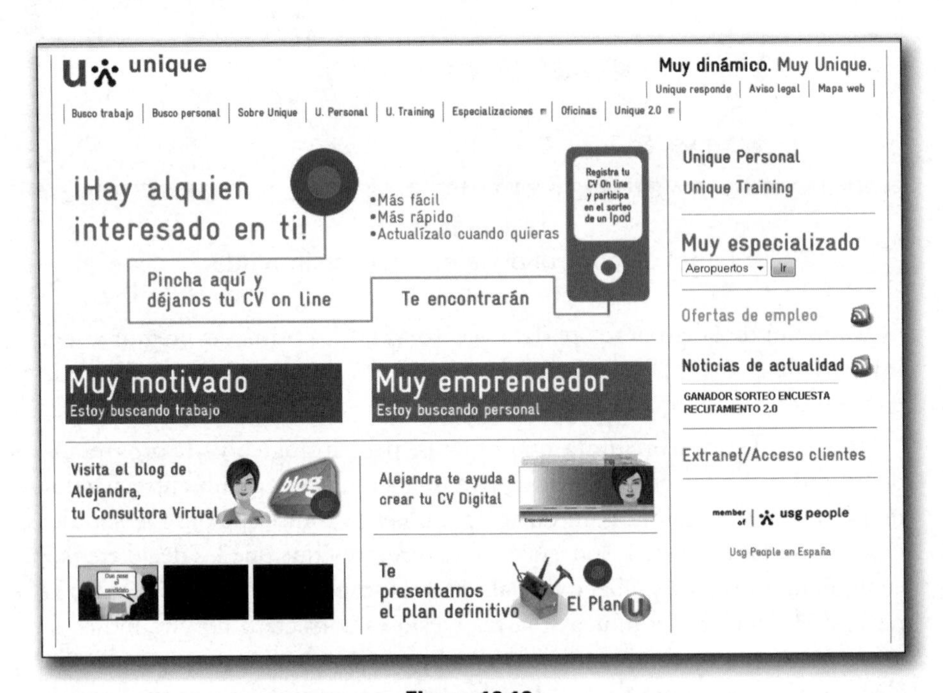

Figura 10.12.
Página principal de Unique.

En nuestro caso, nos vamos a interesar por Alejandra, su asesora virtual y en concreto por cómo nos aconseja para las entrevistas de selección. Se accede desde la página principal, haciendo clic en la imagen animada de la parte inferior izquierda, debajo del enlace para visitar el blog de Alejandra, la asesora virtual. Si no lo ves claro, la URL destino es `http://www.unique.es/asesoravirtualalejandra/index.html`.

Puedes contestar a las preguntas típicas de una entrevista de trabajo. Te dejará un campo para ir escribiendo tu respuesta y donde podrás ver las respuestas que han dado otros candidatos. Te ofrece también consejos para cada paso.

Figura 10.13.
Alejandra, la asesora virtual de Unique.

Las preguntas están clasificadas por las siguientes temáticas:

- El puesto.
- Formación.

- Experiencia.
- Futuro.
- Personalidad.
- Condiciones.
- Otras.

También tienes acceso a una guía virtual, a tests de selección y a una herramienta para ayudarte con tu curriculum y dejarlo en su base de datos.

Tests de selección

No podemos pasar por alto los tests de selección, que no son una entrevista en sí, pero que se usan como complemento para determinar las habilidades y capacidades del candidato de una manera uniforme para todos los que concurren en el mismo proceso y que facilita el trabajo al entrevistador.

Puedes leer sobre los tipos de test de selección en la siguiente URL `http://observatorio.umh.es/cas/PIL/tipos_de_test_de_seleccion.htm` del Observatorio Ocupacional de la Universidad Miguel Hernández, o recurrir nuevamente a Alejandra, la asesora virtual de Unique, en la URL `http://www.unique.es/asesoravirtual-alejandra/index.html` y esta vez dirigirte al TESTÓDROMO, que ves en la figura 10.14.

Como se observa en la figura 10.14, puedes hacer tests de los siguientes tipos:

- Capacidad numérica: habilidad con los números y con las relaciones matemáticas.
- Capacidad verbal: entendimiento de conceptos que son formulados en palabras.
- Concentración: capacidad de dirigir tu atención hacia un tema en concreto.

También se te ofrecen algunos consejos para poder superar este tipo de tests.

Figura 10.14.
El TESTÓDROMO de Alejandra, la asesora virtual de Unique.

Red Trabaja

Finalmente vamos a ver las posibilidades disponibles en Red Trabaja (`http://www.redtrabaja.es`) para ayudarnos con las entrevistas de selección.

Navega por las opciones Trabajo>Cómo buscar trabajo>Presentarse y convencer.

Acabarás en la pantalla mostrada en la figura 10.15 donde ves que puedes orientarte sobre entrevistas de selección haciendo clic en el botón de la derecha Entrevista, o decidirte a aprender sobre Pruebas de selección haciendo clic en su enlace.

Figura 10.15.
RedTrabaja te orienta sobre la entrevista y las pruebas de selección.

Entrevista

Aquí Red Trabaja nos orienta sobre cómo concertar cita para la entrevista de selección, que es lo primero para poder pasar a la entrevista. Es un video que te va aconsejando cómo pedirla y te da pautas que verás que coinciden con algunas de las ya citadas a lo largo de este libro.

Otro de los vídeos que ofrece nos aconseja sobre cómo preparar adecuadamente la entrevista, que te ayudará a completar los conocimientos que ya has ido adquiriendo con este libro o con las referencias facilitadas.

Finalmente, nos aconseja sobre el desarrollo óptimo de la entrevista de trabajo en sí.

Puedes ver una imagen de uno de los videos y los enlaces a los otros en la figura 10.16.

Figura 10.16.
Prepara tus entrevistas con RedTrabaja.

Pruebas de selección

Red Trabaja también ofrece tres videos con consejos sobre pruebas de selección. Primero, puedes aprender que en las pruebas de selección medirán tus características personales y de conducta, como ya se citó. Seguidamente, podemos ver el video en el que nos describe brevemente diversos tipos de pruebas y te presenta las más usadas habitualmente.

Finalmente, nos aconsejan sobre cómo prepararnos adecuadamente para este tipo de pruebas de selección.

Puedes ver una imagen de uno de los videos y los enlaces a los otros en la figura 10.17.

Y me quedo con una frase que dice al acabar el video de cómo preparar las pruebas: gana quien más ensaya.

Figura 10.17.
RedTrabaja te orienta sobre las pruebas de selección.

¿Has pensado que la mejor forma de ensayar entrevistas es acudir a entrevistas sobre puestos de trabajo que en realidad no buscas? Es decir, si consigues una entrevista, aunque no sea de tu puesto decidido en todo el proceso de análisis, lo más normal es que no te elijan porque no encajas pero podrás entrenarte con un proceso real, que será mucho mejor que leer libros o usar simuladores.

Inventario de autoventa

Como hemos dicho, al habernos analizado y tener claro el trabajo que buscamos y en qué empresa, tenemos nuestro inventario de autoventa. Ahora vamos a explicar claramente cómo organizar esta información para el puesto que buscamos y tener los deberes hechos antes de la entrevista.

Antes de cada entrevista deberemos tener preparada esta información:

- **Activos personales:** De todo el análisis personal que hemos hecho podemos tener claras nuestras características personales que nos pueden ayudar a cumplir mejor en el puesto de trabajo al que optamos. También sabemos claramente en qué somos competentes y hemos analizado nuestros éxitos profesionales anteriores. Simplemente deberemos tener claros los que encajan con el puesto sobre el cual nos vamos a entrevistar.
- **Ventajas que ofrecemos:** De todo lo referente al punto anterior nos debemos preparar teniendo claro qué ventajas aportan todos nuestros activos y debemos ponerlo por escrito para tenerlo claro y poder preparar la entrevista adecuadamente.
- **Beneficio para la empresa:** Ahora simplemente nos falta completar el cuadro. Si tenemos nuestros activos y sus ventajas, debemos tener claros los beneficios que le reporta a la empresa contratarnos. Para esto nos ayuda la información que hayamos conseguido previamente de la empresa, que si es a través de un contacto directo de dentro de la empresa nos puede hacer desarrollar mejor estos beneficios tal y como los puede entender nuestro entrevistador.

Es evidente que esto no es válido para todos los puestos. Se trata de hacer este ejercicio final de análisis y preparación antes de la entrevista, adaptándolo en concreto para ese puesto de trabajo en esa empresa.

Si además hemos averiguado datos sobre el entrevistador, sobre cuál es su cometido en la empresa, lo podremos adaptar más haciendo que nuestras respuestas se alineen más en concreto con su forma de trabajar o con sus funciones, lo que nos hará casi seguro destacar como mejor candidato a sus ojos.

Estilos de comunicación

Para finalizar con las habilidades necesarias para las entrevistas hablaremos brevemente sobre estilos de comunicación.

Se considera que hay cuatro estilos de comunicación diferentes: analítico, directivo, persuasivo y relacionador. Nuestra forma habitual de comunicación corresponderá principalmente a uno de estos estilos.

Es importante saber si eres asertivo, lo que quiere decir que iras más directo al asunto y serás más resolutivo pero no debes dejar que esta forma de ser te haga parecer en la entrevista que pretendes imponer tu criterio.

Si eres lo contrario, te dedicarás a dar rodeos y es posible que hables lentamente, dando la sensación de que no tienes claras las ideas y que estás intentando ganar tiempo para poder ir preparando tu respuesta sobre la marcha. Esto puede hacer que tengas problemas para superar la entrevista.

Si ahora atendemos a nuestra sensibilidad podremos ver si somos capaces de conectar con la gente, es decir, si tenemos empatía, o si nos desentendemos de la gente para limitarnos a ir a lo nuestro. EN este segundo caso daremos sensación de frialdad en las entrevistas.

Con estas consideraciones hechas, volviendo a los cuatro estilos de comunicación, podríamos destacar las siguientes cualidades de las personas que encajan en cada estilo:

- **Analítico:** Suelen ser personas serias que muestran precisión y gusto por seguir métodos para solucionar los problemas.
- **Directivo:** Destaca su independencia principalmente motivada por su alta eficiencia, lo que hace que muchas veces acabe siendo autoritario.
- **Persuasivo:** Es habitualmente extrovertido, lo que hace que tenga gran poder de convicción arrastrando a la gente con su entusiasmo natural.
- **Relacionador:** Se suele mostrar agradable al trato, muy amigable y con carácter muy considerado.

Lo importante es que puedas averiguar cómo es tu interlocutor y, dado que te conoces, podrás intentar adaptar tu forma natural para poder encajar mejor con el entrevistador. Se trata de aumentar las probabilidades de superar la entrevista.

11 Negociación, evaluación de ofertas y preparación para el nuevo empleo

Estamos casi a punto de alcanzar el objetivo. Hemos pasado las entrevistas. Ya sólo nos queda la fase de negociación para ver en qué condiciones entramos. No se trata de ser duro o intransigente, sino de no ceder demasiado y lograr las mejores condiciones de entrada posibles. Lo que no se consigue al entrar, después es muy difícil conseguir. Es decir, si aceptaste un sueldo bajo, después será muy difícil conseguir llegar a lo que considerabas correcto. O si entraste en un puesto que no es exactamente el que deseabas y te dijeron que una vez dentro te podrías cambiar en un tiempo, ya verás como el tiempo se convierte en no se sabe cuándo.

Como has hecho un proceso activo de búsqueda seleccionando unas pocas empresas a las que investigar, has averiguado la persona clave para acceder a ella directamente, has incluso conocido (si has podido llegar a través de un contacto directo suyo) cómo es y has sabido enfocar la entrevista para ser el mejor candidato, es posible que te encuentres con más de una oferta de trabajo. En este caso, debes poder evaluar cada oferta y decidir la que realmente encaja mejor con tu objetivo.

Finalmente, debes tratar de entrar con buen pie en la nueva empresa y para ello es útil una preparación antes de entrar. Vamos a tratar estos temas para intentar culminar todo el proceso de búsqueda de la mejor manera posible.

Negociación

Vamos a ver brevemente una descripción general de técnicas de negociación, aplicables a cualquier caso, y finalmente nos centraremos en la negociación salarial que, básicamente, es el último punto que se negocia. Dependiendo del puesto es posible negociar algunas otras cosas, como seguros médicos, indemnizaciones, pero eso no es la norma general y será más en el caso de perfiles altos. En cualquier caso, una breve introducción de conceptos generales nos puede ayudar siempre, ya que trataremos de ir relacionando con el caso concreto nuestro: negociación de un nuevo empleo. Evidentemente en una negociación cada parte busca siempre lo mejor para sí mismo, que en el caso laboral suele quedar reducido a la cantidad de dinero necesaria para que la persona acepte el puesto. La empresa tratará de que sea lo menor posible (aunque no debería excederse presionando) y el candidato tratará de mostrarse lo más valioso posible para obtener mayor salario. Con nuestro planteamiento de cómo acercarnos a la empresa deberíamos estar más en esta segunda opción.

Factores que influyen en una negociación

Podemos destacar principalmente seis factores a tener en cuenta:

- **Poder de las partes:** La fuerza que cada parte pueda ejercer sobre la otra condiciona en gran medida el resultado. En una negociación genérica se podría llegar hasta a imponer una de las partes. En el caso de la negociación de entrada en un trabajo influirá que nosotros tengamos un trabajo o no, sobre todo en lo referente a las condiciones salariales. Si no tenemos una mejor alternativa al acuerdo negociado no tenemos en realidad poder de negociación.

- **Necesidades y aspiraciones:** Depende de las que cada parte quiera cubrir o esté dispuesto a ceder. En nuestro caso, cuanto mejor hayamos investigado el puesto y mejor nos hayamos posicionado en las entrevistas, mayor será la necesidad que les habremos creado de contratarnos y así la balanza irá de nuestro lado. Si acudimos a un proceso de selección en masa, poco poder tenemos porque siempre tienen al siguiente candidato al que recurrir.

- **Confianza:** Desde el primer momento de una negociación hay que ver que se va a poder llegar a un acuerdo. En nuestro caso, debemos ir viendo que el puesto encaja en nuestras expectativas y a la vez ir mostrando que nosotros somos el mejor candidato, pero sin mostrar ansia por entrar para no restar capacidad final para influir nosotros en el resultado.

- **Conocimiento de las partes:** El que las partes negociantes se conozcan ayuda a alcanzar acuerdos. En nuestro caso, debemos partir con algo de ventaja al haber estudiado lo más posible la empresa, el puesto y al entrevistador. Depende de nuestra habilidad en la entrevista que conozcan de nosotros lo que encaja desde su punto de vista.

- **Relación entre las partes:** En una negociación genérica es un factor importante. Aquí está claro y el lado bueno es que no partimos de una situación en que las partes son radicalmente opuestas, sino que buscan claramente un interés y beneficio común. Tan necesario nos es a nosotros el trabajo como a ellos contratarnos, porque hemos demostrado que les resolvemos un problema.

- **Tiempo:** El tiempo de que se dispone para negociar fuerza generalmente la necesidad de alcanzar un trato. En el caso laboral que estamos tratando debemos haber podido detectar en la entrevista si la empresa necesita que entremos lo más pronto posible para solucionar una "patata caliente" o, si estamos desempleados, deberemos intentar que no lo averigüen para no hacer que nos acorten el tiempo de decisión con un "o lo tomas o lo dejas, como las lentejas". Dependiendo de la resistencia económica que tengamos (la capacidad de poder aguantar sin aceptar un trabajo mal pagado) podremos rechazar una primera proposición y quedar a la espera de que la mejoren o incluso no aceptar la oferta y retirarnos.

Lenguaje no verbal

Sobre el lenguaje verbal ya vimos una descripción de los estilos de comunicación y comentamos la necesidad de adaptarnos a nuestro interlocutor.

Aparte de la comunicación verbal, los gestos que hacemos y la postura en la que nos sentamos o estamos de pie dicen mucho de nosotros y si la otra parte sabe interpretar esta comunicación podríamos perder poder, o ganarlo si somos nosotros los que interpretamos las acciones de la otra parte.

Veamos algunos puntos a tener en cuenta para que nuestra comunicación no verbal nos sea favorable:

- **Aspecto:** Aunque ya lo citamos en la preparación de la entrevista, conviene recordar que vestir de forma impecable es una muestra de respeto hacia la otra parte que irá a nuestro favor.
- **Saludo:** Debemos cuidar la forma de dar la mano. No debemos aprisionar la mano del contrario como si fuéramos un robot, ni dar la conocida como mano de "pescado muerto" totalmente floja y que transmite falta de confianza o interés.
- **Postura**: Debemos permanecer rectos y erguidos. Se trata de transmitir confianza sin parecer que somos una estatua por estar demasiado rígidos. Si nos inclinamos demasiado hacia el otro interlocutor podemos transmitirle una sensación de ansiedad por el puesto que nos restará puntos en la negociación o que incluso podrá hacerle pensar que le estamos acosando. Si nos inclinamos hacia atrás, indicamos falta de interés.
- **Ansiedad:** Debes controlar tu estado de ánimo y no mostrarte nervioso. Ante todo calma y un cierto punto de frialdad, pero sin parecer lejano.
- **Mirada:** Debemos mirar directamente a la persona con la que hablamos pero sin quedarnos con la mirada completamente fija.
- **Evaluación decisiva:** Si observamos que la otra persona se coloca la mano en la barbilla y con su dedo índice se toca la mejilla, nos estará indicando, junto con la mirada directa, que está escuchando atentamente para poder tomar una decisión. Estamos en el momento

de transmitir el mensaje que hayamos preparado como idóneo con nuestro inventario de autoventa para hacer valer nuestra candidatura y nuestra postura en cuanto al salario, que citamos cono tema principal de la negociación laboral.

- **Reservas:** Si el gesto es parecido al anterior, pero no con la mano en la mejilla sino tocando la nariz, lo que ahora indica es que no encaja lo que decimos con el punto al que la otra parte quiere llegar en la negociación. Puede indicarle que nuestra proposición no le parece correcta o está totalmente desencaminada.

El salario

Vamos al punto central de la cuestión que estamos negociando, básicamente el salario o contraprestación que obtendremos por nuestro trabajo.

Lo primero que habrás debido tratar de averiguar de la empresa es el **rango salarial** que puedes esperar para el puesto que has optado.

Insisto en el planteamiento hecho de no ir a un proceso masivo, sino de haber seleccionado tú el objetivo. Y aún en el caso de haber respondido a un anuncio de empleo e ir a ese proceso masivo que nos resta de entrada oportunidades, debes usar tu red de contactos para tratar de lograr este dato que te dará clara ventaja a la hora de negociar el salario a percibir.

Hay que procurar dejar el tema del salario para la negociación final y así habrás podido hacerte querer. En un proceso masivo esto es difícil puesto que tratarán de que establezcas tu baremo desde el principio para poder ir descartando a los candidatos que soliciten demasiado dinero para lo que están dispuestos a pagar. En todo caso, si lo has investigado tal y como acabamos de decir, sabes lo que debes responder.

Algunos autores incluso recomiendan que seas tú el que fije el salario desde el principio, es decir que intentes marcar tú el ritmo de la negociación y cambiar así las posturas tradicionales para sacar a la otra parte de su zona cómoda y desequilibrar la balanza a tu favor.

En todo caso, puedes negociar la forma de recibir el salario. Es decir, puedes abrir la posibilidad a extras como una determinada cantidad de cursos, con compromiso por escrito, al año.

Para poder hacerte una idea de lo que se puede cobrar en ese puesto, aparte de la investigación citada, puedes recurrir a comparadores de salarios. Y en la red podemos encontrar dos buenas referencias: Tusalario.es (`http://www.tusalario.es`) e Infojobs Trends (`http://salarios.infojobs.net`).

Tusalario.es

Tal y como hemos dicho, la URL `http://www.tusalario.es` se trata de una página que forma parte de la familia internacional de páginas `http://www.wageindicator.org` en las que participan universidades, institutos de investigación y sindicatos de varios países.

Esta página pretende que el usuario conozca el nivel salarial de su país y que pueda consultar y comparar el de otros países a través del portal internacional.

Puedes ver, por tanto, si es interesante plantearte el cambio de residencia para progresar en tu carrera profesional. O saber el nivel de salarios en otro país si no te queda más remedio que emigrar para resolver tu problema puntual de desempleo, si es el caso. Véase la figura 11.1.

En Tusalario.es puedes comparar tu propio sueldo con el de otros trabajadores cuyos datos se han agrupado e ingresado en una base de datos. De hecho puedes contribuir rellenando una encuesta salarial (`http://www.tusalario.es/main/ecuestasalarial`) y ayudar a mejorar los datos de España.

Para poder hacer comparación internacional entre los 8 países europeos y 17 en todo el mundo que participan en esta iniciativa, se usa el mismo cuestionario.

Los datos que se recogen con la encuesta no se agregan directamente a la base de datos del comparador de salarios, sino que se analizan estadísticamente para garantizar la máxima precisión posible. Anímate a hacerla, son cinco páginas con unas preguntas que no te llevarán mucho tiempo contestarlas. Véase la figura 11.2.

Como he dicho, Tusalario.es te permite comparar tu salario para ver si estás bien pagado o, lo que nos interesa en nuestro caso, para saber aproximadamente qué rangos salariales puedes esperar en la fase de negociación.

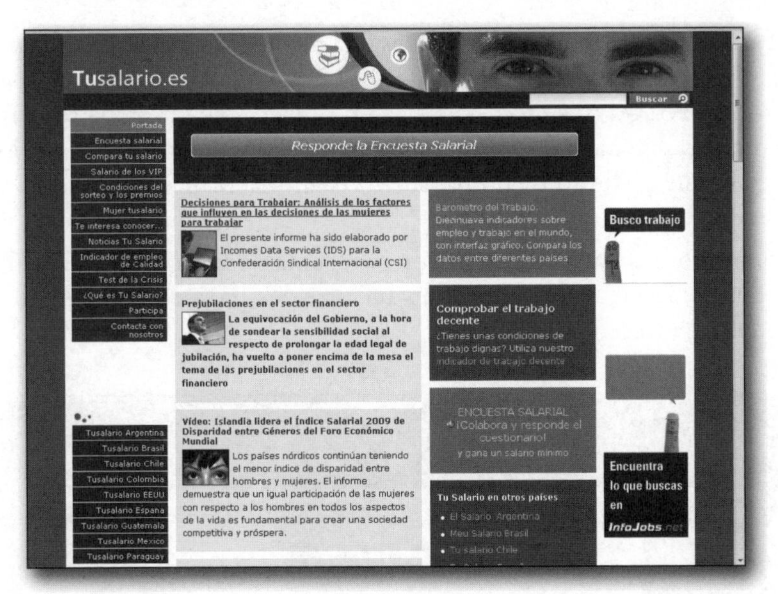

Figura 11.1.
Tusalario.es te permite conocer rangos salariales.

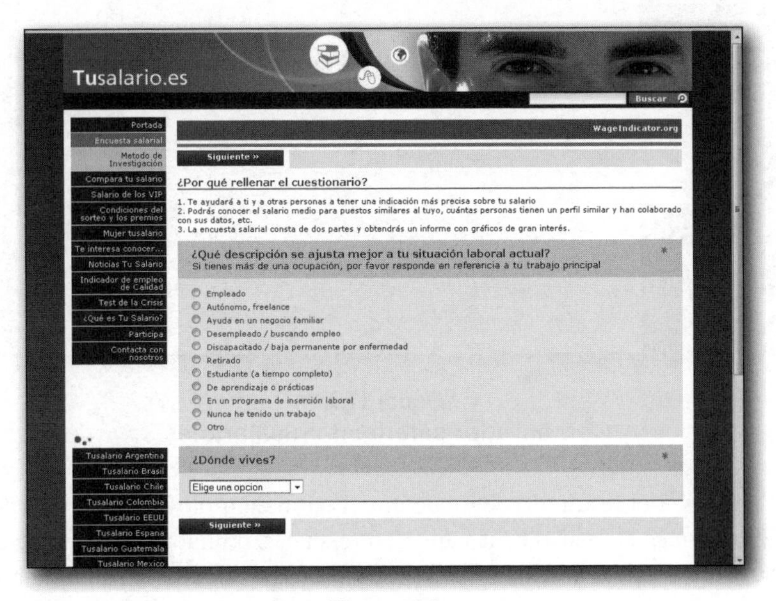

Figura 11.2.
Encuesta salarial de Tusalario.es.

Para acceder al comparador puedes ir al menú de la izquierda de la página en la opción **Compara tu salario** que te llevará a la URL `http://www.tusalario.es/main/Comparatusalario`. Si tu trabajo no aparece entonces rellena la encuesta y pide a más compañeros tuyos que lo hagan para que incluyan dicho puesto en cuanto actualicen la base de datos cada año.

Son sólo tres páginas, por lo que enseguida podrás obtener el resultado que buscas. En realidad sólo debes rellenar dos páginas porque la tercera es la que te ofrece los resultados.

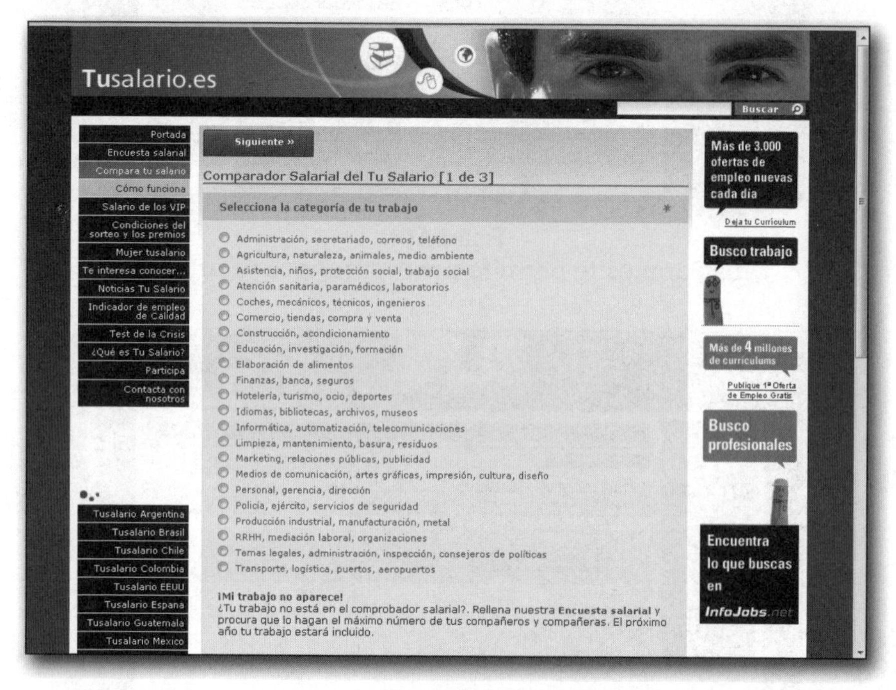

Figura 11.3.
Comparador salarial de Tusalario.es.

Puedes ver el resultado de una comparación ejemplo en las figuras 11.4a y 11.4b. Ofrece el salario bruto anual, mensual, semanal y por hora. Te ofrece datos de cuántos trabajadores han usado para calcular la referencia y los salarios por hora medios, mínimo y máximo. También te ofrece una distribución demográfica con tablas comparativas.

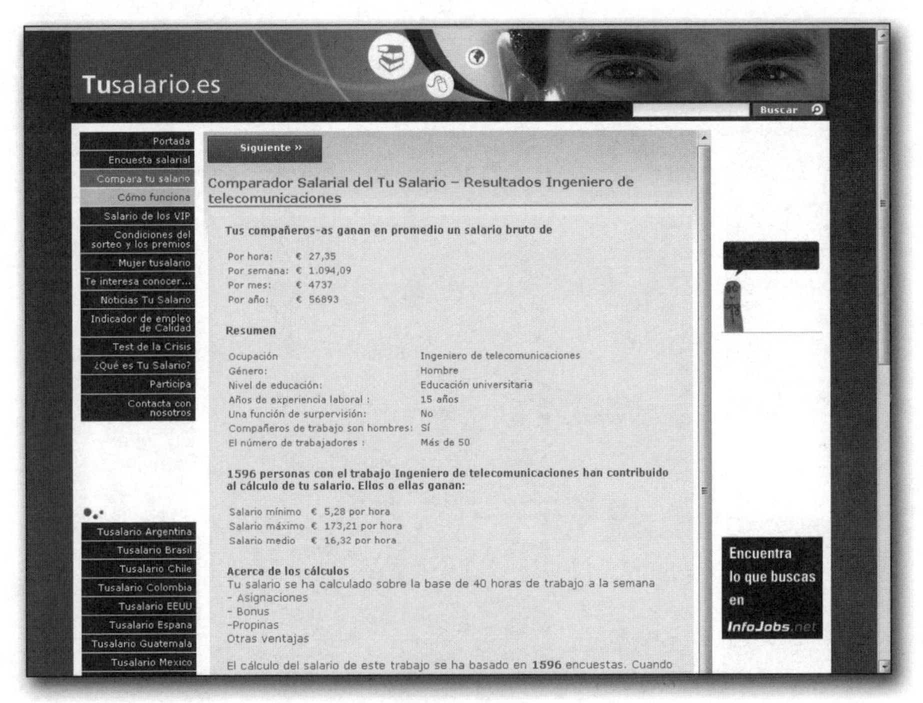

Figura 11.4a.
Comparativa salarial ejemplo deTusalario.es.

A pesar de lo fiable que parecen ser estos datos por las instituciones que están detrás, debes tomarlos con precaución.

Simplemente puedes tomar el ejemplo que muestro en el que he buscado la comparación de salarios que le interesaría a un ingeniero de telecomunicación (este es el nombre correcto y no telecomunicaciones, tal y como aparece).

La gráfica de la figura 11.4b nos dice que el nivel de estudios de las 1.596 personas que trabajan como ingeniero de telecomunicación (dato que se ve en la figura 11.4a) es el siguiente: 5% educación primaria, 42% educación secundaria y 52% educación universitaria.

O hay mucho intrusismo, o la gente va de farol al rellenar la encuesta, o el filtrado estadístico posterior no es tan bueno como dicen.

Por tanto, corrobora el dato siempre buscando un contacto que te pueda dar una referencia válida.

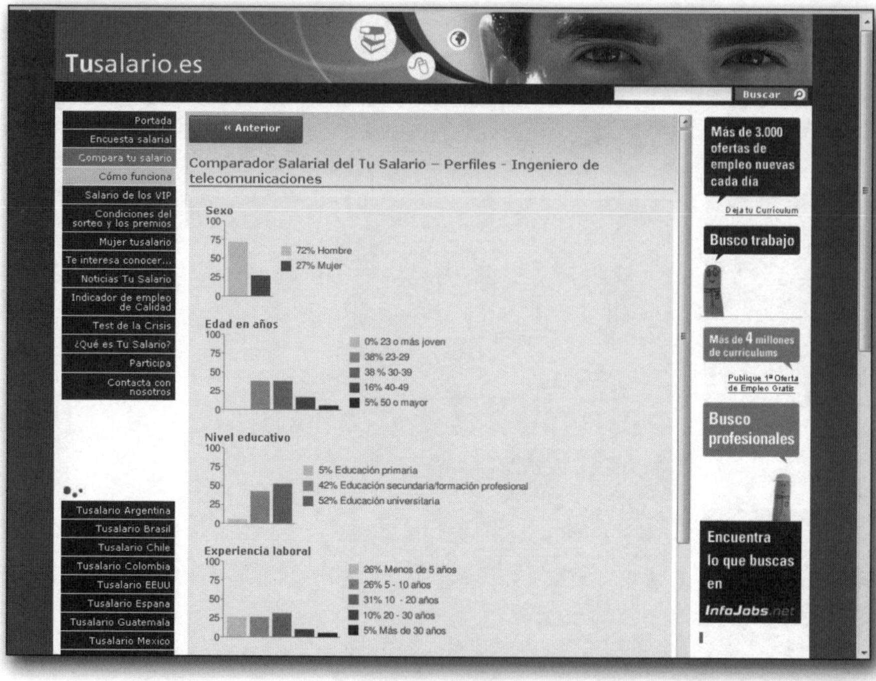

Figura 11.4b.
Comparativa salarial ejemplo deTusalario.es.

Infojobs Trends

El portal de anuncios de empleo Infojobs, del que ya hablamos en el capítulo 8, tiene una herramienta llamada Infojobs Trends que puedes localizar en la URL `http://salarios.infojobs.net` y que te ofrece un buscador para comparar tendencias salariales. Se basan en la información de las ofertas que recogen en su portal. Véase la figura 11.5.

Si hacemos la búsqueda de "ingeniero de telecomunicación" (sin las comillas) para comparar con el dato del portal Tusalario.es vemos que no aparecen resultados, cosa que francamente me extraña porque realizando la misma búsqueda en el portal aparecen ofertas (en concreto, en el momento de redactar estas líneas me aparecen 36 ofertas).

Buscamos simplemente "ingeniero" y obtenemos el resultado que se ve en la figura 11.6.

Figura 11.5.
InfojobsTrends permite conocer las tendencias de los salarios de las ofertas publicadas en Infojobs.net.

Tusalario.es nos decía que un ingeniero de telecomunicación gana de media (con los datos que se introdujeron de características de empresa y puesto) en torno a 57.000 euros (véase la figura 11.4a) e Infojobs Trends nos dice que el pico estaba en unos 32.000 euros (véase la figura 11.6).

La explicación que se me ocurre es que los puestos ofertados en Infojobs tienen un rango salarial mucho más bajo que el de los encuestados de Tusalario.es o que en este portal no han filtrado bien por países.

Con esto quiero reforzar la idea de que esto son sólo estimaciones muy genéricas y que sólo un dato contrastado obtenido a través de tu red de contactos te puede ser realmente útil en la negociación.

Evaluación de ofertas

Finalmente, tras la negociación has llegado a una oferta. Si lo tienes muy claro en el momento de cerrar la negociación salarial, puedes dejar el tema zanjado. Si no, mi consejo es que pidas una oferta vinculante por escrito, es decir, que dejen en un papel todas las condiciones pactadas para entrar.

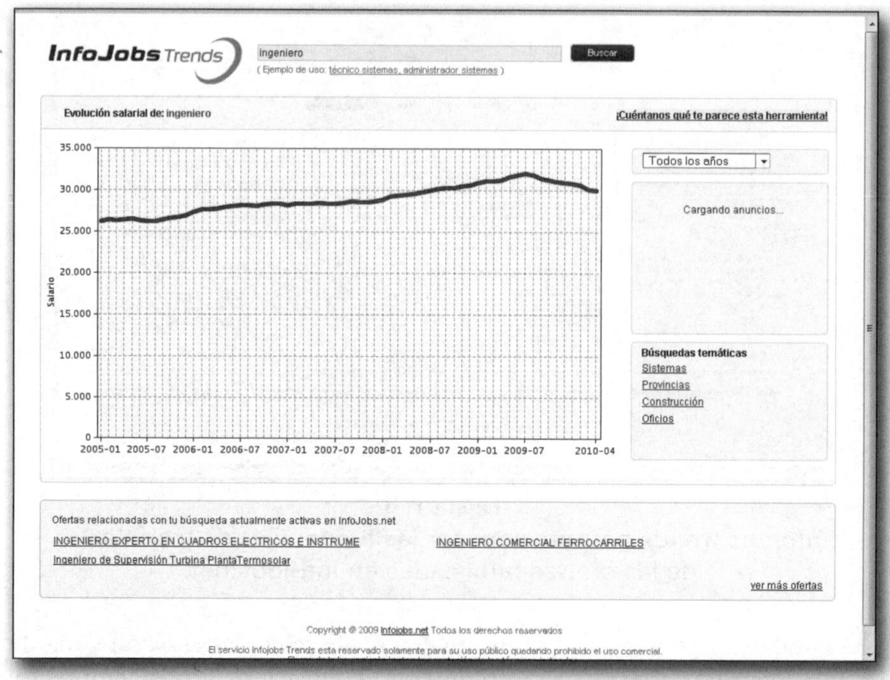

Figura 11.6.
Salario de un ingeniero, según InfojobsTrends.

Si estás trabajando y finalmente aceptas la oferta, dado que te vas a despedir de tu actual empresa, necesitas este compromiso. Lo habitual es que debas respetar por convenio un tiempo para irte de tu empresa y no hacerlo de un día para otro, aparte de que eso es una postura que te cerraría una posible vuelta en el futuro y que daría mala imagen a tu nuevo empleador, porque si lo haces para irte con él, se lo puedes en el futuro hacer a él para irte a un nuevo trabajo. Durante ese tiempo podría pasar que la empresa decida no contratarte porque se lo puede haber pensado mejor, puede haber encontrado a un mejor candidato más barato o mejor profesional que tú o bien decide no contratar a nadie. En ese momento te encuentras que tú te has despedido de tu empresa, lo que implicaría no tener derecho a subsidio de desempleo, y la nueva empresa no te va a contratar. En este caso, dicha carta de compromiso es lo que te permitirá poder acceder al subsidio de desempleo porque indica que la renuncia era para ir a otro trabajo y la otra parte no ha cumplido la oferta vinculante.

Este consejo lo doy porque así lo he hecho yo siempre que he cambiado de empleo, aunque nunca me he visto en la situación de no entrar por desplante de la empresa destino, por lo que no puedo dar fe de que la carta de compromiso sea garantía de cobrar el desempleo.

Pero centrémonos en la evaluación de la oferta.

En el capítulo 6 vimos la forma de crearnos el "mapa del tesoro" definiendo nuestro trabajo ideal. Por tanto ahora es muy fácil hacer la evaluación de la oferta. Deberemos comparar ese puesto que nos ofrecen con el ideal que nos habíamos planteado y valorar hasta qué punto se acerca al objetivo, o de si lo que le aleja no lo hace tanto como para rechazar la oferta.

Tal y como dijimos en la introducción, podemos tener varias ofertas sobre la mesa. Por tanto, compara entre ellas y decide la que te parece mejor.

A esa empresa es a la que le pedirás la oferta vinculante, que vincula a las dos partes, no lo olvides. Tan mal queda la empresa no cumpliéndola como tú si haces lo mismo.

Otro consejo que me permito dar es que si has decidido irte de la empresa, no aceptes una contraoferta.

Si has tenido que forzar una situación extrema para que te valoren es que la empresa no lo ha hecho bien antes y aunque te mejoren has creado la sensación de que no te interesa la empresa (de hecho, te has buscado otro trabajo) y ahora es posible que haya cierta desconfianza hacia ti.

Preparación para el nuevo puesto

Por fin vas a entrar en tu nueva empresa. Has comunicado a tu empresa que te vas y te quedan pocos días. En esos días, aparte de cerrar tus asuntos y transferirlos de la mejor manera posible (debes salir dejando la mejor imagen posible), puedes aprovechar para acabar de conocer lo que te vas a encontrar en tu nuevo trabajo y así hacer que tu periodo de adaptación a la nueva empresa, su cultura y tus nuevos compañeros sea lo mejor posible.

Nuevamente sale a relucir la importancia de la red de contactos a la que una vez más debes recurrir para obtener la mayor información posible sobre lo que realmente te vas a encontrar una vez dentro de la empresa.

Aunque entres con experiencia, en cierto modo eres "el nuevo" y debes ser tú el que principalmente se adapte, por lo general, a la compañía. De hecho, los primeros días es normal tener una sensación de desorientación porque hemos cambiado radicalmente nuestro entorno y estamos empezando a conocerlo.

Principalmente deberemos fijarnos los siguientes objetivos para adaptarnos lo más rápidamente:

- **Autonomía:** Debemos ser capaces de desarrollar plenamente nuestro trabajo y capacidades al máximo lo antes posible, para no depender de nadie que deba estar tutelándonos.
- **Compañerismo:** Debemos tratar de conocer a nivel personal a los compañeros para poder establecer relaciones de confianza lo antes posible. No se trata de ser cotilla, sino más bien de observar ya que nosotros también estamos siendo observados. De la observación surgirá la adaptación necesaria. Esto conlleva también el abrirnos a esa relación de compañerismo habitual.
- **Valores**: Aunque se supone que hemos estudiado nuestra empresa objetivo, una vez dentro debemos conocer claramente los valores y los objetivos principales de nuestra nueva empresa.
- **Identificar:** Debemos hacernos pronto con el conocimiento de las personas claves en cada departamento o en cada proyecto para establecer los canales de comunicación adecuados.

Enhorabuena, estás en tu nuevo trabajo.

12 Formación para el empleo

Como complemento al proceso de búsqueda de empleo vamos a dedicar este último capítulo a la formación para el empleo. Cuando se está trabajando es de suponer que es la empresa la que fija los planes formativos y debemos recurrir al departamento correspondiente para acceder a ellos.

En el caso de un buscador de empleo, la formación es importante para reforzar habilidades necesarias para un nuevo puesto, sobre todo si lo que se está planteando es hacer un cambio de sector. Y si el buscador de empleo lo hace desde el desempleo cabe la posibilidad de que un curso le pueda dar el acceso a un contrato en prácticas que después pueda mejorar.

Sea como sea, la formación es importante para ir desarrollando la propia carrera profesional. Evidentemente, lo mejor es hacer formación reglada que nos provea del título o certificado correspondiente que permita acreditar haber hecho esa formación si así se nos requiere. La otra opción es formarse por nuestros propios medios buscando información sobre un tema concreto en libros o en Internet y aprendiendo sobre él. Esto es útil para completar los conocimientos referentes al trabajo que estemos haciendo, que iremos mejorando con esos nuevos conocimientos, que aún no reglados, conocimientos son. Eso sí, para plantearnos un cambio de sector profesional deberemos acudir a formación reglada que, como ya dije, se pueda acreditar. Esta formación acreditada es la que conseguirá que mejoremos nuestra empleabilidad, lo que significa que nos hacemos más versátiles puesto que estamos ampliando nuestras competencias profesionales.

Otras veces, un cambio en una ley nos obliga por fuerza a poner al día nuestra formación para adaptarnos a las nuevas reglas. Esta situación ocurre cuando se cambia el Plan General Contable o el Reglamento Electrotécnico de Baja Tensión, por poner dos casos. Pero sobre todo ten en cuenta que tanto si estás buscando empleo como si no, no se trata de ir a un curso por el mero hecho de tenerlo. Debes tener claro tu objetivo y acceder a la formación correspondiente para aumentar tus posibilidades de alcanzar el objetivo marcado. Vamos, sin más, a pasar a ver diversas Webs en las que podremos obtener información sobre cursos de formación disponibles tanto para trabajadores empleados como desempleados.

Formación Continua

En la URL `http://www.formacioncontinua.eu` puedes acceder a formación continua subvencionada que pone a tu disposición el Instituto Europeo de Estudios Empresariales (INESEM). Ofrecen tanto cursos como masters y cursos de postgrado subvencionados.

Puedes acceder a su catálogo de cursos haciendo clic sobre el enlace CATEGORÍAS DE CURSOS Y MASTER que se encuentra en la columna de la derecha de la página, tal y como se ve en la figura 12.1. Al final de dicha página te puedes descargar un PDF con todos los cursos de la convocatoria anual. Son más de 400.

Fundación Tripartita

El portal de la Fundación Tripartita para la Formación en el Empleo es una referencia obligada en lo referente a formación para el empleo. Véase la figura 12.2. Para acceder a la información acerca de formación se puede hacer mediante el enlace del menú izquierdo de la página principal Oferta formativa o, también desde la página principal, haciendo clic en el enlace Ver más en el recuadro Formación para trabajadores. Los dos caminos llevan al mismo destino.

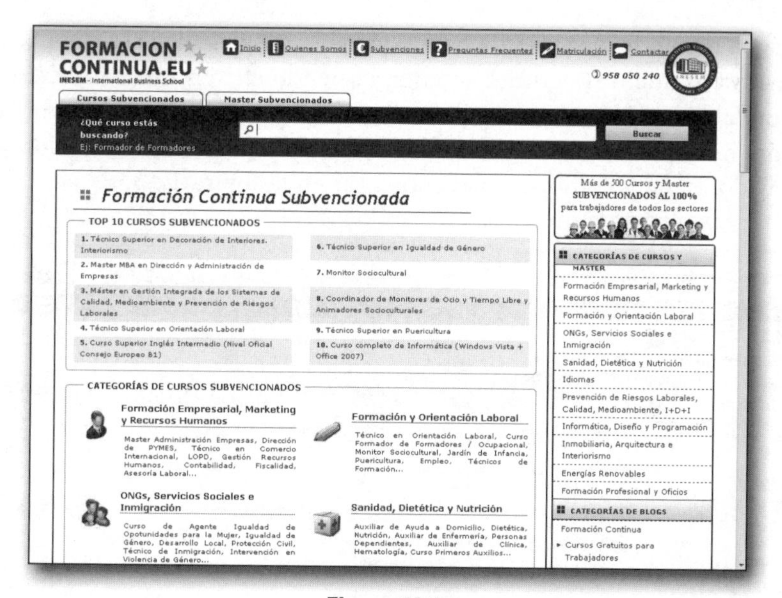

Figura 12.1.
Formacioncontinua.eu, el portal de formación del INESEM.

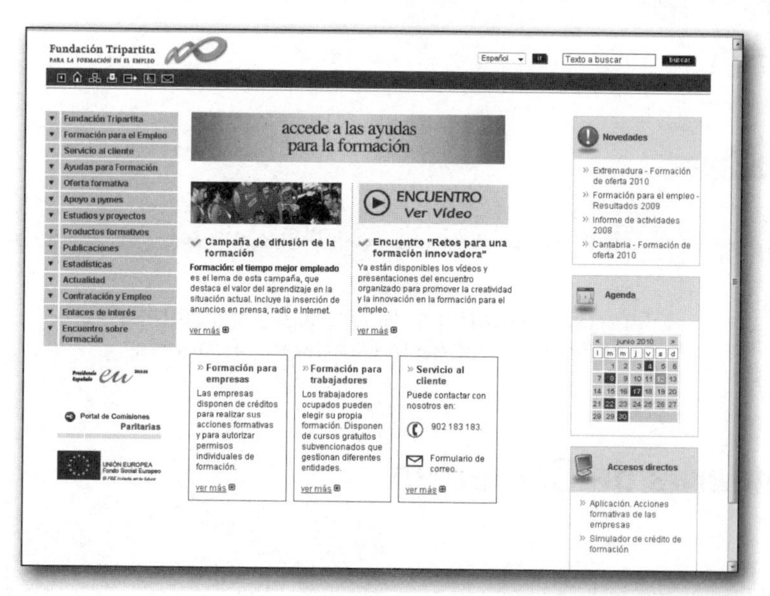

Figura 12.2.
Portal de la Fundación Tripartita para la Formación en el Empleo.

En el menú de la izquierda habrá quedado desplegada la sección Oferta formativa lo que nos permite acceder, haciendo clic en Oferta CCAA a la oferta de formación para trabajadores ocupados en aquellas Comunidades Autónomas que tengan activo un buscador de recursos de formación para trabajadores, tal y como se puede observar en la figura 12.3.

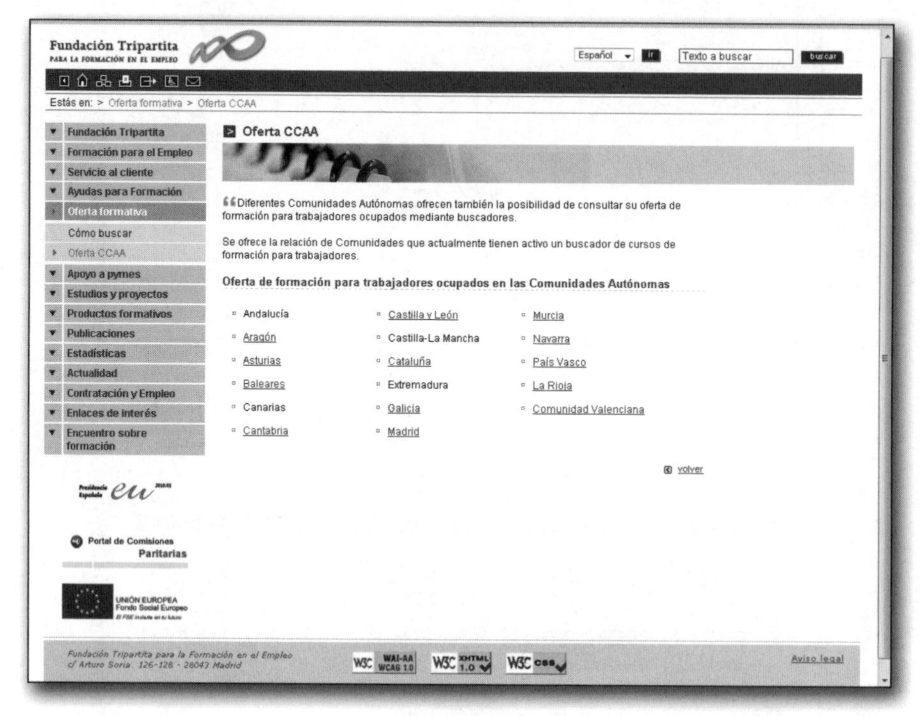

Figura 12.3.
Ofertas formativas de las CCAA accesibles desde el portal de la Fundación Tripartita.

Cámaras de Comercio

El Consejo Superior de Cámaras, al que puedes acceder en la URL `http://www.camaras.org` te da acceso a todas las Webs de formación de todas las cámaras, por lo que podrás buscar la que te corresponda.

Para acceder a dicha sección, que ves en la figura 12.4, deberás hacer clic en la opción de la parte superior Formar y en el menú que se despliega hacer clic en Webs de Formación en la Cámaras. Si has pulsado directamente Formar, la opción Webs de Formación en la Cámaras te aparece en el menú de la parte izquierda de la página.

Figura 12.4.
Acceso a las Webs de formación de las Cámaras de Comercio.

Centro de Información para la Formación en el Empleo

El Centro de Información para la Formación en el Empleo (CEIFOR) tiene su Web en la URL `http://www.ceifor.es` donde puedes acceder a su oferta formativa para trabajadores tanto ocupados como desempleados haciendo clic sobre el menú izquierdo de la página principal en el enlace **Formación para trabajadores**. Tal y como ves en la figura 12.5, puedes descargarte el catálogo de cursos de la CEOE (Confederación Española de Organizaciones Empresariales), CEPYME (Confederación Española de la Pequeña y Mediana Empresa) y CEAT (Federación Española de Autónomos).

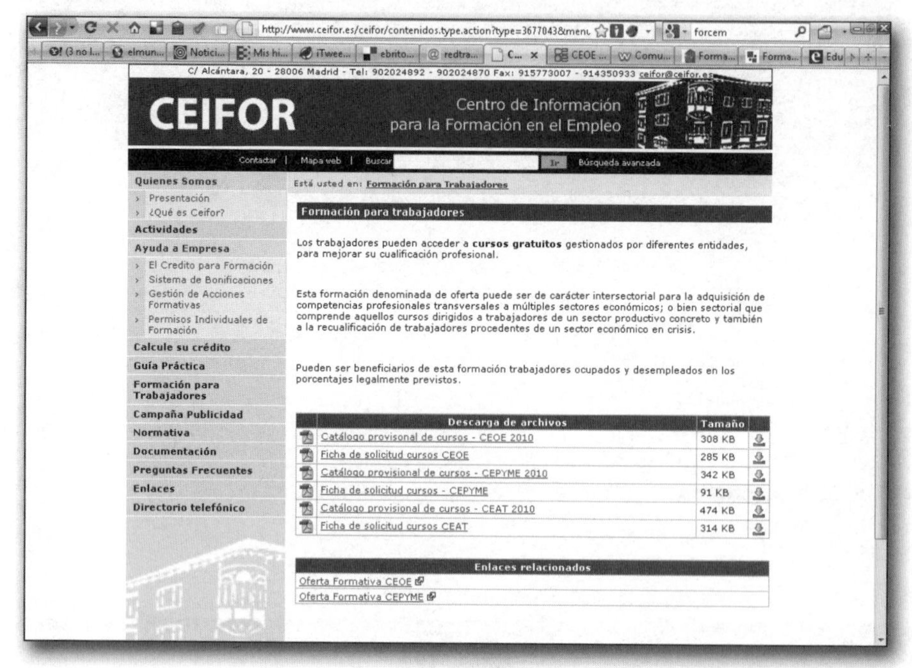

Figura 12.5.
Formación para trabajadores ofrecida por CEIFOR.

CEOE

La Confederación Española de Organizaciones Empresariales (CEOE) tiene su propio portal en la URL `http://www.ceoe.es` donde muestra su oferta formativa. Para acceder a ella, en el menú de la parte izquierda, en la parte inferior (no visible en la figura 12.6) deberás hacer clic en el enlace Cursos en la sección Formación. Organiza sus cursos en áreas, para que la búsqueda sea más sencilla:

- Área Comercial.
- Área Empresarial.
- Área Fiscal y Financiera.
- Área Habilidades Personales y Profesionales.
- Área Idiomas.
- Área Informática.
- Área Prevención de Riesgos Laborales.

Son cursos gratuitos y se ofrecen en varias modalidades: presencial, a distancia, teleformación (on-line) y mixta (combinando cualquiera de las anteriores).

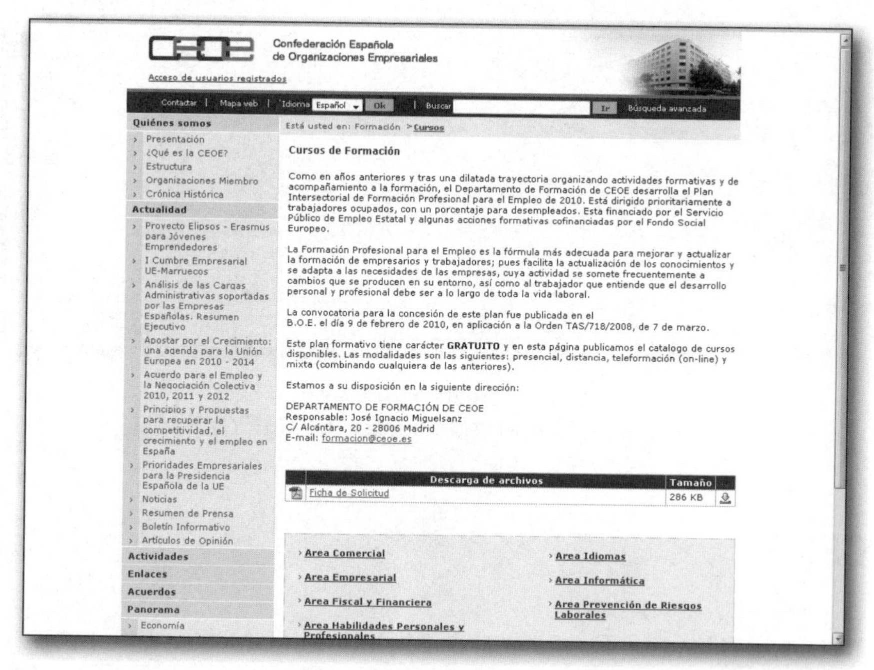

Figura 12.6.
Oferta de cursos de la CEOE.

CEPYME

La Confederación Española de la Pequeña y Mediana Empresa tiene su Web en la URL `http://www.cepyme.es` y para acceder a su catálogo de oferta formativa debes hacer clic en la opción FORMACIÓN del menú izquierdo de la página para acceder a la sección que ves en la figura 12.7. El enlace inferior ver cursos te permite ver los cursos que también están clasificados por áreas, tal y como se vio en el caso de la CEOE.

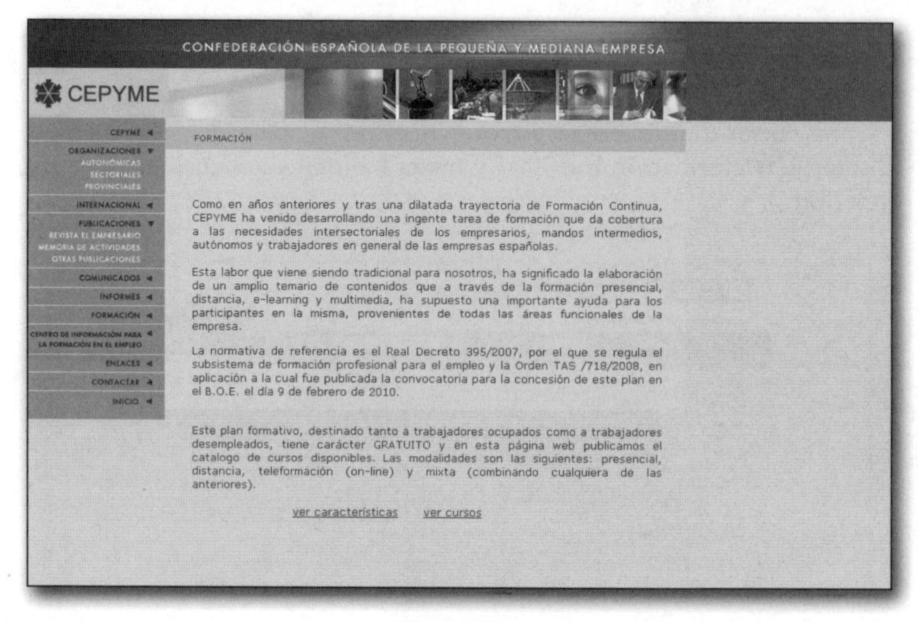

Figura 12.7.
Acceso a la oferta de cursos de CEPYME.

CEIM

La Confederación Empresarial de Madrid (`http://www.ceim.es`), adscrita a la CEOE, tiene también una buena oferta formativa. Desde la página principal, debes hacer clic en Plan Intersectorial en donde puedes acceder a cursos gratuitos para trabajadores dados de alta en la Seguridad Social y para desempleados inscritos en la Oficina de Empleo. Finalmente, si hacemos clic en Acceso a los cursos llegamos a su buscador, que puedes ver en la figura 12.8 y donde puedes filtrar por varios conceptos para eliminar los cursos que no te interesen.

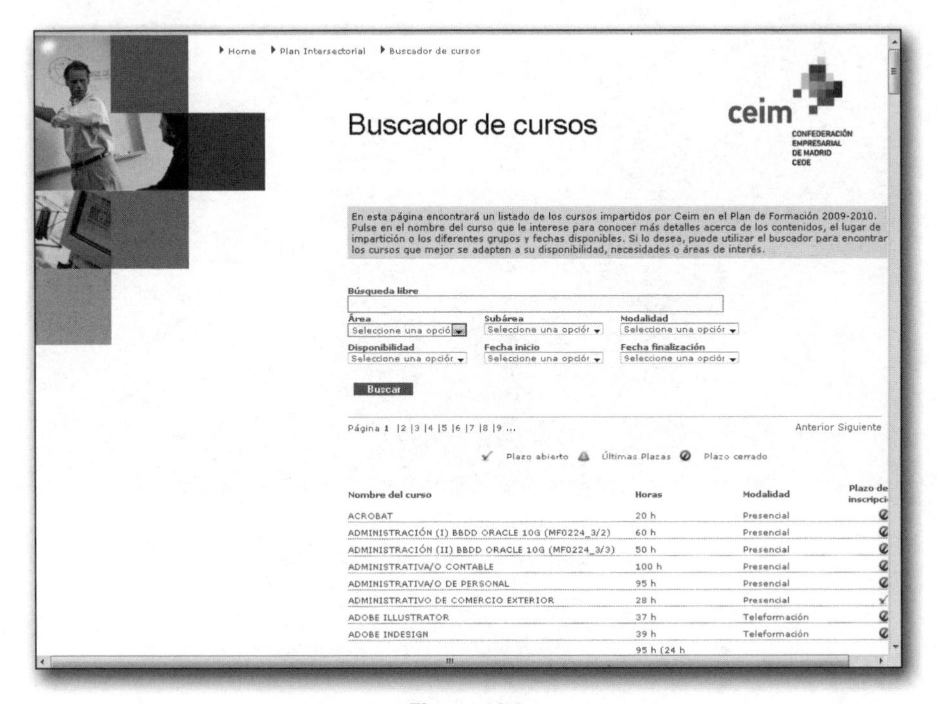

Figura 12.8.
Buscador de cursos de CEIM.

FOREM

Puedes acceder a la Fundación Formación y Empleo Miguel Escalera (FOREM) en la URL `http://www.forem.es` y desde ahí navegas seleccionando primero el idioma (español). Después se debe hacer clic en formación y servicios>formación>cursos para acceder a su buscador, que puedes ver en la figura 12.9.

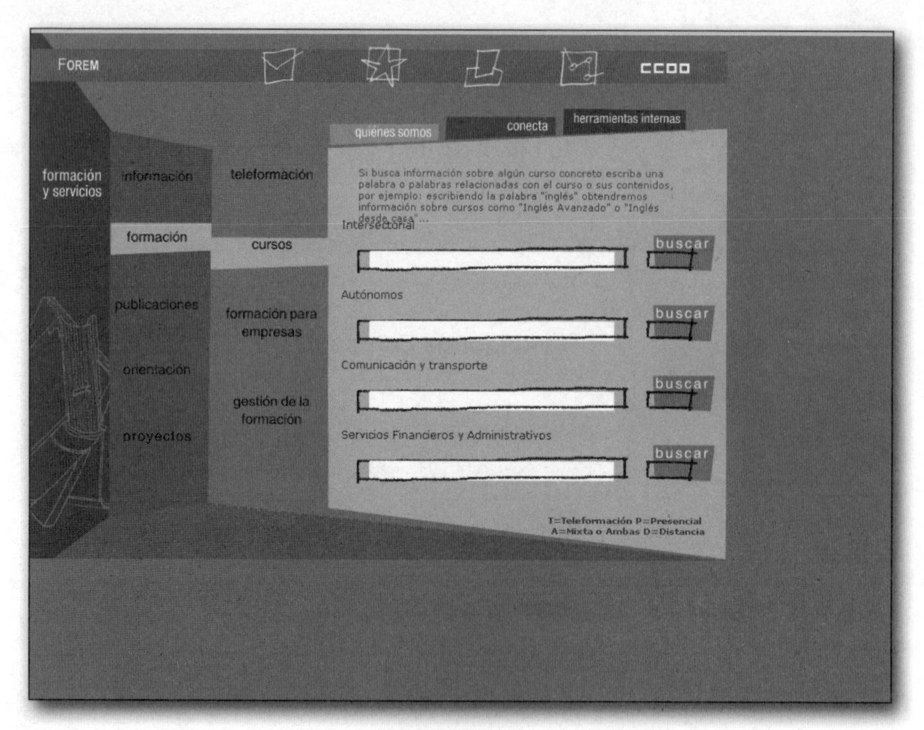

Figura 12.9.
Buscador de cursos de FOREM.

UGT

La Unión General de Trabajadores (`http://www.ugt.es`) también permite acceder a una buena oferta formativa. Puedes hacerlo directamente yendo a la URL `http://www.ugt.es/formacionparaelempleo` que puedes ver en la figura 12.10.

También puedes acceder al Plan de Formación para el Empleo navegando desde `http://www.ugt.es` por las opciones del menú superior Áreas de Información>Formación donde puedes hacer clic sobre el enlace Avance del Plan de Formación Intersectorial Confederal 2010 de la sección derecha Formación Intersectorial. Hay casi 250 cursos disponibles para trabajadores en activo y desempleados.

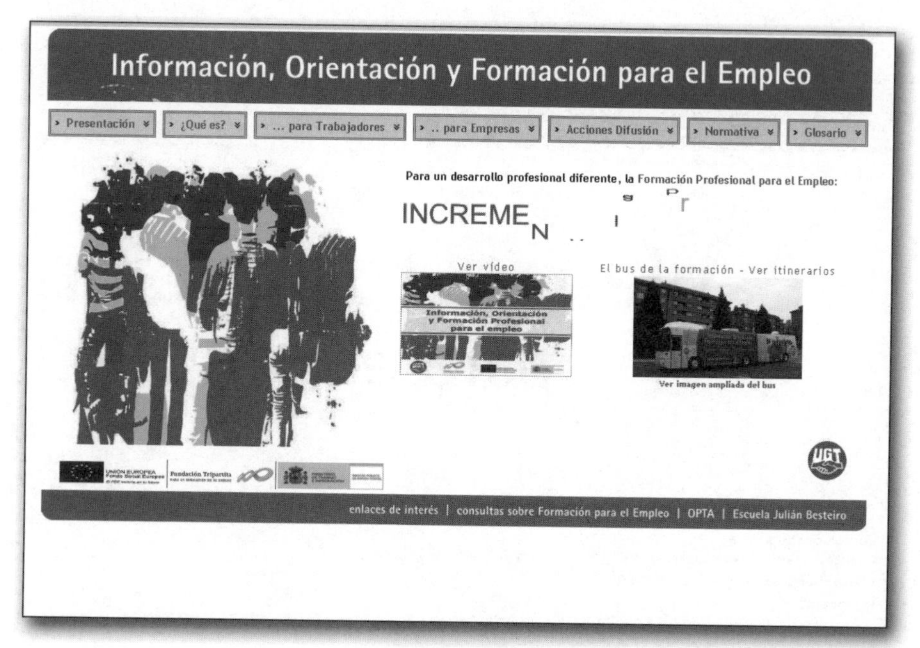

Figura 12.10.
Portal de Formación para el Empleo de UGT.

En la figura 12.11 tienes disponibles todos los cursos del Plan de Formación para el empleo desplazándote hacia abajo. La lista es tan extensa que no quedan visibles en la citada figura.

CCOO

La Confederación Sindical de Comisiones Obreras (`http://www.ccoo.es`) permite acceder a su oferta formativa navegando por las opciones Áreas>Formación para el empleo>Oferta formativa. En esta sección nos remiten a la Fundación Formación y Empleo Miguel Escalera, ya citada.

CCOO dispone de un portal propio llamado "**CCOOnectate a la formación**" y accesible en la URL `http://www.ccoonectate.es`. También se puede acceder desde su página en el enlace correspondiente, en la parte derecha de la página, desplazándote hasta abajo.

Figura 12.11.
Plan de Formación para el Empleo de UGT.

En dicho portal se debe navegar por las opciones CCOOnectate a la formación>Ver todos los cursos para acceder a su buscador de cursos, que puedes ver en la figura 12.12.

SPEE

El Servicio Público de Empleo Estatal (SPEE), cuya URL es ésta: `http://www.sepe.es`, ofrece información para formación haciendo clic en el enlace Formación para el empleo situado a la izquierda en su página principal y que puedes ver en la figura 12.13.

Puedes acceder al buscador de cursos navegando por Cursos>Buscar programas de cursos.

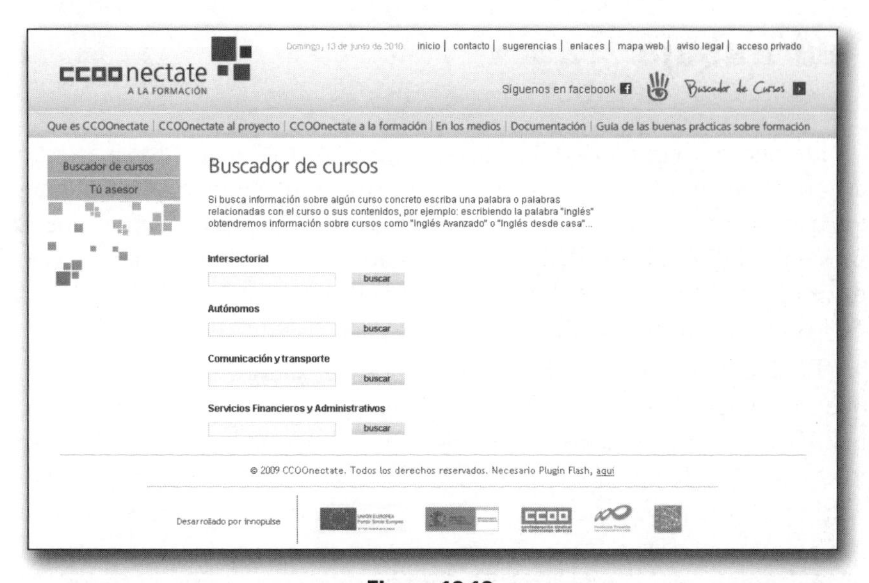

Figura 12.12.
Buscador de cursos de "CCOOnectate a la formación" de CCOO.

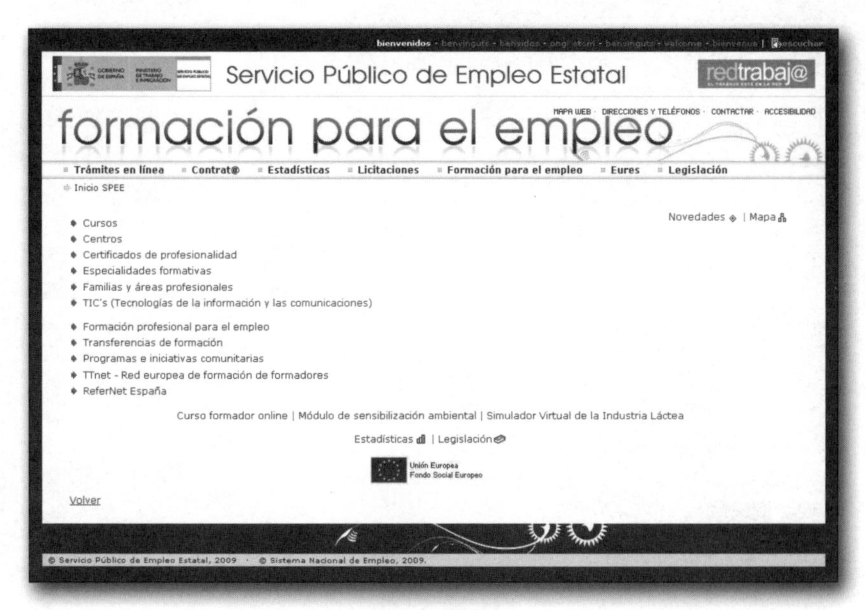

Figura 12.13.
Formación para el empleo en el SPEE.

Red Trabaja

De nuevo citamos Red Trabaja (`http://www.redtrabaja.es`). Ahora navegamos por las opciones Información>Empleo y formación> Formación profesional para el empleo y accedemos a las opciones que vemos en la figura 12.14. Podemos informarnos sobre Cursos, que nos permitirá posteriormente ver los Cursos para desempleados o los Programas de los cursos disponibles.

También podemos informarnos sobre los Certificados de profesionalidad que se pueden obtener por formación o acreditando experiencia profesional. Para más información sobre este aspecto, se puede consultar el Instituto Nacional de Cualificaciones (INCUAL) en la URL `http://www.educacion.es/educa/incual/ice_incual.html`.

Figura 12.14.
Formación profesional para el empleo en RedTrabaja.

Sergio Ibáñez Laborda (`http://blogempleo.com`) realiza y mantiene un ranking de portales de empleo, redes sociales profesionales, metabuscadores, consultoras de selección y ETTs. La URL para consultarlo actualizado es `http://www.rankingdeempleo.es` y nos ofrece información del número de ofertas publicadas, número de usuarios, la relevancia de la página según Google o su presencia en lo que se conoce como "social media", o lo que es lo mismo, si publican blog, Twitter o si mantienen perfiles en redes sociales profesionales. A continuación se presentan los datos recogidos a fecha de 1 de junio de 2010.

Portales	OFERTAS 01/06/10	Usuarios 01/06/10	Blog	Facebook	Twitter	Xing	Linkedin	Page Rank
Infojobs.net	32.374	7.196.000	Sí	Sí	Sí			7
Trabajar.com	22.474	NC		Sí	Sí			5
Infoempleo.com	12.039	3.535.800	Sí	Sí	Sí	Sí	Sí	7
Laboris.net	11.989	NC		Sí				7
Ipsojobs.com	11.351	0	Sí	Sí				4
Trabajos.com	9.800	4.114.000		Sí	Sí			6
Empleo.elpais.com	9.017	NC	Sí	Sí	Sí			7
Tecnoempleo.com	6.809	258.100	Sí	Sí	Sí			6
Oficinaempleo.com	4.697	NC			Sí			6
Donempleo.com	3.020	16.951						4
Computrabajo.es	2.960	52.100	Sí	Sí	Sí			6
Uniempleo.com	2.470	NC						4
Expansión & Empleo	2.159	NC	Sí	Sí	Sí			7
Trabajosyempleo.com	2.142	904						3
Cambioempleo.com	2.009	NC						5
CBJobs.es	1.956	NC		Sí				6
Monster.es	1.945	NC		Sí	Sí	Sí	Sí	7
Primerempleo.com	1.725	NC		Sí	Sí			6
Yaencontre.com/empleo	1.442	NC			Sí			6
Redtrabaja.es	1.397	NC		Sí	Sí			8
Workea.org	1.375	NC	Sí		Sí			4
Cambiadeempleo.com	1.273	NC			Sí			4
Acciontrabajo.es	1.139	10.133						5
Quieroempleo.com	1.105	NC	Sí	Sí	Sí			4
Sistemanacionalempleo.es/INEM	1.062	5.000.000						7

Redes Sociales Profesionales	OFERTAS 01/06/10	CV 01/06/10	Blog	Facebook	Twitter	Xing	Linkedin	Page Rank
Facebook.com	113	10.000.000	Sí	Sí	Sí	Sí	Sí	9
Xing.com	350	1.200.000	Sí	Sí	Sí	Sí	Sí	8
Linkedin.com	98	750.000	Sí	Sí	Sí	Sí	Sí	9
Viadeo.es	81	375.000	Sí	Sí	Sí	Sí	Sí	7

Metabuscadores	OFERTAS 01/06/10	Blog	Facebook	Twitter	Xing	Linkedin	Page Rank
Openjob.es	453.034						3
Opcionempleo.com	309.100		Sí				6
Spain.qnaol.com/trabajos	251.867						6
Jobrapido.es	250.000		Sí			Sí	6
Empleo.trovit.es	108.703						5
Es.jobijoba.com	102.841	Sí	Sí	Sí			4
Es.indeed.com (30 días)	91.707	Sí		Sí		Sí	7
Yakaz.es	79.500	Sí				Sí	6
Sniptime.com	79.185						3
Tablerotrabajo.com	73.542		Sí				4
Simplyhired.es	57.015	Sí	Sí	Sí		Sí	6
Wowempleo.es	45.447	Sí					5
Es.buscojobs.com	39.095	Sí	Sí	Sí		Sí	5
Empleo.com	32.659		Sí	Sí			5
Trabajo.mitula.com/	26.189		Sí	Sí		Sí	5
Trabajoya.es	24.682		Sí	Sí			3
Empleoin.com	22.296			Sí			1
Jobsafari.es	18.622					Sí	6
Jobradar.com	16.530	Sí					4
Ofertasdetrabajo.es	15.000	Sí					1
Empleodirecto.com	8.965		Sí				5
Buscamosempleo.com	4.165		Sí				6
Jobcrawler.info	1.000			Sí			4

ETTs	OFERTAS 01/06/10	Blog	Facebook	Twitter	Xing	Linkedin	Page Rank
Adecco.es	2.960			Sí		Sí	2
Randstad.es	1.432		Sí	Sí	Sí	Sí	5
Unique.es	564	Sí		Sí		Sí	3
Startpeople.es	400		Sí			Sí	4
Eulen.com	400		Sí			Sí	2
Manpower.es	224		Sí	Sí	Sí	Sí	5
Faster.es	40						4

Consultoras Selección	OFERTAS 01/06/10	Blog	Facebook	Twitter	Xing	Linkedin	Page Rank
Catenon.com	1.327		Sí	Sí	Sí	Sí	3
Michaelpage.es	520		Sí		Sí	Sí	6
Rayhumancapital.es/	350		Sí	Sí		Sí	4
Human.es	116		Sí		Sí	Sí	4

Índice alfabético

O

P

Q

R